Heide Oestreich

Der Kopftuch-Streit

Wie unter einem Brennglas bündeln sich im Kopftuch-Streit gesellschaftliche Konflikte. Der Streit ist so vehement, weil er auf mehreren Ebenen tobt. Da wird vordergründig über Religionsfreiheit und Neutralität in der Schule gestritten. Doch dahinter steht die Frage, wie säkular der Staat eigentlich sein soll. Da geht es an der Oberfläche um das Kopftuch als umstrittenes Symbol der Ungleichheit von Männern und Frauen im Islam. Darunter aber steckt die unangenehme Erinnerung, dass auch die westlichen Gesellschaften den Geschlechterkampf keineswegs zu Ende gefochten haben. Und schließlich geht es nicht mehr nur darum, über die vielzitierte Integration von Zuwanderern zu reden, jetzt heißt es, Toleranz konkret zu bestimmen.

Kein Wunder, dass an den Schnittstellen dieser Diskurse die Emotionen hochkochen und die Argumentationslinien quer durch die Parteien und Bewegungen verlaufen. Oestreich dokumentiert und diskutiert all diese Positionen gründlich und liest die Argumente kritisch gegen. Dies fängt beim Rechtsstreit der Lehrerin Ludin an und geht von den Ländergesetzen über die Parteien, von den europäischen Nachbarn über türkische Vereinigungen und fundamentalistische Organisationen, von feministischen Positionen über sozialwissenschaftliche Studien bis hin zur multikulturellen Debatte.

Oestreichs Absicht ist, den Horizont im Kopftuch-Streit zu weiten. Entstanden ist ein Buch, das den Bemühungen muslimischer Frauen um Anerkennung Respekt zollt und eine reflektierte Politik der Toleranz einfordert.

Die Autorin:
Heide Oestreich, geboren 1968, Studium der Politikwissenschaft und Germanistik an der FU Berlin, Diplom Politologin, Ausbildung an der Ev. Journalistenschule, Berlin. Seit 1999 Redakteurin bei der *tageszeitung (taz)*, Berlin, im Inlandsressort. Schwerpunkte: Geschlechter- und Gesellschaftspolitik.

Heide Oestreich

Der Kopftuch-Streit

Das Abendland und ein Quadratmeter Islam

Brandes & Apsel

Auf Wunsch informieren wir regelmäßig über das Verlagsprogramm.
Eine Postkarte an den Brandes & Apsel Verlag, Scheidswaldstr. 33,
D–60385 Frankfurt am Main, genügt.
E-Mail: brandes-apsel@t-online.de oder im
Internet: www.brandes-apsel-verlag.de

1. Auflage 2004

Lektorat: Roland Apsel
DTP: Wolfgang Gröne, Groß-Zimmern
Umschlaggestaltung: Petra Sartowski, MDD-Digitale Produktion, Maintal, unter Verwendung eines Fotos (oben) von Agentur Paul Glaser: Türkische Schülerin mit Designer-Kopftuch und schicker Brille in Berlin-Kreuzberg (1997) und eines Fotos (unten) von Meral Akkent, Nürnberg (1999). Mit freundlicher Genehmigung.
Druck: Tiskarna Ljubljana d. d., Ljubljana, Printed in Slovenia
Gedruckt auf säurefreiem, alterungsbeständigem und chlorfrei gebleichtem Papier.

Bibliografische Information *Der Deutschen Bibliothek:*
Die Deutsche Bibliothek verzeichnet diese Publikation in der Deutschen Nationalbibliografie; detaillierte bibliografische Daten sind im Internet über http://dnb.ddb.de abrufbar

ISBN 3-86099-786-6

Inhalt

Einleitung

Es ist ein anspruchsloses Stück Stoff. Ein Tuch, um den Kopf – diesen herausragenden Körperteil – geschlungen, ist das einfachste Kleidungsstück der Welt. »Gut und sicher vor Gefahr bewahrt ein kleidsam Tuch dein Haar,« wirbt ein Plakat in den Fünfzigern für die angemessene Arbeitstracht der Frauen. In vielen Ländern hat es seine Bedeutung behalten, in Osteuropa oder in Afrika. Muslime haben ihm sogar einen religiösen Sinn gegeben. Mit den Türkinnen wanderte das Kopftuch wieder nach Deutschland ein. Es kennzeichnete lange Zeit eine marginalisierten Gruppe, die man unter das Reinigungspersonal subsumierte.

Es ist ein missbrauchtes Stück Stoff. Allahs Kleidervorschriften kommen manchen seiner männlichen Gläubigen sehr zu Pass. Patriarchen verbannen Frauen und Töchter unter das Tuch und ins Haus. Sie werden Menschen zweiter Klasse: weniger Rechte, weniger Schutz. Dieses Tuch ist ein Instrument der Unterdrückung.

Es ist ein politisches Stück Stoff. Mit dem Kopftuch wird kommuniziert. Die einen befreien sich von den verschleiernden Tüchern. Andere tragen sie als Zeichen: Hier ist eine Muslimin. Es gibt Zeiten, da werden sie gezwungen, die Tücher abzunehmen, weil Kolonisatoren es wollen oder der Schah oder ein deutsches Schulgesetz. Es ist das komplizierteste Kleidungsstück der Welt.

»Ich frage mich, warum wir für vielleicht 25 Betroffene in Deutschland 16 Landtage beschäftigen müssen, 16 Kultusministerien, 16 Staatskanzleien und eine Vielzahl von Juristen«, wundert sich ein Vertreter der Jüdischen Gemeinden in Niedersachsen über den deutschen Kopftuch-Streit. Wer die Symboliken des Kopftuches bedenkt, der wundert sich nicht mehr. Wie soll sich eine Gesellschaft, die Menschen- und Frauenrechte hochhält, die sich als säkular begreift und Angst hat vor den Fundamentalisten, zu diesem Stück Stoff verhalten?

Lange Zeit hielt sie es mit Karl Valentin: »Gar nicht erst ignorieren.« Das Tuch prägte das Straßenbild in einigen von vielen AnatolierInnen bevölkerten Gegenden, und wer es trug, wurde bestenfalls bedauert. Als immer mehr Mädchen damit in den Schulzimmern auftauchten, wurden einige LehrerInnen rabiater: In meiner Schulklasse wird kein Unterdrückungssymbol getragen, hieß es. Manchmal zum Wohl der Mädchen, die es tragen mussten. Manchmal nicht, weil sie es tragen wollten.

Und dann stand die Frau mit dem Kopftuch plötzlich als Lehrerin in der Tür. Im Auftrag des Staates Kinder erziehen? Mit Kopftuch? Jetzt ist er da, der Kopftuch-Streit. Ein religiöses Symbol in der säkularen Schule, das geht nicht, mahnen die einen. Aber die Kreuze hängen doch auch noch an der Wand, antworten die anderen. Warum denn nicht? Ist doch nur ein Kleidungsstück, rufen ganz Liberale dazwischen. Ein selbstbewusster Akt der Integration, meinen manche Multikulturalisten. Ein Akt der Unterwerfung, halten Feministinnen dagegen. Den kann man den Kindern nicht zumuten. Fundamentalistische Unterwanderung sei das, so die ultimative Drohung. Die Vorhut des Gottesstaates stehe hier bereit zur Missionierung.

Und nun?

Dieses Buch dokumentiert den Streit, indem es Fragen an ihn stellt. Was versteht dieses Land unter Säkularität und religiöser Neutralität und wie passt der Islam als Minderheitenreligion in dieses Konstrukt hinein? Wo wird die Toleranz gegenüber den Besonderheiten einer Minderheit zur »falschen« Toleranz, weil sie wichtige Werte vernachlässigt? Was macht ein Kopftuch mit dem Recht der Frau auf Selbstbestimmung? Das sind die drei Leitfragen, die sich den drei Hauptteilen des Buches zuordnen lassen: der juristischen Frage nach dem Kopftuch im Spannungsfeld von Religionsfreiheit und Säkularität, der politischen Frage nach dem Maß der Toleranz und der feministischen nach dem Recht der Frau auf ein selbstbestimmtes Leben.

Der Kopftuch-Streit ist ein Paradekonflikt der multikulturellen Gesellschaft. Das Fremde, in diesem Fall die Muslime, ist irgendwie anders. Das ruft Abwehr hervor. Toleranz, daran hat der amerikanische Sozialphilosoph Michael Walzer im Zusammenhang mit der Multikultur-Debatte erinnert, ist die Kunst, den Anderen auszuhalten, auch wenn man seine Werte nicht teilt, ihn vielleicht sogar unerträglich findet. Wer also das Tuch lediglich als religiöses Kleidungsstück betrachtet, könnte diese alte Tugend anwenden.

Aber toleriert man nicht Verfassungsfeinde, wenn man ein Kopftuch toleriert? Die Grenze zwischen strenger Religiosität und Islamismus ist schwer auszumachen. Wer aber die Tuchträgerin unter das Generalverdikt Verfassungsfeindin stellt, muss sich fragen lassen, ob er nicht an einem Symbol ausagiert, was bei wirklich gefährlichen Gruppen nicht gelingt.

Bei der feministischen Frage wird das multikulturelle Problem besonders virulent. Was einige Muslime als ihre Gruppenidentität zu schützen beabsichtigen, ist vom Standpunkt der Frauenrechte aus betrachtet oft inakzeptabel. Zwangsheiraten von Minderjährigen, Freiheitsberaubung, Körperverletzung, Vergewaltigung in der Ehe, »Ehr«-Verbrechen, alle diese »Traditionen« sind zwar in europäischen Ländern verboten, aber werden diese Verbote auch durchgesetzt? »Unterscheiden die Europäer zwischen Toleranz und Indifferenz?«, fragt der Politologe Bassam Tibi zweifelnd – und zu Recht. Aber was hat das mit einer Lehrerin mit Kopftuch zu tun? Es könnte sein, dass der Kampf gegen das schön sichtbare Tuch so vehement ist, weil man die Unterdrückung der Frauen so schwer zu fassen bekommt.

Jürgen Habermas hat die heutigen westlichen Länder vor einiger Zeit mit wohlwollender Zustimmung als postsäkulare Gesellschaften bezeichnet. Ob dieser Zustand wünschenswert ist oder nicht – die Beschreibung stimmt. Die Religion mischt mit in den gesellschaftspolitischen Debatten, und fast alle europäischen Länder haben darauf verzichtet, sie nach französischem Vorbild durch die Zivilreligion des Republikanismus zu ersetzen. Statt strikter Laizität kennen sie Staatsreligionen oder die enge Kooperation von Staat und Religion. Habermas hat aber auch die Spielregeln resümiert, nach denen sich ein irrationales Gebilde wie die Religion, mit metaphysischen Letztbegründungen statt kommunikativer Normfindung, am Diskurs beteiligen kann. Sie muss ihre Normen diskurskompatibel machen: »Das religiöse Bewusstsein muss erstens die kognitiv dissonante Begegnung mit anderen Konfessionen und anderen Religionen verarbeiten. Es muss sich zweitens auf die Autorität von Wissenschaften einstellen, die das gesellschaftliche Monopol an Weltwissen innehaben. Schließlich muss es sich auf die Prämissen eines Verfassungsstaates einlassen, der sich aus einer profanen Moral gründet.« Würde etwa die katholische Kirche diese Prämissen anerkennen, so könnte sie weder an der Ungleichheit der Geschlechter noch an der Diskriminierung von Minderheiten festhalten. Das gleiche gilt für den Islam. Dieser »Reflexionsschub« wird sich aber nicht ergeben, weil die Gläubigen sich plötzlich hinsetzen und scharf nachdenken. Er findet nur statt, wenn die Gesellschaft die Auseinandersetzung einfordert: Entweder die Religion wird diskurskompatibel, oder man folgt dem Modell Frankreich und schließt sie aus dem öffentlichen Raum aus.

Der Kopftuch-Streit könnte ein gutes Beispiel für diesen Prozess sein. Die Trägerinnen könnten die Avantgarde des reflektierten Islam im öffentlichen Raum sein. Falls sich eine als Vorhut des Fundamentalismus erwiese, würde man sie aussortieren, wie einst die Auerbacher Schulschwestern, die Kindern Angst vor dem Teufel einjagten und die Biologiebücher zensierten. Die Voraussetzung für dieses Experiment wäre allerdings, dass man sie erst einmal in die Schulen hineinließe.

Dieses Buch soll ein Buch zum Nachschlagen und zum Nachdenken sein. Es liefert Einblicke in die Hintergründe zum Kopftuchstreit, es dokumentiert ihn, es geht den Argumenten nach und versucht dabei eine Analyse.

Es beginnt mit einem Blick in die Geschichte der Frauen und ihrer Verschleierung im Koran und in der islamischen Welt. Er orientiert sich an der Frage, ob und inwiefern »der Islam« der Gerechtigkeit zwischen den Geschlechtern eine Chance gibt. Das Beispiel Türkei wird zeigen, wie es zu dem Phänomen der neuen Musliminnen mit Kopftuch kommt, die den Islam im Zuge einer fundamentalistischen Strömung neu entdecken.

Es folgt die Dokumentation des deutschen Kopftuch-Streits im engeren Sinn. Das zweite Kapitel verfolgt die juristische Debatte: von der ersten Presseerklärung der baden-württembergischen Kultusministerin Schavan bis zur Einschätzung der Religionsfreiheit laut Grundgesetz und Verfassungsgericht. Die politische Auseinandersetzung um das Tuch wird im dritten Kapitel dokumentiert: von den Gesetzentwürfen der Länder bis zu den Stellungnahmen der politischen und gesellschaftlichen Gruppen.

Die beiden Hauptbefürchtungen, die an das Kopftuch geheftet sind, werden in Kapitel vier und fünf behandelt: Der Verdacht des Fundamentalismus und der eines voremanzipatorischen Frauenbildes. Was wollen Fundamentalisten in Deutschland? Welche Gefahren gehen von ihnen aus? Das sind die politischen Fragen, die zu beantworten wären. Auf der gesellschaftlichen Ebene geht es darum, welches Frauenbild die Kopftuchträgerinnen verkörpern. Sind sie Vertreterinnen des politischen Islam? Stehen sie für ein archaisches Geschlechterbild?

Und schließlich soll im sechsten Kapitel gezeigt werden, wie das Bild, das der nichtmuslimische Teil der Gesellschaft von muslimischen Frauen hat, auf die Kopftuch-Politik zurückwirkt. Die Diskriminierungserfahrungen von Musliminnen in Deutschland potenzieren sich, wenn sie ein Kopftuch tragen. Dies muss auch einbeziehen, wer sie zusätzlich mit einem Verbot belegen möchte.

Dass Deutschland eine so vehemente Debatte führt, liegt auch daran, dass dieses Land keine Tradition der Integration von religiösen Minderheiten hat. Das wird ein kursorischer Rundblick über Europa zeigen, der am Ende des Buches steht. Frankreich und Großbritannien etwa haben jeweils eigene Modelle entwickelt, die im Hinblick auf Kopftücher entgegengesetzte Lösungen ergeben haben. Eines aber berücksichtigen alle Länder: Sie bemühen sich um eine Gleichbehandlung der Religionen.

Merkwürdigerweise bewegen sich viele der deutschen Bundesländer auf einem anderen Pfad. Sie machen einen Unterschied zwischen der eigenen und der fremden Religion, indem sie letztere unter einen Generalverdacht stellen. Damit beschreiten sie einen Sonderweg in Europa, der sich als ein weiteres missglücktes Kapitel der Integration von MuslimInnen in diesem Land herausstellen könnte.

Kapitel 1

Der Islam

GOTT UND DIE FRAUEN

Mohammed

Er hatte es nicht leicht, der Gott, den die drei Buchreligionen zum Einzigen machten. Monotheismus war zu Beginn unserer Zeitrechnung ein gewöhnungsbedürftiges Konzept. Schließlich hatte man bis dahin für jede Lebenslage einen eigenen Ansprechpartner im Himmel. Kann ein einziger Gott für alles zuständig sein? Und kann ein männlicher Gott auch alles Weibliche repräsentieren?

Nicht nur der alttestamentarische Gott, auch Allah musste sich zunächst gegen Nebenbuhlerinnen behaupten. Bevor die MekkanerInnen ihre Schwüre »im Namen Gottes«, »bismillah«, leisteten, schworen sie »bei al-Lat und al-Uzza«.[1] Zu Zeiten Mohammeds hatten diese beiden Damen und dazu eine gewisse Manat das Sagen in Mekka. Sie wurden als große Gebärerinnen in bestimmten Steinen oder Bäumen verehrt und mindestens einer von ihnen soll in der Kaaba gehuldigt worden sein. Mohammed, der prophetische Neuling, musste irgendwie mit diesen alteingesessenen und beliebten Göttinnen umgehen, wenn er die Bevölkerung von Mekka, die ihm keineswegs wohlgesonnen war, für sich gewinnen wollte.

Der Prophet präsentierte zunächst die himmlische Offenbarung in einer Kompromißlösung: »Was meint ihr, wie es sich mit al-Lat, und al-Uzza und weiter mit Manat, der dritten verhält? Dies sind die erhabenen Gharaniq,[2] deren Fürbitte bei Gott angenehm ist.« Damit erntete Mohammed großen Erfolg bei den Heiden: »Wir haben nun erkannt, dass Gott lebendig macht und sterben lässt, dass er erschafft und Unterhalt

[1] Ekkehart und Gernot Rotter: Die Geschichte der Lust, Düsseldorf 2002: 106

[2] Gharaniq (wörtlich: Kraniche), laut Rotter haben die Mekkaner die Göttinnen als »Töchter Allahs« verstanden: Rotter/Rotter 2002: 109

gibt. Diese Göttinnen aber legen bei ihm Fürsprache für uns ein, da du ihnen einen Anteil eingeräumt hast. Daher stehen wir auf deiner Seite«[3], so reagierten sie nach der Überlieferung auf diese erfreuliche Offenbarung.

Ein geschickter Schachzug: Die weiblichen Gottheiten einfach eingemeindet. Aber am nächsten Tag musste Mohammed sich berichtigen, den Vers von gestern habe ihm der Satan eingeflüstert. Heute sei die Korrektur Allahs angekommen. Statt der Aufwertung der drei Göttinnen als Fürsprecherinnen heißt es nun auf die rhetorischen Frage nach den dreien: »Das sind bloße Namen, die ihr und eure Väter aufgebracht habt, und wozu Gott keine Vollmacht herabgesandt hat.« Wer diese Damen verehre, gehe nur »Vermutungen« nach, für die Wahrheit dagegen könne nur Gott garantieren. Die »satanischen Verse« werden daraufhin aus dem Koran gelöscht und nur noch in den Überlieferungen weitertradiert.

Weibliche Gottheiten hätten also fast noch eine Chance bekommen bei Mohammed. Aber das Patriarchat ist stärker. Die »satanischen Verse« des Koran spiegeln das ganze Dilemma des Propheten in Sachen Geschlechtergerechtigkeit. Die Anlagen dazu waren da, Mohammed war bereit, aber die Zeit war es nicht. Der Geschlechterkampf geht in den Untergrund. Spuren dieser Auseinandersetzungen sind in der Überlieferung zu finden. Und im zwanzigsten Jahrhundert fangen muslimische Frauen an, intensiv zu graben.

Eine Religion, die die Gleichheit aller vor einem Gott propagiert, wie der Islam es tut, bedeutet zunächst einmal eine quasi demokratische Revolution. Es zählt nicht mehr das größte Opfer oder der schönste Tempel, jetzt zählt nur noch das Verhalten des Einzelnen vor Gott. Vor Gott sind alle gleich. Aber unter patriarchalen Bedingungen stellt sich bald heraus: einige sind gleicher. Dass Gott männlich definiert wird und Männern Vorrechte einräumt, ist die Reaktion auf eine patriarchal verfasste Gesellschaft. Diese religiöse Reaktion trägt ihrerseits wieder zur Verstärkung der patriarichalen Realität bei. Denn sie verbannt die vorher ebenfalls angebeteten weiblichen Gottheiten. Gesellschaft und Religion bilden zusammen schließlich ein patriarchales Machtmuster, Michel Foucault hätte gesagt: ein Dispositiv.

Die marokkanische Soziologin Fatima Mernissi stellt nun folgendes Gedankenexperiment an: Wenn der Monotheismus Gleichheit versprochen hat, um dann die Vorrechte eines Geschlechts abzusichern, dann muss zu dieser Zeit ein aktiver Ausschluss der Frauen stattgefunden haben. Ihr Experiment setzt voraus, dass Frauen selbst schon eine Idee von Geschlechtergerechtigkeit gehabt hätten. Darüber weiß man wenig, und deshalb erscheint die These wie eine feministische Rückprojektion. Mernissi ging dennoch auf die Suche.

---

[3] Rotter/Rotter 2002: 109f

Und tatsächlich findet sie Hinweise in den Überlieferungen, aus denen sie eine Entwicklung von der Idee der Geschlechtergleichheit hin zur Behauptung der Dominanz der Männer rekonstruiert.[4] Wir bewegen uns hier in einem hochspekulativen Raum: Noch nicht einmal die zeitliche Abfolge der Offenbarungen gilt als historisch gesichert. Doch Mernissis Einladung, die Ambivalenzen des Koran in Sachen Frauen aus der Logik eines solchen Ausschlussprozesses zu betrachten, kann man ruhig einmal annehmen. Der Vorteil ist, dass sie die Widersprüchlichkeit der Quellen dabei nicht nach einer Seite hin auflösen muss. Einerseits finden sich hinreißend frauenfreundliche Überlieferungen von Mohammed. Andererseits gibt es ebenso klare Hinweise darauf, dass hier die Dominanz der Männer eingepflanzt werden soll und zwar gegen einigen Widerstand. Für Mernissi bilden sie einen zeitlichen Verlauf ab: von der jungen »Hippie-Religion«, in der alle gleich sind, zu einem System, das sich in eine patriarchale Umwelt einpasst.

Mohammed hat, das bestreiten auch konservative Kommentatoren nicht, ausnehmend emanzipierte Damen als Partnerinnen gewählt. Seine erste Gattin, Khadidja, war seine Chefin: eine zwanzig Jahre ältere Unternehmerin, Mohammed war ihr Angestellter. Zwei weitere seiner zahlreichen Gattinnen, gaben ihm laut und öffentlich Kontra: Umm Salma und Aisha, die Jüngste. Diese resoluten Damen scheinen sich des Verlustes ihrer weiblichen Gottheiten durchaus bewusst gewesen zu sein, denn sie fragten spitz nach, welche Stellung der Männergott Allah ihnen denn nun zugedacht habe in seiner neuen Ordnung.

Die Antwort Gottes war zufriedenstellend geschlechterdemokratisch – aber auch ein bisschen allgemein: Alle, Frauen und Männer, seien gleichermaßen angesprochen, »für Männer und Frauen (...) hat Allah Versöhnung und großen Lohn bereitet«, so die Offenbarung. Die Frauen wollten es genauer wissen, so dass Allah schließlich mehrere Verse zur Frauenfrage offenbarte. Und die hatten es in sich. Denn Allah räumte den Frauen darin tatsächlich einen ganz neuen Rechtsstatus ein. Die patriarchale Grundordnung besagte damals, dass Frauen im Normalfall eine Art Eigentum ihrer Männer sind – es sei denn, sie waren so mächtig, beliebt oder reich, dass sie ihren Ehevertrag anders aushandeln konnten. Wenn der Ehemann starb, waren sie Teil der Erbmasse, wenn er im Krieg unterlag, waren sie Teil der Beute. Allah revolutionierte dieses Verhältnis, indem er die Frauen von einem Teil des Gutes zu einer Erbberechtigten machte. Sie sollten halb so viel bekommen wie die männlichen Erben. Letztere hatten schließlich noch ganze Familien zu versorgen und sollten deshalb stärker profitieren. Die Frauen waren zufrieden, die Männer entsetzt: Damit wurden nicht nur Erbe und Beute erheblich geschmälert, es

[4] Fatima Mernissi: Der politische Harem, Freiburg 1992

gab zudem auch noch mehr Erbberechtigte, unter denen zu teilen war, weil die Frauen nun auch etwas bekommen sollten. Die Männer empörten sich: Die Frauen arbeiten nicht für Lohn und verdienen nichts, und Mohammed gibt ihnen trotzdem ein Erbrecht, so beschwerten sie sich. Doch Allah blieb standhaft: Vers um Vers offenbarte er alle möglichen Einzelheiten, um immer wieder klar zu machen, dass das neue Erbrecht kein Irrtum war.

Diese Erhebung der Frau zum Rechtssubjekt hatte weitreichende Folgen: So konnte eine Frau nun nicht mehr einfach geheiratet werden wie vorher. Sie sollte nun selbst zustimmen. Und die Frauen fanden Gefallen an dem neuen Status: Einige forderten sogar das Recht, Kriegszüge zu führen und damit ihr Einkommen zu verbessern. Denn Beute machen war einer der lukrativsten Wirtschaftszweige zu dieser Zeit. Mit anderen Worten: Sie wurden frech.

Mohammed persönlich, so scheint es, hatte damit kein Problem. Die Vorlauteste seiner Gemahlinnen, Aisha, war sogar seine erklärte Lieblingsgattin. Er holte den Rat der Frauen in allen wichtigen Fragen ein und nahm sie auch mit auf seine Kriegszüge. Er ließ sie selbstverständlich ihren Geschäften nachgehen und schlug sie nie – obwohl das damals durchaus üblich war. Aber seine männlichen Mitstreiter waren überhaupt nicht angetan von diesem göttlichen Feminismus. Sie beklagten sich immer wieder darüber, dass die neumodischen Regeln die angestammte Ordnung durcheinanderbrächten und die Frauen neuerdings immer Widerworte gäben. Lange Zeit antwortete der Prophet darauf wahrhaft prophetisch: mit einem stillen Lächeln.

Doch Allah selbst bekam offenbar Bedenken. Wenn die Frauen überall mitmachen, bei den Beutezügen etwa, dann heißt das: die Beute wird durch mehr Köpfe geteilt und es gibt weniger für die Männer als zuvor. Ohnehin waren islamische Beutezüge nicht so lukrativ: Gefangene, die man hätte versklaven können, mussten freigelassen werden, wenn sie sich zum Islam bekannten. Wenn nun auch noch der Gewinn immer schmaler geworden wäre, der Islam wäre in diesem Wirtschaftszweig nicht mehr konkurrenzfähig gewesen. Die Männer wären Allah unter Umständen schlicht weggelaufen. So etwas muss er wohl befürchtet haben, meint Mernissi. Jedenfalls handelte er danach und stoppte die Revolution, die er in Gang gesetzt hatte.

Von nun an wurden die Rechte der Frauen in seinen Offenbarungen eingeschränkt statt erweitert. Und die Männer wurden hofiert: Recht auf Kriegszüge für Frauen? Nein. Darf ein Mann mit seiner Frau gegen ihren Willen schlafen? Ja, er darf. Eine Frau fragte Mohammed, ob Allah erlaube, dass sie zurückschlage, wenn ihr Mann sie schlüge. Nein, darf sie nicht. Im Gegenteil: Allah gab nur dem Mann die göttliche Erlaubnis, seine Frau zu züchtigen, wenn sie aufbegehrte. Mohammed war unwohl bei dieser Offenbarung, das gab er zu Protokoll: »Ich wollte eine Sache, und Gott wollte eine andere.« Es half nichts. Auch der berühmte Vers, in dem es heißt: »Die Männer stehen über den Frauen«, weil »Gott sie (von Natur vor diesen) ausgezeichnet hat und wegen der Ausgaben, die sie von ihrem Vermögen (als Morgengabe für die Frauen?) für diese gemacht haben«[5], passt in diese Phase des frühislamischen Backlash. Das patriarchale Dispositiv nimmt Form an. Und Allah macht mit.

Der Schleier

Es war das Jahr 627: Die Frauen Mohammeds bewegten sich selbstverständlich und frei in Medina, tätigten ihre Geschäfte und stritten mit dem Propheten herum, der sie dennoch liebte und eine nach der anderen heiratete. Mohammed aber wurde älter und schwächer, eine Reihe militärischer Niederlagen lag hinter ihm, die Eroberung Mekkas war noch nicht abzusehen. Im Gegenteil, Medina wurde eine ganze Zeit lang von feindlichen Mekkanern belagert. Hier war man sich gar nicht mehr sicher, auf das richtige Pferd gesetzt zu haben. »Gott und sein Gesandter haben uns nur trügerische Versprechungen gemacht«[6], hieß es. Das Klima in der Stadt wurde rauer, über Mohammed und namentlich über seine vielen frechen Frauen wurde hergezogen, gemunkelt und gewispert: Sie würden gleich nach seinem Tod jüngere Liebhaber heiraten, hieß es, mit seiner Manneskraft sei es nicht mehr weit her. Als Aisha bei einer Exkursion mit einem Sklaven zurückbleibt, um eine verlorene Halskette zu suchen, wird ihnen eine Affäre unterstellt. Gott muss siebzehn Verse lang ihre Unschuld offenbaren, bis die Gerüchte eingedämmt sind. Die Ungläubigen und Heuchler, die nur konvertiert sind, weil es gerade opportun war, hetzen jetzt und belästigen die allzu freien Frauen, wo sie nur können. Einer geht geradewegs zu Mohammed und will seine Ehefrau gegen Aisha eintauschen – ein Affront.

Zu jener Zeit gab es eine Art von Belästigung auf offener Straße, die sich »Ta'arrud« nannte: »Sich einer Frau in den Weg stellen und sie zur Unzucht auffordern«, soll es wörtlich heißen, Gewalt war dabei nicht auszuschließen. Wer als Frau kein besonderes Ansehen genoss, war vor dem Ta'arrud nicht sicher. Nun belästigten die Heuchler Mohammeds Frauen, wenn diese in der Kühle der Nacht ihren Geschäften nachgingen.[7] Zur Rede gestellt, behaupteten sie, die Frauen für Sklavinnen gehalten zu haben. Letztere galten als eine Art Freiwild, wenn man den

---

[5] Der Koran, Übersetzung von Rudi Paret, Stuttgart 1979: 64
[6] Mernissi 1992: 226
[7] Mernissi übersetzt es so, Paret dagegen übersetzt »austreten«, im Sinne von: die Toilette aufsuchen.

Überlieferungen glauben darf. Die Männer um Mohammed, allen voran sein Nachfolger Umar, wollten schon lange, dass die Frauen sich verschleiern, damit sie sich von den Sklavinnen unterschieden. Mohammed war dagegen. Er wollte, dass Muslime anständige Menschen sind, die sich zu kontrollieren wissen. »Der Hijab (der Schleier) war genau das Gegenteil dessen, was er eigentlich hatte erreichen wollen: Der Hijab verkörperte die fehlende innere Kontrolle, er verschleierte den souveränen Willen, der die Gesellschaft ordnete und regelte«, meint Mernissi und erläutert weiter: »Der Islam Mohammeds weist den Gedanken der Kontrolle (...) weit von sich. (...) In einer Umma von Gläubigen, deren Verhaltensweisen präzisen verinnerlichten Regeln folgen, hebt die Eigenverantwortlichkeit die Kontrolle durch die Geistlichkeit auf, so dass diese schließlich überflüssig wird.«[8] Doch was tun, wenn die Umma nicht so funktioniert, wie Mohammed es sich wünscht? Draußen die Unverschämtheiten der Heuchler, drinnen die Männer, die finden, ihre Frauen seien zu frech geworden. Allah hilft. Allah schickt den Vers des Schleiers, der nun in Sure 33, Vers 59 zu finden ist:

> »Sag Prophet, deinen Gattinnen und Töchtern und den Frauen der Gläubigen, sie sollen (wenn sie austreten), sich etwas von ihrem Gewand (über den Kopf) herunterziehen. So ist es am ehesten gewährleistet, dass sie (als ehrbare Frauen) erkannt und daraufhin nicht belästigt werden.«[9]

Ungefähr zur selben Zeit teilte Allah Mohammed ein weiteres Verhüllungsgebot mit, das immerhin für beide Geschlechter gelten soll. In Sure 24, Vers 30 und 32 heißt es nun:

> »30 Sag den gläubigen Männern, sie sollen (statt jemanden anzustarren, lieber) ihre Augen niederschlagen, und sie sollen darauf achten, dass ihre Scham bedeckt ist (w. sie sollen ihre Scham bewahren). So halten sie sich am ehesten sittlich (und rein) (w. das ist lauterer für sie). Gott ist wohl darüber unterrichtet, was sie tun. 32 Und sag den gläubigen Frauen, sie sollen (statt jemanden anzustarren, lieber) ihre Augen niederschlagen, und sie sollen darauf achten, dass ihre Scham bedeckt ist (w. sie sollen ihre Scham bewahren), den Schmuck, den sie (am Körper) tragen, nicht offen zeigen, soweit er nicht (normalerweise) sichtbar ist, ihren Schal sich über den (vom Halsausschnitt nach vorne heruntergehenden) Schlitz (des Kleides) ziehen und den Schmuck, den sie (am Körper) tragen, niemand (w. nicht) offen zeigen, außer ihrem Mann, ihrem Vater, ihrem Schwiegervater, ihren Söhnen, ihren Stiefsöhnen, ihren Brüdern, den Söhnen ihrer Brüder und ihrer Schwestern, ihren Frauen (d.h. den Frauen, mit denen sie Umgang pflegen?), ihren Sklavinnen (w. dem, was sie (an Sklavinnen) besitzen), den

---

[8] Mernissi 1992: 249

[9] Der Koran 1979: 279. In Klammern gesetzt hat Paret zum einen Erläuterungen, die er weiteren überlieferten Texten entnahm, und zum anderen wörtliche Übersetzungen, die mit »w.« eingeleitet werden.

männlichen Bediensteten (w. Gefolgsleuten), die keinen Geschlechtstrieb (mehr) haben, und den Kindern, die noch nichts von weiblichen Geschlechtsteilen wissen. Und sie sollen nicht mit ihren Beinen (aneinander) schlagen und damit auf den Schmuck aufmerksam machen, den sie (durch die Kleidung) verborgen (an ihnen) tragen (w. damit man merkt, was sie von ihrem Schmuck geheim halten). Und wendet euch allesamt (reumütig) wieder Gott zu, ihr Gläubigen! Vielleicht wird es euch (dann) wohl ergehen.«[10]

Während unvoreingenommene LeserInnen hier nur entdecken können, dass man die Scham und etwaige Schlitze bedecken und nicht mit dem Schmuck klappern soll, haben die Korankommentatoren hier ebenfalls ein Verschleierungsgebot festgemacht. »Das Haar, der Nacken und die Ohren müssen verhüllt sein«, schreibe eine der sehr frühen Überlieferungen bereits vor, heißt es.[11]

Zur selben Zeit zieht Mohammed einen Vorhang vor die Privatgemächer seiner Frauen, weil er den Ansturm der Besucher und ihre Unverschämtheiten draußen halten will. Es ist, so liest es die Feministin Mernissi, eine Kapitulation. »Mit der Logik des Hijab tritt die Gewalt des Stammes an die Stelle der Vernunft des Gläubigen, die der muslimische Gott als unabdingbar für die Unterscheidung zwischen Gut und Böse betrachtet. (...) Damit Gott seine Existenzberechtigung als Herrscher, Gesetzesgeber und soziale Kontrollinstanz erlangen konnte, musste die Instanz, die diese Funktion zuvor wahrgenommen hatte, die Stammesherrschaft, verschwinden. Mit dem Hijab erwacht die Vorstellung, dass die Straße in der Hand des Unvernünftigen ist, der seine Begierde nicht zähmen und der nur durch einen Stammesfürsten unschädlich gemacht werden kann, zu neuem Leben.«[12] Der Schleier, so ihre Folgerung, verdunkelt die große Herausforderung des Islam, nämlich sich als gleiche Individuen mit gleicher Verantwortung vor Allah wahrzunehmen. Diese düstere Interpretation erwächst aus der Erkenntnis, dass sämtliche Rechtsschulen die Geschlechtertrennung und den Schleier zu ewigen Gesetzen Allahs verabsolutiert haben. Dagegen lehnt Mernissi sich auf. Andere Interpretinnen bauen auf ihrer Rekonstruktion auf – gehen aber pragmatischer vor. Sie erklären die Offenbarungen, die die Ungleichheiten der Geschlechter betonen, schlicht für historisch bedingt: Zu dieser Zeit sei etwas anderes gar nicht möglich gewesen. Doch mittlerweile hätten diese Offenbarungen ihren Sinn längst eingebüßt und gehörten in die Archive, erklären sie. Dazu später mehr. Zunächst macht der Schleier eine Karriere, die seinen Urheber sicherlich überrascht hätte.

---

[10] Der Koran 1979: 246

[11] Claudia Knieps: Geschichte der Verschleierung der Frau im Islam, Würzburg 1999: 206

[12] Mernissi 1992: 251

Ein Stoff macht Geschichte

Mohammeds Nachfolger, die ersten Kalifen, machen seinen Sperenzchen in Sachen Frauenrechte schnell ein Ende. Sie sind Pragmatiker, die eine Menge anderer Probleme zu lösen haben. In der Kalifenzeit toben die Nachfolgekämpfe, die später zur ersten Spaltung der Muslime in Sunniten und Schiiten führen werden. Die Kalifen wollen Ruhe an der Geschlechterfront. Und da das den männlichen Gläubigen durchaus passt, verdichtet sich der Schleier in den folgenden Jahrhunderten zunehmend. Während die frühen Rechtssammlungen in Sachen Verschleierung noch gar keine Vorgaben machen,[13] sind sich alle vier Hauptschulen der sunnitischen Rechtstradition wie auch die Schiiten spätestens seit dem Mittelalter einig: Allah will die Muslimin bedeckt. Es gibt einzelne Frauen, die sich dagegen wehren, doch die große Mehrheit lernt den Islam nur so kennen, wie ihn die Männer überliefern: mit dem Schleiergebot und mit den frauenfeindlichen Hadithen (den Überlieferungen von Aussprüchen und Handlungen Mohammeds). Von denen hat Aisha, die Mohammed viele Jahre überlebt hat, noch viele gehört und für definitiv falsch erklärt. Um das herauszufinden, muss man aber lange die Quellen studieren und sich auf einen geharnischten Gelehrtenstreit einlassen. Männliche Kommentatoren verschweigen die Widersprüche zu ihrer Lieblingsauslegung nämlich gern. Mernissi ist unter anderem auch folgendem oft zitierten Spruch nachgegangen: »Niemals wird ein Volk zu Wohlstand gelangen, das seine Geschäfte einer Frau anvertraut«, soll der Prophet gesagt haben. Damit begründen Fundamentalisten bis heute, warum sie Frauen von der Politik fern halten wollen. Wer nun Mohammeds Vorliebe für politisch denkende Frauen kannte, muss eigentlich erstaunt sein über einen solchen Spruch. Und die Authentizität wird tatsächlich fragwürdig, wenn man die Umstände der Überlieferung bedenkt: An diese Sentenz hat sich ein Schüler Mohammeds erinnert, als Mohammed selbst lange tot war. Aber seine Frau Aisha wollte in eine Schlacht ziehen und rief die Gläubigen zum Kämpfen auf. Da kam dieser schöne Ausspruch als Ausrede für einen, der mit ihren Plänen nicht einverstanden war, gerade recht.

Solche Nachforschungen, die die Quellen neu befragen, sind mühselig. Die frauenfeindliche Überlieferung dagegen ist bis heute ungebrochen und wurde seit den siebziger Jahren sogar dank saudischer Subventionierung außerordentlich populär. Mit dem Erstarken des Fundamentalismus überschwemmten Massenpublikationen über »Die Frau im Islam« in hohen Auflagen zu Spottpreisen die Märkte in den muslimischen Ländern. Sie sind gefüllt mit Warnungen vor den Gefahren, die von Frauen ausgehen können, die ihre von Gott vorgesehene Rolle verlassen. Auch der pakistanische Islamisten-Vordenker Abu l'Ala Maududi, dessen Bü-

[13] Knieps 1999: 238f

cher unter den neuen Fundamentalisten weit verbreitet sind, gehört in diese Liga. »Parda«, »Schleier«, heißt eine seiner Hauptschriften, in der er sowohl aus dem Koran als auch aus der »modernen Wissenschaft« ableitet, dass die Frau wegen ihrer zyklischen Schwankungen leider zu keiner Rationalität fähig sei und deshalb auf keinen Fall gleichberechtigt sein könne.[14]

Aber auch die frauenfreundliche Lesart des Koran hat zwischenzeitlich immer mal wieder ihre Protagonisten gefunden. Die Schiiten, die den Schwiegersohn Mohammeds, Ali, zum rechtmäßigen Nachfolger des Propheten gekürt haben, verehren Ali, Mohammeds Tochter Fatima und Mohammed gleichermaßen, eine Art heilige Dreifaltigkeit. Durch Fatima ist eine Blutsverwandtschaft mit Mohammed gesichert, deshalb wird sie als »die Mutter der Imame« geehrt. Die Sunniten wollten lächerlich machen, was die Schiiten verehren. Sie drifteten in eine besonders frauenfeindliche Phase. Fatima aber avancierte unter anderem zur Heldin der schiitischen Befreiungstheologie, die der iranischen Revolution vorausgeht: In den Siebzigern warb Ali Schariati für diese Revolution – im Namen der Frauen. »Fatima ist Fatima« heißt sein feministisches Werk, in dem er Fatima zur emanzipierten Ikone stilisiert: »Sie war in der islamischen Geschichte für die entrechteten Massen das Symbol für Freiheit und Gerechtigkeit. (...) Sie ist selbst ein ›Imam‹, ein Vorbild, ein idealer Typ und ein Leitbild aller Frauen, die für die Entfaltung ihrer Persönlichkeit eintreten.«[15] Nicht zuletzt diese Aussicht animierte die Schiitinnen, sich für Ayatollah Khomeini ins Zeug zu legen. Schariatis Buch wurde nach der Revolution noch eine Weile werbewirksam im Ausland vertrieben, doch im Iran war es bald nicht mehr zu bekommen. Das Patriarchat hatte diesen Ausflug in den feministischen Islam bald wieder vollständig im Griff.

Frauen in muslimischen Ländern

Die Frau im islamischen Recht

Eine besondere Problematik des muslimischen Patriarchats liegt darin, dass die traditionelle Rollenverteilung aus dem islamischen Recht abgeleitet wird. Inwiefern dieses gottgegebene Recht aber verändert werden kann, darüber streiten die Rechtsschulen seit Jahrhunderten. Die einen nehmen alles, was Koran und Überlieferung (die »Sunna«) an Regeln hergeben, als unveränderliche Gesetze wahr. Die anderen leiten aus

[14] vgl. »Allahs Kader«, die tageszeitung, 24.1.2004
[15] zitiert nach Rotter/Rotter 2002: 151

einem koranischen Gebot ab, dass man seinen Verstand gebrauchen muss, um zeitgemäße Auslegungen dieser Regeln zu finden. Die Gesamtheit der Lebensregeln, die Scharia, wird dementsprechend unterschiedlich interpretiert. Viele Muslime sehen darin nicht mehr als ein ethisches System, das vor allem die persönliche Lebensführung beeinflusst. Das weltliche Recht wäre in dieser Sicht von der Scharia höchstens inspiriert. Fundamentalisten dagegen machen die strenge Auslegung der Scharia zum Gesetz. Das Familienrecht in muslimischen Ländern ist zudem noch von nichtislamischen Gewohnheitsrechten geprägt, die oft zu Lasten der Frauen gehen. »Ehrenmorde« gehören etwa dazu.

Mischungen aus traditionellen Elementen und der Scharia finden sich im islamischen Familienrecht wieder, wenn es nicht modernisiert und egalisiert wurde oder man diese Modernisierung wieder zurücknahm. Die folgenden Elemente sind der fundamentalistischen Version entnommen, die nur in wenigen Ländern gilt. In schwächeren Spuren sind sie in muslimischen Ländern vorhanden, die ihr Familienrecht an die Scharia anlehnen.

- Die Rollen der Geschlechter sind festgeschrieben. Die Frau ist für die Kinder zuständig, der Mann muss das Einkommen sichern. Der Mann trägt die Verantwortung für die Famile. Das nichtkoranische Konzept der männlichen Ehre hat zu der Interpretation beigetragen, dass der Mann die Frau kontrollieren muss. In der Praxis wird daraus manchmal die Formel: Unterhalt gegen Gehorsam. Daraus kann folgen, dass der Mann bestimmen kann, wo seine Frau sich aufhält. Ohne sein Einverständnis darf sie in manchen Ländern offiziell nicht ausgehen, nicht reisen oder nicht ins Ausland gehen. Eine Frau, die nicht gehorcht, nimmt sich das Recht auf Unterhalt.
- Frauen müssen in einigen Ländern die Polygamie ihres Mannes aushalten. Bis zu vier Frauen darf der Mann nach dem Koran heiraten. Gedacht war dabei etwa an Witwen, die irgendwie versorgt werden müssen. Doch hat sich das Recht von dieser Motivation entfernt. Wenn eine Ehefrau nicht einverstanden ist, kann sie ihren Mann zwar verlassen, doch ihr Unterhalt ist dann meist ebenso weg wie ihre Kinder.
- Frauen haben oft eine schlechtere Position im Scheidungsrecht. Der Mann kann vor zwei Zeugen die Scheidung aussprechen – ohne einen Grund anzugeben. Die Frau dagegen muss vor einem Richter nachvollziehbare Gründe angeben. Grausamkeit oder Drogensucht, aber auch Fremdgehen oder die mangelhafte Versorgung durch den Mann berechtigen auch sie zur Scheidung, wenn sie ihr Recht kennt und wenn der Richter ihr glaubt. Sogar die Abneigung kann laut Koran als Grund geltend gemacht werden. Das aber wissen Musliminnen oft nicht. Die Männer dagegen brauchen nicht viel zu wissen, um ihre Frau loszu-

werden. Oft bekommen Frauen keinen Scheidungsunterhalt, wenn sie die Scheidung beantragen. Ihr Sorgerecht geht ab einem bestimmten Alter der Kinder automatisch auf den Mann über.

- Frauen sind in manchen Ländern in Politik und Justiz nicht gern gesehen. Das hat auch mit dem oben erwähnten Hadith zu tun. Das Wahlrecht haben die Jemenitinnen erst vor kurzem erhalten. Im Iran gab es eine lange Diskussion darüber, ob Frauen Richterinnen sein können.
- Aus der koranischen Empfehlung der Verschleierung haben manche Länder eine Schleierpflicht abgeleitet. Aber nur unter dem Einfluss von Fundamentalisten wird diese so scharf überwacht, wie man es aus Afghanistan unter den Taliban kannte, aus Algerien, als die Islamisten dort großen Einfluss hatten, oder aus dem Iran, der ein verrutschtes Tuch zeitweilig mit 74 Peitschenhieben sanktionierte.
- Frauen können früh verheiratet werden. Im Iran wurde das gesetzliche Heiratsalter vom Alter der jüngsten Frau Mohammeds, Aisha (neun Jahre) abgeleitet.
- Nicht koranisch, aber patriarchalisch ist es, Bildung von Frauen für überflüssig zu halten. Das schlimmste Beispiel dafür war wohl das Afghanistan der Taliban, die Mädchen den Schulbesuch verboten. In vielen fundamentalistischen Ländern ist es mittlerweile erwünscht, dass auch Frauen sich bilden und berufstätig sind.

Fast alle muslimisch geprägten Staaten haben Modernisierungsperioden hinter sich, in denen traditionelle Elemente des Familien- und Personenstandsrechts, wie auch die Schleierpflicht abgeschafft wurden. Die Modernisierung war in vielen Ländern eine Art Ideologie. Man wollte die Moderne mit großem Nachdruck einführen. Dies geschah in manchen Ländern während oder nach der Kolonialzeit. Im Maghreb etwa identifizierten die Europäer den Islam mit wirtschaftlicher und sozialer Rückständigkeit, was sie selbst zugleich aufs Angenehmste aufwertete. Die Modernisierung, die diese Länder kennenlernten, ist kolonisatorisch, d.h. autoritär und ausbeuterisch. In anderen Ländern wie Persien oder die Türkei wollte man sich selbst modernisieren und dämmte den Einfluss der Religion deshalb ein. Die Modernisierung hatte einen solchen Zauber, dass die religiöse Vergangenheit in dieser Zeit stark abgewertet wurde. Viele Länder übernahmen nun westliche Rechtssysteme. Im gleichen Zug wurde die Befreiung der Frau propagiert – und ihre Sichtbarkeit. Sie wurde entschleiert, ob sie wollte oder nicht.

Es gibt es Staaten, die diese Form der Modernisierung ablehnten, wie einige Golfstaaten und Saudi-Arabien. Sie versuchten, wirtschaftliche Modernisierung ohne gesellschaftliche Modernisierung und damit ohne die Frauenbefreiung zu erreichen. Das, was der Westen zwangsweise zusammen denkt, trennen sie.

Während der Wirtschaftskrise der siebziger Jahren wurde die Modernisierungsideologie brüchig: die verheißenen Erfolge stellten sich nicht ein. Im Gegenteil, der Individualisierungsschub erwies sich als Falle für die Verlierer dieser Modernisierung. Den fundamentalistischen und Öl fördernden Golfländern dagegen ging es prachtvoll. Sie sahen aus wie historische Sieger, und ihre Missionare brachten Geld und Sinn zu den Verarmten und Verunsicherten. Das gab den Fundamentalisten in den modernistischen Ländern Auftrieb. Diese profitierten auch davon, dass die Modernisierung einen autoritären Charakter hatte. Die ägyptischen Muslimbrüder etwa waren als konservative Befreiungsbewegung gegen die Kolonialherrren entstanden. Ende der Siebziger gab das Vorbild der islamischen Revolution im Iran diesen Gruppen weiteren Auftrieb. Unter dem Druck der Fundamentalisten fingen auch die modernistischen Staaten wieder an, gesellschaftliche und wirtschaftliche Modernisierung zu trennen – auf Kosten der Frauen. Der Maghreb und Ägypten beispielsweise führten wieder »islamische« Elemente ins Familien- und Personenstandsrecht ein.

Je nach historischer Lage sind nun in den muslimisch geprägten Ländern einzelne dieser traditionellen Regeln in Kraft. Die Situation ändert sich je nachdem, ob Frauenbewegung oder internationale Institutionen Druck von der einen Seite erzeugen oder aber Fundamentalisten von der anderen Seite. In dem einen Land bekommen Frauen ein besseres Unterhaltsrecht, dürfen aber nicht ohne Erlaubnis reisen. In dem anderen wird die Polygamie abgeschafft, aber das Scheidungsrecht bleibt schlecht.

Eine Ausnahme in Sachen Scharia wie in Sachen Schleier bilden die fundamentalistisch zu nennenden Regierungen in Saudi-Arabien, im Sudan, in einigen Golfländern oder im Iran. Hier gelten teilweise immer noch die Körperstrafen, die andere muslimisch geprägte Länder nicht kennen. Der Iran verabschiedete sich erst 2002 prinzipiell von der Steinigungsstrafe von Ehebrecherinnen (die auch zuvor selten verhängt wurde). In Saudi-Arabien sorgt die wahhabistische Glaubensrichtung für eine strikte Geschlechtertrennung auf Kosten der Frauen. So können sie am öffentlichen Leben nur sehr eingeschränkt teilnehmen. Auch Regelungen wie das berühmte Auto-Fahrverbot für Frauen, aber vor allem der rigide Ehr-»Schutz« schränkt Frauen ein. Frauen bekommen nur einen Personalausweis, wenn der Ehemann zustimmt.[16] Auf der andere Seite werden Bildung und Karriere von Frauen gerade in diesen beiden Ländern stark gefördert. Heute finden sich saudische Frauen deshalb oft in paradoxen Situationen wieder. So dürfen sie etwa Unternehmen besitzen, aber nicht

---

[16] vgl. »Ausweise für Frauen: Warum soll man an der Zustimmung eines Vormunds festhalten?« in: ArabNews, 22.11.2002, Quelle: *www.memri.de*

leiten.[17] Mit der Förderung der Bildung von Frauen haben aber auch diese Länder die Grundlage für weitere Reformen gelegt: Wer gebildet ist, kennt seine Rechte und hat Mittel, gegen Ungerechtigkeiten vorzugehen. In Pakistan und im Iran sind Netzwerke von Theologinnen und Juristinnen am Werk, die die Quellentexte des Islam gegen die diskriminierenden Vorschriften in Stellung bringen – und zwar erfolgreich.

Das Recht auf Bildung haben sich Frauen in allen muslimischen Ländern erkämpft. Studentinnen (mit Schleier) sind im Iran sogar schon seit einigen Jahren gegenüber ihren männlichen Kommilitonen in der Mehrzahl. Die norafrikanischen Länder haben Frauenfördergesetze. In all diesen Ländern ist damit auch die Grundlage für den weiteren Abbau von Diskriminierungen gelegt.

Die Frauenbewegung war in diesen Ländern immer schon doppelt: Säkularistinnen mit Modernisierungsideologie und ohne Schleier standen den Rita Süssmuths des Islam gegenüber, Frauen, die die islamische Tradition und die Rolle der Frau nicht prinzipiell ablehnen und die nichts gegen das sichtbare Zeichen Kopftuch haben, aber dennoch mehr Rechte wollen. Dieser islamische Feminismus hat im Iran und in Pakistan, aber auch in den fundamentalistischen Bewegungen Nordafrikas stark an Bedeutung gewonnen.

Muslimische Frauen heute: Mit dem Koran ins Internet

Der Fundamentalismus hat den Frauen nicht nur einen Rollback beschert. Das Erstarken dieser Gruppen geht zwar auch mit einer Schleier-Bewegung unter den Frauen einher, aber dieser Schleier beschränkt die Frauen weniger, als so mancher männliche Fundamentalist es gerne hätte. Einige setzen sich in der Tat für eine konservative Frauenrolle ein, die auf Mutterschaft und Hausfrauendasein konzentriert ist, diese aber nicht abgewertet sehen will – ähnlich wie es in Deutschland die CSU lange propagierte. Aber das Recht auf Bildung lassen diese Frauen sich nicht mehr nehmen. Nach der Ausbildung biegt ein großer Teil ins Familienleben ab – ähnlich wie lange Zeit in Deutschland. Vor allem die schlechte Arbeitsmarkt-Situation trägt dazu entscheidend bei. Viele andere streben aber nach ihrer Ausbildung in einen Beruf. Auch dies sehe der Koran für Frauen vor, betonen sie mit Hinweis auf die Gattinnen Mohammeds, die eigene Geschäfte besaßen.

---

[17] »Ist das wirklich wahr?«, fragt der Kolumnist Amr Muhammad al-Faisal im Titel seiner Kolumne in Arab News, und fügt verschmitzt hinzu: »Ich danke Gott, dass diese Informationen noch nicht ins Ausland gelangt sind.« Arab News 28.1.2003, Quelle: *www.memri.de*

Aus ihren Reihen hat sich eine eigene Frauenbewegung aufgemacht: Besonders bekannt geworden sind Theologinnen und Juristinnen aus Pakistan und dem Iran, die das islamische Patriarchat mit seinen eigenen Mitteln attackieren. So ordnete etwa die Teheraner Parlamentsabgeordnete Faizeh Haschemi die koranischen Vorschriften des Erb- und Scheidungsrechts den zeitgebundenen und daher wandelbaren Regelungen zu. Sie erklärte, wie man auch mit dem modernen Scheidungsrecht perfekt nach den Regeln des Islam leben kann.[18] In Pakistan hat die Theologin Riffat Hassan eine Art islamische Befreiungstheologie entwickelt, die ebenfalls versucht, die Überlieferung in ihrem historischen Kontext eingebettet zu lesen und ihre scheinbar ehernen Vorschriften damit aufzuweichen. »Der Koran ist eine Waffe«, sagt sie.[19]

Die Forderungen der Frauen in der islamischen Welt haben sich also sehr stark ausdifferenziert. Man könnte drei grobe Richtungen unterscheiden. Es gibt Traditionalistinnen, die sich mit manchen jungen Fundamentalistinnen gut verstehen und das Glück der Frauen im Heim sehen. Es gibt Feministinnen, die von den säkular und links orientierten Befreiungsbewegungen her kommen und den Schleier ablehnen wie Fatima Mernissi. Sie haben die frauenfeindlichen Traditionen des Islam uminterpretiert oder auch gleich rechts liegen gelassen: Es sind die berühmten Feministinnen aus Nordafrika wie Fatima Mernissi, Khalida Messaoudi oder Nawal El-Sadaawi. Sie stehen ohnehin für ein säkulares Gesellschaftsmodell. Und es gibt zum Dritten den »Islamischen Feminismus«. Diese Frauen wollen keine Gleichheit der Geschlechter, aber gleiche Rechte. Sie sind etwas weniger europäisch orientiert. Das verschafft ihnen Glaubwürdigkeit unter denen, die dem Westen prinzipiell misstrauen. Sie sind deshalb nach allen Seiten bündnisfähig.[20]

Internationale Frauen- und Menschenrechte

Wer sich wenig mit Menschenrechtsfragen beschäftigt, der hört vor allem, dass muslimische Staaten Menschenrechte verletzen, die Menschenrechtserklärung nicht voll anerkennen, eigene Versionen von Menschenrechtserklärungen lancieren und überhaupt in diesen Fragen unberechenbar seien. Das stimmt so nicht. Die einschlägigen Menschenrechtskonventionen und -abkommen sind von westlichen wie von östlichen Staaten unterzeichnet und größtenteils ratifiziert worden, auch das

[18] vgl. Mathias Rohe: Der Islam: Alltagskonflikte und Lösungen, Freiburg 2001: 53
[19] »Im Namen Allahs«, Die Zeit, 1.11.1996
[20] Ein strömungsübergreifendes Netzwerk muslimischer Feministinnen heißt »Women living under muslim law«, Quelle: *www.wluml.org*

Frauenrechtsabkommen. Die muslimischen Staaten haben sie also anerkannt. Doch sie haben Vorbehalte eingelegt.[21]

Wenn muslimische Staatengruppen mit eigenen Menschenrechtserklärungen aufwarten, haben diese zunächst eher appellativen Charakter. Keine der Erklärungen ist von diesen Staaten für rechtsverbindlich erklärt worden. Dennoch berufen sich auch deutsche muslimische Vereinigungen auf diese Erklärungen und stellen sie den »westlichen« gegenüber. Sie ignorieren damit, dass viele islamisch geprägte Staaten sowohl ihre Verfassungen wie auch die weitere Gesetzgebung an säkularen Rechtssystemen orientiert haben und oft sogar einen (wenn auch eingeschränkten) Gleichberechtigungsartikel darin aufgenommen haben.[22]

Die islamischen Menschenrechtserklärungen unterscheiden sich in verschiedenen Graden von den UN-Konventionen. Da ein großer Teil der muslimischen Welt vom Westen besetzt und kolonisiert war, als die Menschenrechtscharta verabschiedet wurde, konnten sie an ihrer Entstehung nicht mitwirken. Viele dieser Länder sehen sich deshalb nur eingeschränkt an die UN-Charta gebunden. So sind auch die verschiedenen Initiativen für »eigene« Menschenrechte zu erklären. NGOs haben die UN-Konventionen an regionale Gegebenheiten angepasst, ohne sich auf die Scharia als Rechtssytem zu beziehen. Verschiedene Staaten- und Interessengruppen haben ebenfalls eigene Erklärungen entwickelt.[23] Auf internationaler Ebene wird vor allem mit der »Kairo-Erklärung der Menschrechte im Islam« von 1990 operiert.

In der Kairoer Erklärung findet sich der Scharia-Vorbehalt ausformuliert, den viele islamisch geprägte Länder auch bei den UN-Abkommen einlegen. Dieser Vorbehalt beeinträchtigt aus Sicht der UN-Abkommen vor allem vier Rechtsbereiche: die Religionsfreiheit, die Meinungsfreiheit, das Recht auf körperliche Unversehrtheit und die Frauenrechte. So fehlt die explizite Religionsfreiheit für nicht-islamische Bekenntnisse sowie die ausdrückliche Erlaubnis, die Religion zu wechseln. Hier kann also weiterhin islamisches Recht angewandt werden. Die Apostasie, das Abwenden vom Glauben, kann dann also verboten und bestraft werden. Die Meinungs-, Wissenschafts- und Kunstfreiheit wird unter den Vorbehalt gestellt, dass sie nicht »unislamisch« sein darf. Auf diese Weise kann demokratischer Pluralismus verweigert werden. Kritik an der »herrschenden Meinung« gilt Fundamentalisten oft als unislamisch, weil der Islam nach ihrer Interpretation die Wahrheit ist. Streit darüber sei unnötig. Dank solcher Gesetze haben Intellektuelle, die abweichende theologische Auffas-

---

[21] Eine Übersicht gibt Anna Würth: Dialog mit dem Islam als Konfliktprävention? Berlin 2003: 26

[22] So etwa die nordafrikanischen Staaten und mehrere Nahostländer. Vgl. Würth 2003: 53

[23] Würth 2003: 35ff

sungen vertraten, ihre Karriere als »Apostaten« beendet. Für militante Fundamentalisten ist das ein Grund für Mord, wie zahlreiche Fälle gezeigt haben. Wer auf ihren Todeslisten landet, muss die Debatte meist im Untergrund oder im Exil weiter führen.

Zum Schutz von Leib und Leben heißt es in der Erklärung, dass Todesstrafe und die Körperverletzung verboten seien – bis auf die Fälle, die die Scharia vorsieht. Die aber kennt für einige wenige Delikte sowohl die Todesstrafe und die Steinigung als auch Körperstrafen wie Auspeitschungen und Amputationen.

Schließlich sind die Frauenrechte nur halb gewährleistet, was aus vielen der oben erwähnten Verfassungen muslimisch geprägter Länder bekannt ist. Die Frau sei dem Mann »in ihrer menschlichen Würde gleichgestellt« und habe »Rechte und Pflichten«. In einer Menschen*rechts*erklärung plötzlich auf »Pflichten« zu stoßen, ist eigenartig. In konservativen Auslegungen besteht das zentrale Recht der Frau in der Gewährung von Unterhalt durch den Mann, ihre zentrale Pflicht im Gehorsam.

Da die Kairoer Erklärung ansonsten zu den Frauenrechten vielsagend wenig Auskunft gibt, ist ein Blick auf die UN-Frauenkonvention sinnvoll. Die Konvention »CEDAW«[24] ist seit ihrer Annahme durch die UN-Vollversammlung im Jahr 1979 im Prozess der Ratifizierung und Umsetzung. Fast alle muslimisch geprägten Staaten haben unterschrieben, viele allerdings noch nicht ratifiziert – und alle haben schwerwiegende Vorbehalte eingelegt, die sogenannten »Reservations«. Diese legen fest, an welche der Artikel der Konvention sich das jeweilige Land nicht gebunden fühlt. Vorbehalte werden aber keineswegs nur von muslimisch geprägten Ländern angebracht.

Die muslimischen Länder haben allerdings besonders grundlegende Vorbehalte formuliert. Die Kommission, die das Abkommen überwacht, hält einige davon für illegal: Grundlegend ist der Vorbehalt gegen Artikel 2, der die Änderung aller frauendiskriminierenden Gesetze sowie ein gesetzliches Diskriminierungsverbot verlangt. Nicht minder gravierend ist ein Vorbehalt gegen Artikel 16, der Diskriminierungen im Bereich von Familie und Ehe verbietet. Hier befindet sich das Kampffeld von Frauenorganisationen in muslimisch geprägten Ländern.[25]

Die Konvention ist dennoch ein Hebel für die Rechte der Frauen. Beate Schöpp-Schilling, die deutsche Sachverständige im CEDAW-Ausschuss hebt zweierlei hervor: Zum einen treten die Staaten mit der Ratifizierung

---

[24] CEDAW (Convention on the Elimination of all Forms of Discrimination Against Women) UN-Dokument a/34/46, 1249 UNTS 13, Quelle: *www.un.org/womenwatch/daw/cedaw/cedaw.htm*

[25] Die »Reservations« können nachgelesen werden unter: *www.unhchr.ch/html/menu3/b/treaty9_asp.htm*

in einen »konstruktiven Dialog« mit dem Ausschuss. Ihre Erfahrung habe gezeigt, dass sich – »schrittweise und sehr langsam – positive Änderungen für Frauen zumindest in den von den anderen Artikeln abgedeckten Bereichen vollziehen und dass in einigen Fällen die Vorbehalte eingeschränkt oder sogar aufgehoben wurden«.[26] Zum anderen könnten sich Frauenrechtsorganisationen mit ihren Forderungen gegenüber dem Staat auf die Konvention berufen. So hat eine Frauenkoalition in Bangladesh ihre Regierung zur Aufhebung aller Vorbehalte gebracht.

Veränderungen, so berichtet nicht nur Schöpp-Schilling, haben jedoch immer nur eine Chance, wenn sie mit dem Koran kompatibel sind: Wenn man also Aussagen aus Koran und Sunna gegen die traditonelle Auslegung in Stellung bringen kann, neue Übersetzungen findet oder argumentiert, dass bestimmte Vorschriften unter den veränderten Umständen der heutigen Gesellschaft dem Geist des Koran widersprechen. In Ägypten etwa argumentierten Rechtsanwältinnen gegen das ungleiche Scheidungsrecht anhand von Koranstellen, nach denen auch Frauen ihre Männer verstoßen dürfen. Jetzt dürfen auch Frauen ohne Einverständnis des Mannes die Scheidung einreichen. Scheidungsunterhalt steht ihnen allerdings nicht zu.

Dieses Ineinandergreifen von islamischen Reformulierungen und internationalen Abkommen zeigt, dass die Debatte über den richtigen Weg zu mehr Frauenrechten in muslimischen Ländern vor allem akademisch ist, denn beide Wege schließen sich ebenso wenig aus wie »islamische« und universelle Menschenrechte. Letztere gehen zwar einige Schritte weiter. Aber nichts hindert muslimische Länder, diese Schritte auf einem koran-kompatiblen Weg, der im Einzelnen noch zu finden wäre, ebenfalls zu tun.

Der Ost-West-Gegensatz ist auch noch in einer anderen Hinsicht irreführend. Er trägt zu dem Bild bei, der Westen sei der Hort der individuellen Menschenrechte. Realitätsnäher ist es wohl zu sagen, der Westen ist der Hort des doppelten Standards: Menschenrechte ständig im Munde führen und sie in der Praxis dennoch verletzen. Dagegen sind muslimische Staaten mit ihrem Bekenntnis zur Scharia geradezu ehrlich. Dieser doppelte Standard manifestiert sich nicht nur in bekannten Missachtungen internationaler Rechtsstandards wie der Todesstrafe in den USA, ihren völkerrechtswidrigen Kriegen oder der Rechtlosigkeit von US-Gefangenen auf Kuba, er ist auch bei den Frauenrechten zu sehen.

Nicht nur die USA ignorierten jahrelang die Aufrufe und Appelle afghanischer Frauenorganisationen, sie mögen die Unterstützung der radikalen

---

[26] Beate Schöpp-Schilling: Strategien der Frauenbewegung zur Umsetzung nationaler Abkommen, in: Friedrich-Ebert-Stifung: Frauenrechte in islamischen Ländern im Spannungsfeld von nationaler Kultur und universellen Menschenrechten, Bonn 2002: 57

Taliban einstellen. Erst als das Taliban-Regime sich nach den Anschlägen des 11. September 2001 als hochgefährlich für die USA herausstellte, griff die Präsidentengattin Laura Bush zum Mikrofon und verlangte die Befreiung der Afghanin: »Wir alle haben die Pflicht, uns für die Rechte und die Würde afghanischer Frauen einzusetzen«,[27] so ihr Appell.

Das könnte auf eine makabre Weise als Erfolgsgeschichte der Frauenbefreiung durchgehen, nach dem Motto: Ende gut – alles gut. Doch das Ende ist noch lange nicht da: Im Frühjahr 2002 sprachen sich die USA gegen die Forderung aus, Afghanistan solle das CEDAW-Abkommen ratifizieren. Diese Weigerung passt nicht recht zu den aufrüttelnden Worten der Laura Bush, doch die USA meinen es durchaus ernst, wie die US-Rechtsexpertin Ann E. Mayer erklärt.[28] Denn die USA selbst haben das CEDAW-Abkommen nicht ratifiziert. Die Weigerung der Bush-Regierung erfolgt nicht, weil sie etwa ungleiches Erbrecht für Frauen gut heißt. Aber sie haben etwas dagegen, dass Frauen selbst bestimmen, ob sie ein Kind bekommen oder nicht. CEDAW beinhaltet auch einen Absatz über reproduktive Rechte, die die aktuelle US-Regierung Frauen keinesfalls gewähren möchte. Die erste afghanische Frauenministerin Sima Samar versuchte, die USA zu einer Ratifikation von CEDAW zu bewegen. Sie könne ihr Kabinett leichter von einer Ratifikation überzeugen, wenn die USA mit gutem Beispiel vorangingen, so ihr Argument. Ihr Ansinnen wurde abgelehnt. Seit längerem hat sich eine unheilige Allianz aus christlichen Konservativen (USA und einige lateinamerikanische Staaten), muslimischen Konservativen und dem Vatikan gebildet, die die Durchsetzung von Frauenrechten international blockiert. Die USA haben in ihrer neuen nationalen Sicherheitsdoktrin vom September 2002 bekannt gegeben, dass Freiheit, Gerechtigkeit und Demokratie ihre offiziellen Ziele seien. In diesem Zusammenhang wird auch der Respekt vor Frauen (»respect for women«) erwähnt – und damit statt der »Gleichberechtigung« eine Formulierung gewählt, die auch die Taliban, die iranische und die saudische Regierung gerne benutzen: Man respektiere Frauen, lehne aber die Gleichberechtigung ab, lautet eine gängige Formulierung dieser Staaten.[29]

---

[27] Am 17. November 2001, Quelle: *www.whitehouse.gov/news/releases/2001/11/20011117.html*

[28] Ann E. Mayer: Islam, Menschenrechte und Geschlecht: Tradition und Politik, in: Feministische Studien, Nr. 2, November 2003: 283

[29] Mayer 2003: 285

Kopftuch-Studentinnen: Das Beispiel Türkei

Was treibt Frauen dazu, sich Bewegungen anzuschließen, die ihre Rechte einschränken wollen? Ein Blick in die jüngere Geschichte türkischen Frauen soll die Dynamik von Modernisierung und Fundamentalismus in ihrer Identitätsentwicklung erhellen. Der Neofundamentalismus erwacht vor allem in den Ländern, die sich zuvor eine forcierte Modernisierung verordnet haben. Opfer oder KritikerInnen dieses radikalen Wandels, die sich erneut dem Islam zuwenden, strukturieren ihr Weltbild anhand alter Gewissheiten, passen es aber auch an die Moderne an.

Es fing in den siebziger Jahren an: Da tauchten erste Studentinnen mit Kopftüchern in den staatlichen Universitäten auf. Atatürks Laizismus aber hat eine eigene Kleiderordnung. Das Kopftuch ist nicht erwünscht. In öffentlichen Gebäuden wie Universitäten ist es sogar verboten. Die Kopftuch-Studentinnen aber wollten nicht mehr in der kemalistischen Masse untergehen, sondern ihre islamische Individualität zeigen.

Kemalistische Masse? Islamische Individualität? Man meint, es sei ja wohl umgekehrt. Die moderne, kemalistische Frau sei das Individuum und die Frau mit dem Kopftuch ordne sich der Gattung Frau unter. Die türkische Soziologin Nilüfer Göle hat gute Gründe für ihre irritierende These, es sei genau andersherum. Die Kopftuchstudentin emanzipiere sich gegen ein kollektives Ideal, das ihr zuvor aufgedrängt wurde.[30]

Der Kemalismus, so meint Göle, ist ein grundsätzlich anderes System als die auf bürgerlichem Individualismus beruhende pluralistische Gesellschaft des Westens. »Im Gegensatz zur westlichen Welt ist der türkische Begriff von Modernität nicht aus der Evolution lokaler Werte und gesellschaftlicher Gewebe erwachsen«, schreibt sie. Er war im Gegenteil das Projekt einer städtischen Elite, die sich durch die Übernahme vor allem französischer Werte unter dem Oberbegriff »Zivilisation« abgrenzte von der mit dem Orient und der Landbevölkerung verbundenen »Barbarei«.

Ein wichtiger Aspekt dieser Modernisierung von oben war die Befreiung der Frau. Mustafa Kemal Atatürk führte die Gleichheit der Geschlechter ein wie eine neue Schuluniform. Säkularität und Schweizer Zivilrecht ersetzten Allahs göttliches Gesetz, Geschlechtergleichheit und die Öffentlichkeit der Frau ersetzen das islamische Prinzip der Geschlechterdifferenz und der im Privaten lebenden Frau. Und wenn die Frau öffentlich und sichtbar ist, wozu braucht sie dann das Symbol der Privatheit, den Schleier?

Die Studentinnen mit den Kopftüchern kommen aus einer anderen Welt. Sie lebten auf dem Land, dem Inbegriff der Rückständigkeit. Die Modernisierung ist dort nur in Bruckstücken angekommen oder wurde ganz abgelehnt. Ebenso wie die Fundamentalisten empfinden die Kopf-

---

[30] Nilüfer Göle: Republik und Schleier, Berlin 1995

tuchstudentinnen diese »Verwestlichung« als Kolonisierung und als Angriff auf ihre authentischen Werte. Gleichzeitig hat die Modernisierung ihnen ermöglicht, jetzt als gebildete Studentinnen in der Universität aufzutauchen. Mit dem Kopftuch zelebrieren sie einen Kompromiss: Sie bleiben verwurzelt im Islam und transportieren ihn auf ihrem Kopf in die Moderne. Das Beharren auf Authentizität ist für die Soziologin Göle eine Bewegung der Individualisierung gegen das aufgedrängte Kollektivmodell des Kemalismus. Deshalb seien sie eine höchst moderne Erscheinung. Sie überprüfen angebotene Identifikationsmodell individuell. Auch die Religion wird in diese Prüfung einbezogen. So transformieren sie etwa das vormoderne Prinzip der unsichtbaren Frau, indem sie mit ihren Kopftüchern lautstark in die Öffentlichkeit treten, ganz im Gegensatz zu der »Unauffälligkeit«, die der Islam den Gläubigen eigentlich abverlangt. In der Ablehnung eines gleichmacherischen Egalitätsprinzips nehmen sie zugleich die Kritik des Feminismus und der Postmoderne an der Gewalt der Moderne auf. Es ist also kein schlichtes »Zurück zum Islam«, was diese Frauen propagieren: »Der Islam ist nicht gegen die Modernität, im Gegenteil, er ist ein Mittel, um mit der modernen Gesellschaft fertig zu werden, ein Kompaß, der hilft, sich im Leben zu orientieren«, versucht Göle das Phänomen zu fassen. »Das Beharren auf Differenz wird zum grundlegenden Prinzip der Partizipation an der neuen Moderne.«[31]

Zugleich betont sie, wie widersprüchlich dieses Projekt in sich ist: Sich an vormodernen Werten zu orientieren und damit an der Moderne partizipieren zu wollen, erscheint paradox. Die Tuchträgerinnen treten mit theologischen Letztbegründungen in einen Diskurs ein, der zumindest den Anspruch demokratischer kollektiver Verständigung formuliert. Aber, so beobachtet Göle, dieser Prozeß führt zu einer Neuformulierung ihrer religiösen Grundsätze. Ihr Islam besteht nicht mehr aus der einfachen Übernahme der Tradition. Vielmehr werden die Quellen individuell neu aufgesucht, neu betrachtet, in neue Kontexte gestellt. Die Festlegung der Geschlechterrollen bleibt davon unberührt. Aber die Überlieferungen und Regeln, die aus dieser Rollenverteilung eine Hierarchie mit eindeutigen Vorrechten für Männer machen, lehnen sie ab: Das kann Allah, der Gerechte, nicht gemeint haben.

Ob sich ihre neue Lektüre gegen die Macht der Traditionen durchsetzt, ist für Göle eine offene Frage. Wie der Differenzfeminismus im Westen gerät das Beharren auf Differenz im Osten leicht in konservative Gleise, in denen die Differenz substantialisiert und festgezurrt wird. Die Gefahr einer »Wendung zum Neo-Konservatismus«[32] liege nicht fern, meint Göle.

Das Kopftuch ist zum Markenzeichen dieser Neo-Musliminnen gewor-

---

[31] Göle 1995: 169
[32] Göle 1995: 168

den: Es ist nicht mehr locker gebunden wie das traditionelle Tuch, sondern eng und kunstvoll um Kopf und Hals geschlungen. Kein Haar lugt hervor. Es wirkt so überstreng, wie sie sich korantreu geben. Aber gleichzeitig nennen sie es »Türban«. Der Begriff hat Wurzeln im Persischen, doch bezeichnete er in Frankreich eine Weile lang einen Modeturban für Frauen. Dass die Studentinnen gerade diese west-östliche Bezeichnung wählen, »markiert ihre Distanzierung vom traditionellen Kopftuch, erinnert an Mode und deutet auf eine Veränderung hin, das heißt auf eine moderne Art der Inbesitznahme im Gegensatz zur Fortführung von Traditionen«.[33] Gerade der Schleier symbolisiert aber auch, dass der Westen, dessen Obsession die Sichtbarkeit, die Präsentation des Verborgenen ist, keinen Zugriff auf diese Frauen haben soll. Sie weisen die Herrschaft des Blicks zurück. Die Frau, die einen Mantel statt ihrer Figur und ein Kopftuch statt ihrer Frisur zeigt, hat sich dem westlichen Zwang zum Zeigen und zum Bodyshaping in der Tat entzogen.

Die Kehrseite ist, dass sie damit ein Gewand wählt, das nicht nur die Differenz zur Westfrau betont, sondern auch die zum Mann. Und in diese Differenz zum Mann ist eine Hierarchie eingeschrieben, die die Islamistinnen nur schwer leugnen können und teilweise auch gar nicht leugnen wollen. Göle urteilt ohne Umschweife: »Das Verbot der Sichtbarkeit des weiblichen Körpers verstärkt die Herrschaft des Mannes. Das Vorrecht des Blicks und der Betrachtung der Frau als Objekt sichern dem Mann sexuelle Privilegien. Was immer auch die Frau, indem sie sich verschleiert, dieser Verdinglichung gegenüber denken mag – tatsächlich zeigt sich darin wiederum das männliche Privileg des Blicks.«[34] Die Islamistinnen symbolisierten mit ihrem Auftreten eine »angepasste Revolte«, so Göles Urteil: »Indem sich die Frau verschleiert, bekennt sie sich politisch gegen die westliche Moderne und akzeptiert die Vorherrschaft des Mannes, die auf ihrer Unsichtbarkeit und ihre Begrenzung auf den *mahrem*-Bereich, die Privatsphäre, beruht.«[35]

Wie konstituiert sich das Verhältnis der Geschlechter in dieser Islam-Interpretation? Die Rollenverteilung stellen die von Göle befragten Studentinnen nicht prinzipiell in Frage, doch sie flexibilisieren sie zumindest theoretisch. Das gemeinsame Arkadien, das alle Islamisten zum Fernziel der Bewegung erheben, ist das »Goldene Zeitalter«, die Frühzeit des Islam unter den vier ersten Kalifen. In diese Zeit wird eine ideale Gemeinschaft projiziert. Die gegenseitige Ergänzung der Geschlechter habe keine Hierarchie bedeutet. Sie waren Teil einer gerechten Ganzheit. Angewandt auf moderne Verhältnisse gewährt diese Vorstellung dem Mann

---

[33] Göle 1995: 15
[34] Göle 1995: 166
[35] Göle 1995: 166

weder Vorrechte noch Kontrollfunktionen. Vielmehr hat er die verantwortungsvolle Aufgabe, für die Familie zu sorgen. Für die radikaleren unter den islamischen Feministinnen bedeutet das, dass der Mann ein Kindermädchen besorgt, weil die Frau arbeiten möchte. In dieser Vorstellung hat die Frau eine gute Position: Sie kann machen, was sie will – so lange es islamisch ist und der Mann zahlt. Zudem ist sie in einer Ganzheit aufgehoben und muss sich nicht allein durchkämpfen wie die arme individualisierte Frau im Westen. »Der Status der Frau im Islam ist höher, sie hat es nicht nötig, für ihre Emanzipation zu kämpfen«,[36] resümiert eine der Befragten ihren Vergleich zu einer imaginierten Westfrau.

Die von Göle interviewten Männer teilten diese Interpretation allerdings nur bedingt. Die Ambitionen der Frauen unterstützten sie nur insoweit, als es ihrer Bewegung diente. Gebildete Frauen sind effizientere Missionarinnen. Die Frauen antworteten unverblümt, sie bildeten sich keineswegs nur für die Bewegung. Sie wollten auch ihrem Land von Nutzen sein, so die Begündung dafür, dass man nicht nur zu Hause zu sitzen gedenke: »Die islamischen Länder sind unterentwickelt. Ich muss zum Beispiel lernen, ausländische Zeitschriften zu lesen, damit ich weiß, welche Entwicklungen es in diesen Ländern gibt. Das ist mein Recht«, gibt eine zurück.

Göles Fazit ist dennoch vorsichtig: Die Islamistinnen seien offenbar kein »passives Werkzeug fortschrittsfeindlicher Aktionen«,[37] räumt sie ein. Dennoch bleibe offen, ob sich »diese Bewegungen in Richtung eines die individuellen Rechte umfassenden Pluralismus und einer zivilen Gesellschaft« entwickeln oder ob sie »unter die Herrschaft totalitärer Gruppen gelangen, die sich aus Gegengesellschaften rekrutieren«.[38]

Göle veröffentlichte ihre Studie in der Türkei schon 1991, seitdem war die Islamistenpartei Refah Partisi an der Regierung und wurde verboten, spaltete sich und gebar die aktuelle Regierungspartei AKP, die den Islam innerhalb der Demokratie verankern will. Doch ist Parteichef Erdogan nicht gerade Feminist. Seinem Sohn, der gesetzeswidrig eine Sechzehnjährige heiraten wollte, verschaffte er eine Ausnahmegenehmigung. Auch sträubte sich die AKP lange, die »mildernden Umstände« bei Ehrenmorden aus dem Gesetzbuch zu streichen.

Die Türban-Studentinnen reizen derweil den offiziell immer noch laizistischen Staat Türkei bis zum heutigen Tage bis zur Weißglut: Seit den siebziger Jahren klagten sie auf Einlass in die staatlichen Universitäten, doch sowohl das Verfassungsgericht als auch der Europäische Menschenrechtsgerichtshof bestätigten das Verbot, öffentliche Gebäude, al-

---

[36] Göle 1995: 126
[37] Göle 1995: 151
[38] Göle 1995: 171

so auch die Universität, mit Kopftuch zu betreten.[39] Die Mädchen könnten auf private Universitäten ausweichen, so die Begründung. Die Regierung der AKP allerdings will demnächst den Universitäten freistellen, ob sie das Tuch akzeptieren oder nicht. Damit erntete sie schon Demonstrationen überzeugter KemalistenInnen und überzeugter Kopftuch-Studentinnen. Das Tuch wird in der türkischen Republik noch eine Weile ein explosiver Stoff bleiben. Als 2003 der 80. Geburtstag der Republik gefeiert werden sollte, erschienen einige AKP-Abgeordnete nicht zum Empfang: der kemalistische Staatspräsident Sezer hatte sie ohne ihre Kopftuch tragenden Frauen eingeladen.

---

[39] Europäischer Menschenrechtsgerichtshof: Entscheidung 41556/89 und 44774/89, Quelle: *www.hudoc.echr.coe.int/hudoc/*

Kapitel 2

Die Justiz

Das Kopftuch wird zum Fall

Wir schreiben das Jahr des Herrn 1998. In der Mitte des schönen Remstales nicht allzu weit von Stuttgart liegt das Örtchen Plüderhausen. 9.600 Einwohner zählt die Imageseite im Internet. Stolz vermeldet sie, dass Plüderhausen an einer vierspurig ausgebauten Bundesstrasse liegt und an der Bahnstrecke Aalen-Stuttgart. Diese ausgezeichnete Infrastruktur machte es möglich, dass die Referendarin für Deutsch, Geschichte und Gemeinschaftskunde, Fereshta Ludin, zwei Jahre lang täglich aus ihrer Heimatstadt Schwäbisch Gmünd die drei Bahnstationen bis Plüderhausen in einer viertelstündigen Fahrt hinter sich bringen konnte. An der Hohberg-Schule wurde sie für das Lehramt als Grund- und Hauptschullehrerin ausgebildet. Dass sie diesen Weg nehmen konnte, ist alles andere als normal. Die junge Dame, einst als Tochter des Ex-Botschafters aus Afghanistan ins bundesdeutsche Asyl eingereist und 1995 durch Heirat eingebürgert, ist Muslimin. Und sie trägt ein Kopftuch.

War das in der Pädagogischen Hochschule in ihrer Heimatstadt Schwäbisch Gmünd noch kein Problem gewesen, beim ersten Schulpraktikum bahnte sich vor der Tür des Klassenzimmers eines an: »Willst du damit da rein?«, fragte die zuständige Betreuungslehrerin Ludin verwundert. »Schockiert« sei sie darüber gewesen, wird Fereshta Ludin später erzählen. Lehrerin war immer ihr Traumberuf, zur ritualtreuen Muslimin hatte sie sich während eines Exil-Aufenthalts ihrer Familie in Saudi-Arabien entwickelt. Dort hatte die damals Dreizehnjährige ihre nicht allzu strenggläubige Mutter eines Tages mit dem Kopftuch überrascht. Das Tuch gehörte seitdem genauso zu ihr, wie der Wunsch, Lehrerin zu werden. Dass sich beides nicht verbinden lassen könne, will Fereshta Ludin noch heute nicht akzeptieren.

Als Ludin sich um ein Referendariat bewarb, wurde es ernst: Kopftuch oder Schuldienst, dekretierte die Schulbehörde. Ludin war schon entschlossen, ihr Referendariat einzuklagen, als Kultusministerin Annette Schavan einschritt und die Behörde anwies, die Muslimin zuzulassen. Immerhin habe der Staat ein Ausbildungsmonopol für das Lehramt. Ludin habe trotz Kopftuch einen Anspruch darauf, ihre Ausbildung ordentlich abschließen zu können, meinte die CDU-Politikerin. Die überzeugte Christin, Vizepräsidentin des Zentralkomitees der Katholiken, bekam schon damals reichlich Gegenwind. Ihr Parteikollege Otto Hauser etwa, Esslinger CDU-Bundestagsabgeordneter, polemisierte prompt, sie werde »sicher morgen auch das Tragen des roten Sterns oder neofaschistischer Symbole genehmigen«.[40]

Ludin sollte Referendarin werden, aber wo? Zwei Schulen in Schwäbisch Gmünd sollen abgelehnt haben, eine Muslimin mit Kopftuch auszubilden. Die Suche wurde ausgeweitet, bis man in Plüderhausen und der Hohberg-Schule angelangt war: Rektor Peter Skobowsky hat Verständnis für Glaubensäußerungen aller Art, er nimmt die 24-Jährige auf. Skobowsky ist überzeugter Katholik, ein großes Kreuz hängt in seinem Rektorenzimmer. Einige Lehrer der Hohberg-Schule haben schon im muslimischen Ausland unterrichtet, einer sogar in Afghanistan. Sie haben keine Angst vor Kopftüchern. Das schwäbische Dorf erweist sich als weltoffener als die Stadt Schwäbisch Gmünd.

Einige Eltern fragen beunruhigt, ob diese Frau wirklich geeignet sei, ihre Kinder zu unterrichten. Die Lehrer können sie von der Harmlosigkeit eines Kopftuchs überzeugen. Die Kinder haben sich bald an den Aufzug der Referendarin gewöhnt. »Sieht Kacke aus – aber sonst kein Problem«, wird von einem überliefert.[41] Dass sie eine junge Referendarin haben, bei all den gesetzten Herrschaften, die sie ansonsten unterrichten, ist für die Knirpse weitaus wichtiger. Aber für das Kopftuch der Frau Ludin läuft die Uhr. Bis zum 9. Juli 1998. An diesem Tag führt das Oberschulamt ein Einstellungsgespräch mit Fereshta Ludin, denn Ende Juli wird sie das Zweite Staatsexamen ablegen. Die Frage ist, ob man sie danach als Beamtin auf Probe in den Schuldienst übernimmt.

Fereshta Ludin weiß, worum es in diesem Gespräch geht. Das Kopftuch wolle sie auch im Unterricht aufbehalten, bestätigt sie dem Amt. »Es sei ein Merkmal ihrer Persönlichkeit, nicht Ausdruck ihres Glaubens«, zitiert das Oberschulamt sie später.[42] Womöglich hatte Ludin gemeint,

[40] Frankfurter Rundschau, 10.7.1998

[41] »Die letzte Schlacht«, Der Spiegel, 20.7.1998

[42] Erwähnt im Urteil des Verwaltungsgerichts Stuttgart, in: Neue Zeitschrift für Verwaltungsrecht 2000: 959ff

dass man ihr wegen eines persönlichen Merkmals nicht die Einstellung in den Schuldienst verweigern könne.

Man kann. Einen Tag nach dem Gespräch, drei Wochen vor ihrem Examen, schickt das Oberschulamt den Bescheid, dass Frau Ludin für den Schuldienst »nicht geeignet« sei. Kultusministerin Schavan stellt sich hinter die Entscheidung und begründet sie in einer ausführlichen Pressemitteilung: Zwar habe Frau Ludin dem Tuch keine religiöse Bedeutung beigemessen, doch müsse sie als Beamtin auch »die Wirkung auf andere Mitglieder der eigenen Religionsgemeinschaft und die Mitglieder anderer Religionsgemeinschaften bedenken. Das gilt auch für Frau Ludin und die Tatsache, dass offenkundig Mädchen in muslimischen Familien, in denen bislang kein Kopftuch getragen wurde, wieder zum Tragen des Kopftuches gezwungen werden und damit dazu, sich kulturell abzugrenzen.« Ludin müsse unabhängig von ihrer eigenen Überzeugung um die »tatsächliche Gefahr der Vereinnahmung des Kopftuches auch als politisches Symbol« wissen. »Wenn Frau Ludin darauf besteht, dennoch das Kopftuch im Unterricht zu tragen, kann sie nicht in den Schuldienst übernommen werden. Durch diese Entscheidung macht sie deutlich, dass ihr die Eignung fehlt, die öffentliche Signalwirkung ihrer persönlichen Entscheidung zu berücksichtigen.«[43] Soweit Frau Schavan. Das ist der Startschuss. Der Kopftuch-Streit beginnt.

Ministerium für Kultus, Jugend und Sport
Baden-Württemberg (Pressestelle)

Pressemitteilung Nr. 119/98
Den 13. Juli 1998

Schavan: Die öffentliche Signalwirkung persönlicher Entscheidungen muß im Staatsdienst beachtet werden.

Oberschulamt Stuttgart lehnt Einstellung von Frau Ludin ab.

Kultusministerin Annette Schavan hat heute die Entscheidung des Oberschulamts Stuttgart bestätigt, Frau Ludin nicht in den Schuldienst des Landes einzustellen. Das Oberschulamt hatte auf der Grundlage eines Einstellungsgespräches am 9. Juli 1998 unter Abwägung aller Gesichtspunkte und Kriterien – Eignung, Befähigung

[43] Pressemitteilung Nr. 119/98 des Ministeriums für Kultus, Jugend und Sport Baden-Württemberg, 13.7.1998

und fachliche Leistung – entschieden, daß die Bewerberin nicht für den öffentlichen Schuldienst geeignet ist.

Die Kriterien zur Auswahl von Bewerberinnen und Bewerbern für ein öffentliches Amt sind durch Art. 33 Abs. 2 des Grundgesetzes (GG) vorgegeben. Gleichzeitig gebietet Art. 33 Abs. 3 GG, daß die Entscheidung ohne Rücksicht auf das religiöse Bekenntnis zu treffen ist. Kein Grundrecht kann ohne Rücksicht auf andere Werte Geltung beanspruchen. Die Tragweite des Grundrechts auf Religionsfreiheit (Art. 4. GG) erschließt sich erst aus der Zusammenschau mit dem Grundsatz der Objektivität und Neutralität der Amtsführung (Art. 33 Abs. 5 GG) sowie mit der sich aus den Art. 4 GG (negativen Religionsfreiheit) und Art. 7 GG ergebenden speziellen Neutralitätspflicht für den Bereich der öffentlichen Schulen.

Vor diesem Hintergrund ist ein generelles Kopftuchverbot an öffentlichen Schulen und Hochschulen für Schülerinnen, Studentinnen, Referendarinnen, Dozentinnen und Lehrerinnen gleichermaßen aller Voraussicht nach verfassungswidrig und im Blick auf die freie Entfaltung der Persönlichkeit unverhältnismäßig. Die Entscheidung kann nur für den konkreten Fall einer Übernahme in den Staatsdienst – hier in den Schuldienst – getroffen werden. Dazu ist im Sinne einer Zusammenschau aller zu berücksichtigender Grundrechte und Pflichten eine Güterabwägung vorzunehmen.

»Frau Ludin ist im vergangenen Jahr zum Vorbereitungsdienst zugelassen worden, weil bei dieser Güterabwägung das Ausbildungsmonopol des Staates bei der Lehrerbildung für mich die entscheidende Rolle gespielt hat«, so die Kultusministerin. »Bei der jetzigen Entscheidung über eine Einstellung in den Staatsdienst mußte eine Abwägung der Rechte und Pflichten von Frau Ludin als Lehrerin an einer öffentlichen Schule und der Belange der Schülerinnen und Schüler und ihrer Erziehungsberechtigten vorgenommen werden. Hierzu gehört auch die innerislamische Diskussion um die Bedeutung des Kopftuches jenseits der persönlichen Motive von Frau Ludin. Das Tragen des Kopftuches gehört nicht zu den religiösen Pflichten einer Muslimin. Das ist u. a. daraus erkennbar, daß eine Mehrheit muslimischer Frauen weltweit kein Kopftuch trägt. Das Kopftuch wird vielmehr in der inner-islamischen Diskussion auch als Symbol für kulturelle Abgrenzung und damit als polititsches Symbol gewertet.«

Frau Ludin hat erklärt, daß sie im Fall ihrer Übernahme in den Staatsdienst als Lehrerin an einer öffentlichen Schule darauf bestehe, auch zukünftig im Unterricht das Kopftuch zu tragen. Dies sei ein Merkmal ihrer Persönlichkeit, nicht Ausdruck ihres Glaubens.

> In einer öffentlichen Schule muß eine Lehrerin als erzieherisches Vorbild, als Repräsentantin des Staates und seiner Werte und Normen wirken. Dazu gehört an entscheidender Stelle auch die Toleranz. Wer dazu erziehen will, muß sie auch vorleben. Toleranz gründet auf Gegenseitigkeit. Gerade dann, wenn in einer Gesellschaft Menschen, die zu verschiedenen Religionen und Kulturen gehören, friedlich miteinander leben sollen, gewinnt eine auf Gegenseitigkeit beruhende Toleranz an Bedeutung und ist Grundlage für das Zusammenspiel der verschiedenen Freiheiten. Sozialer Friede kann gefährdet werden, wo religiöse Symbole auch als politische vereinnahmt werden und als Symbol kultureller Abgrenzung eingesetzt werden können.
>
> »Der Islam gehört zu den drei großen monotheistischen Weltreligionen. Sie stehen – zumal in einer globalisierten Welt – immer neu vor der Herausforderung, sich vor politischer Instrumentalisierung zu schützen und ihren Beitrag zum weltweiten Frieden zu leisten«, so die Kultusministerin. Dazu gehöre auch, sich wechselseitig zu achten und weltweit Sorge dafür zu tragen, dem Respekt vor einem anderen als dem eigenen religiösen Bekenntnis Raum zu geben. Von allen Religionsgemeinschaften müsse erwartet werden, daß ihre Mitglieder bei ihrer religiösen Praxis und ihrem Anspruch auf Entfaltung der Persönlichkeit im Rahmen eines öffentlichen Amtes auch die Wirkung auf andere Mitglieder der eigenen Religionsgemeinschaft und die Mitglieder anderer Religionsgemeinschaften bedenken. »Das gilt auch für Frau Ludin, und die Tatsache, daß offenkundig Mädchen in muslimischen Familien, in denen bislang kein Kopftuch getragen wurde, wieder zum Tragen des Kopftuches gezwungen werden und damit dazu, sich kulturell abzugrenzen.«
>
> »Aufgrund ihrer Vorbildfunktion, die sie als Repräsentantin des Staates inne hat, muß von Frau Ludin erwartet werden können, daß sie – unabhängig von ihrer eigenen Überzeugung – um die tatsächliche Gefahr der Vereinnahmung des Kopftuches auch als politisches Symbol weiß und die damit verbundene Signalwirkung, nicht zuletzt für die Situation anderer Frauen im Islam, sieht«, so Frau Schavan. »Wenn Frau Ludin darauf besteht, dennoch das Kopftuch im Unterricht zu tragen, kann sie nicht in den Schuldienst übernommen werden. Durch diese Entscheidung macht sie deutlich, daß ihr die Eignung fehlt, die öffentliche Signalwirkung ihrer persönlichen Entscheidung zu berücksichtigen.«

Lob prasselt auf die Kultusministerin nieder – und Hohn. Mutig sei sie, die strenggläubigen Frauenunterdrücker draußen zu halten, sagen die einen. Mutig sei im Gegenteil Frau Ludin, die in die Schule wolle, um zu beweisen, dass nicht alle Kopftuchträgerinnen unterdrückt sind, sagen die anderen. Und die Lehrerin, die nicht Lehrerin sein darf, zieht vor Gericht. Begleitet von einer heftigen öffentlichen Debatte versucht nun die deutsche Justiz, einen Quadratmeter Islam zwischen abendländischen Paragrafen zu verstauen. Das ist nicht einfach. Denn die Freiheit der Religion und der Staat, das ist in Deutschland eine ganz spezielle Geschichte.

Religion und Recht: Eine deutsche Geschichte

Das deutsche Rechtssystem ächzt unter dem Kopftuch. Es ist, wie das ganze Land, auf Religionen jenseits des Christentums nicht vorbereitet. Von diesem hat er sich nie richtig verabschiedet, obwohl Staat und Kirche offiziell getrennt sind. Der Staat verhält sich »neutral« und behandelt alle Religionen gleich, so der Anspruch. Wie viel Christentum dennoch in diesem neutralen Staat wohnt, wird erst im Kontrast mit dem Islam richtig klar. Die Religionsfreiheit wurde dem Christentum abgetrotzt, und das merkt man ihr an allen Ecken und Enden an.

Die Religionsfreiheit hat nicht nur in Deutschland eine lange und blutige Vorgeschichte. Nach der Reformation zogen Fürsten und Könige in ganz Europa im Namen ihrer Konfession gegen einander zu Felde. Ohne diese Glaubenskriege wäre die Idee, dass man mehrere religiöse Wahrheiten nebeneinander dulden könne, kaum Realität geworden. In Augsburg, nur 70 Kilometer entfernt von Fereshta Ludins Wirkungsstätte Plüderhausen, begann die Geschichte dieser Freiheit 1555 mit dem Satz »cuius regio – eius religio« im sogenannten Augsburger Religionsfrieden. Er eröffnet im blutigen Streit zwischen protestantischen und katholischen Fürstentümern erstmals die Möglichkeit, dass Angehörige der jeweils anderen Konfession nicht abgeschlachtet, sondern lediglich vertrieben und – in Ausnahmefällen – sogar toleriert werden. Es dauerte weitere hundert Jahre bis im Westfälischen Frieden 1648 das Toleranzprinzip auf Druck der Politik endgültig festgeschrieben wurde. Das war der Anfang der Religionsfreiheit. Der »positiven«, wohlgemerkt. Es galt, sich zwischen Katholiken, Protestanten und Reformierten zu entscheiden. Von »negativer« Religionsfreiheit, der Freiheit, keiner Konfession anzugehören, war keine Rede. Hier aber wurde erstmals das Prinzip der »Parität« angewandt, das bis heute gültig ist: Jede Konfession ist vom Staat gleich zu behandeln. Dass dieser seinerseits sich aber generell nach dem jeweiligen konfessionellen Maßstab zu richten habe, blieb unumstritten. Der Staat war also keinesfalls »neutral«.

Es war Preußen, das dem Staat erstmals eine eigene Vernunft außerhalb der christlichen Lehre zutraute. Im allgemeinen preußischen Landrecht hielt der Staat gleichen Abstand zu allen drei Konfessionen und identifizierte sich mit keiner Kirche allein. Deshalb war es auch nur Preußen, das nicht nur die drei Hauptkonfessionen zuließ, sondern ebenso kleinere Sekten. Hier bestimmte jener berühmte Satz von Friedrich dem Großen das religiöse Leben: »Die Religionen müssen alle Tolleriret werden..., denn hier mus ein jeder nach Seiner Faßon Selich werden.«[44]

Erst nach der französischen Revolution begann man auch in Preußen, den Menschen zuzutrauen, dass sie sogar ohne Bekenntnis vollgültige Bürger sein könnten. »Der Genuss der bürgerlichen und staatsbürgerlichen Rechte ist unabhängig von dem religiösen Bekenntnisse«, heißt es in der Preußischen Verfassung von 1850. Die negative Religionsfreiheit war geboren. Bismarcks Kulturkampf gegen die Katholiken drängte die Kirchen so weit zurück, dass man sogar die Schulen erstmals unter staatliche Aufsicht stellen konnte. Das äußerste, was man den Katholiken nun abverlangen konnte, ist in der Weimarer Reichsverfassung von 1919 festgeschrieben. Hier wird die positive wie die negative Religionsfreiheit festgelegt.

Positive Freiheit, so haben es die Kirchen herausverhandelt, heißt, dass das Recht auf ungestörte Ausübung der Religion sogar »unter staatlichem Schutz steht«. Auch Soldaten wird der Freiraum für die Ausübung der Religion zugesichert. Man darf religiöse Vereinigungen bilden. Und der Staat darf niemandem wegen seines Bekenntnisses den Zugang zu einem öffentlichen Amt verweigern. Dagegen wird an negativer Religionsfreiheit festgelegt, dass man an öffentlichen Glaubenshandlungen nicht teilnehmen muss. Bei öffentlichen Vereidigungen etwa kann man den Gottesbezug weglassen. Auch in der Schule gilt: Die Teilnahme am Religionsunterricht ist freiwillig.

Ja, es gibt kirchlichen Religionsunterricht in der staatlichen Schule. Neben den verfassungsrechtlichen Regelungen gibt es nämlich noch weitere Verträge zwischen Staat und Kirche. Bei den Katholiken heißen sie Konkordate, bei den Protestanten Kirchenverträge. Sie beinhalten Regelungen über »res mixtae«, Anliegen, bei denen Staat und Kirche kooperieren. Vereinbarungen über Kirchensteuern, theologische Fakultäten und den Religionsunterricht in staatlichen Schulen, über Zuschüsse für Kirchenbauten, staatliche Gehälter für Bischöfe und andere kirchliche Angestellte. Die Kirche sichert so ihren Einfluss als gesellschaftliche Kraft. Der Staat zeigt sich dafür erkenntlich und zahlt. Zudem gilt im Sozialsystem das Prinzip der Subsidiarität: Die Kirchen als gesellschaftliche Kräfte übernehmen durch Caritas und Diakonie einen Teil der sozialstaatlichen Aufgaben und werden vom Staat hierfür wiederum bezahlt. Vom Laizismus französischer Prägung bleibt Deutschland damit meilenweit entfernt.

---

[44] zitiert nach: Axel von Campenhausen: Religionsfreiheit, in: Josef Isensee/Paul Kirchhof (Hrsg.), Handbuch des Staatsrechts der Bundesrepublik Deutschland, Heidelberg 1989: 379

Im französischen »Trennungsgesetz« von 1905 heißt es: »Kein Kult wird von der Republik anerkannt, vergütet, oder unterstützt.«

Dass der Nationalsozialismus mit der Verfolgung und Ermordung der jüdischen Bevölkerung die Religionsfreiheit zusammen mit vielen anderen zunichte machte, muss kaum verdeutlicht werden. Die Kirchen interpretierten dies im Nachhinein als heidnischen Akt. Gegen dessen Wiederholung müsse sich der Staat wappnen, indem er den Einfluss des Christentums auch im neuen Grundgesetz sicherstelle.

Das Grundgesetz und die Religion

Der parlamentarische Rat lieferte 1949 mit dem Grundgesetz in punkto Religion ein Konglomerat ab, das selbst zurückhaltende Staatsrechtler als »merkwürdig« bezeichnen: »Die Verzettelung der einzelnen Regelungen auf verschiedene Abschnitte der Verfassung spiegelt einen eigentümlichen parlamentarischen Entstehungsvorgang wieder«, bemerkt etwa der Staatsrechtler Axel von Campenhausen.[45] Beim ersten Entwurf des Grundgesetzes, dem sogenannten »Herrenchiemseer Entwurf«, hatte man gemeint, mit Artikel 4, der die Glaubensfreiheit festhalte, sei alles gesagt. Diese Rechnung hatte der parlamentarische Rat allerdings ohne die Kirchen gemacht: Gerade sie sahen sich gefordert, das Nachkriegs-Wertevakuum zu füllen. Die konservativen Parteien teilten diese Ansicht, im Gegensatz zu den Linken. Es gab viel Streit. Doch mit tatkräftiger Unterstützung des Ratsvorsitzenden Konrad Adenauer schafften die katholischen Parteien es, die Garantie des kirchlichen Religionsunterrichts in Artikel 7 festzuschreiben und schließlich die meisten der Weimarer Kirchenartikel en bloc ins Grundgesetz zu übernehmen. Unter Artikel 140 im Grundgesetz finden sich nun »Unterartikel« von Nr. 136 bis 141, die den Beisatz WRV, Weimarer Reichsverfassung, tragen. Diese sogenannten »Weimarer Kirchenartikel« sprechen zwar meist neutral von »Religion«, sind aber auf die christlichen Kirchen zugeschnitten. Das fängt damit an, dass Sonn- und Feiertage als Tage der »Arbeitsruhe und der seelischen Erhebung« in dem übernommenen Artikel 139 WRV festgelegt sind. Es geht weiter mit der Anerkennung bestimmter Religionsgemeinschaften als Körperschaften öffentlichen Rechts, die das Recht haben, Kirchensteuern zu erheben (Artikel 137 WRV). Gewährleistet wird auch ausdrücklich die Militär- und Anstaltsseelsorge (Artikel 141 WRV). Auch in anderen Artikeln wird die Religion privilegiert: So setzt sich der Schulartikel, Artikel 7, über das Schulwesen intensiv mit dem Religionsunterricht auseinander, der »ordentliches Lehrfach« an öffentlichen Schulen ist. Zudem lässt er zu, dass öffentliche Schulen durch private Bekenntnis- oder Weltan-

---

[45] von Campenhausen 1989: 391

schauungsschulen ersetzt werden. Schließlich vereinbarte man, dass die alten Konkordate aus der Vorkriegszeit, die die Nazis gekündigt hatten, weiterbestehen sollten.

Aus dieser Verfasstheit der Religion wird zweierlei deutlich: Zum einen will der deutsche Staat laut Grundgesetz nicht laizistisch sein wie etwa der französische. Er hat sozusagen nie darauf vertraut, dass die Vernunft aus sich heraus eine Ethik gebieten könnte. Vielmehr möchte er eine Rückversicherung behalten. Der Religion wird eine heilsame, wertestiftende Kraft zugetraut, diese soll sie in der Gesellschaft entfalten. Die dahinter liegende Befürchtung, ohne Gott ginge das Abendland unter, schlägt sich in der Privilegierung der christlichen Kirchen nieder.

Zum zweiten bedeutet dies, dass die vielbeschworene »Neutralität« des Staates, die sich aus Artikel 4 eigentlich ergeben hätte, keine Neutralität im Sinne eines Sich-Heraushaltens ist. »Distanzierte Neutralität« nennt die juristische Fachliteratur etwa die Neutralität des laizistischen Staates, der die Religion strikt zur Privatsache erklärt. Die deutsche Neutralität dagegen nennen die Juristen »offene Neutralität«.

Jeder darf seine Weltanschauung in den öffentlichen Raum tragen. Der Staat läßt alle zu, aber er darf sich nicht mit einer Weltanschauung identifizieren. Das ist ein hehres Gebot, das in einem christlich geprägten Land zu Komplikationen führt.

»Der ethische Standard des Grundgesetzes ist die Offenheit gegenüber dem Pluralismus religiös-weltanschaulicher Anschauungen (...). In dieser Offenheit bewährt der freiheitliche Staat des Grundgesetzes seine religiöse und weltanschauliche Neutralität«[46], heißt es in einem Verfassungsgerichtsurteil von 1975. Aber exakt in diesem Urteil wird auch klar, was Offenheit für alle in einem christlich geprägten Land bedeutet. Es bestätigt dem Land Baden-Württemberg, dass es seine öffentlichen Grundschulen ruhig als »christliche Gemeinschaftsschulen« führen könne. Dagegen hatten Eltern geklagt, die ihre Kinder nicht christlich erziehen wollten. Beim Abwägen ihrer negativen Religionsfreiheit mit der positiven Religionsfreiheit der Christen haben die Atheisten den Kürzeren gezogen: »Die Ausschaltung aller weltanschaulich-religiösen Bezüge würde (...) diejenigen Eltern in ihrer Glaubensfreiheit benachteiligen, die eine christliche Erziehung ihrer Kinder wünschen«, findet das Gericht nämlich.[47] Soll heißen: das bisschen Christentum, das Atheisten ertragen müssen, wiegt leichter als den Atheismus, den Christen ertragen müssten, wenn man den christlichen Charakter der Schule tilgen wollte. Denn, so das Gericht, die christliche Schule sei ja keinesfalls missionarisch, vielmehr würde in ihr die Toleranz gegenüber dem Andersdenkenden

---

[46] BVerfGE 41,29, Randnr. 102, Quelle: *www.oefre.unibe.ch/law/dfr/dfr_bvbaende.html*
[47] BVerfGE 41,29, Randnr. 101

gelehrt. »Die Bejahung des Christentums in den profanen Fächern bezieht sich in erster Linie auf die Anerkennung des prägenden Kultur- und Bildungsfaktors, wie er sich in der abendländischen Geschichte herausgebildet hat, nicht auf die Glaubenswahrheit, und ist damit auch gegenüber dem Nichtchristen durch das Fortwirken geschichtlicher Gegebenheiten legitimiert. Zu diesem Faktor gehört nicht zuletzt der Gedanke der Toleranz für Andersdenkende.«[48] Das muss reichen, um der Gleichbehandlung der Weltanschauungen genüge zu tun, fand das Gericht.

An diese Neutralitätsdefinition schließt eine heftige Debatte an: Nimmt ein Staat nicht gerade dann Partei, wenn er bestimmte Gruppen in Planungen einbezieht und andere aber nicht? Schließlich dürfen Atheisten keinen Atheismus-Unterricht in der Schule abhalten, von anderen Weltanschauungen, die ebenfalls zum Pluralismus gehören, ganz zu schweigen. Auch sind immer dort, wo der Staat »gesellschaftliche Gruppen« beteiligt, wie etwa in Rundfunkräten, die Kirchen dabei, andere Weltanschauungsgemeinschaften dagegen selten. Wer den weltanschaulichen Wettbewerb nicht beeinflussen möchte, kann nicht den Kirchen eine derartige Vormachtstellung einräumen, so die juristischen KritikerInnen der »übergreifenden Neutralität«, die für eine stärkere Trennung von Staat und Kirche eintreten.

Sie sehen sich durch die jüngere Rechtsprechung des Verfassungsgerichts bestätigt, insbesondere durch das berühmte Kruzifix-Urteil von 1995. In dem Beschluss, der die Vorschrift über das Aufhängen von Kreuzen in bayerischen Staatsschulen für verfassungswidrig erklärt, formuliert das Gericht wenig formschön: »Artikel 4, Absatz 1 verleiht den Einzelnen und den religiösen Gemeinschaften grundsätzlich keinen Anspruch darauf, ihrer Glaubensüberzeugung mit staatlicher Unterstützung Ausdruck zu verleihen.« Der Staat »darf daher den religiösen Frieden in einer Gesellschaft nicht von sich aus gefährden«, meint das Gericht.[49] Und nimmt mit dem Beschluss, das staatliche Aufhängen von Kreuzen zu verbieten, die negative Glaubensfreiheit erstmals etwas ernster.

Ein merkwürdiges Urteil, wenn man bedenkt, dass ein paar Jahre zuvor der bayerische Kultusminister das Schulgebet wieder einführte. Oder dass in der bayerischen Volksschule gemäß der Landesverfassung »nach den Grundsätzen der christlichen Bekenntnisse« erzogen wird. Oder dass »bischöfliche Leitsätze« für den Unterricht an staatlichen Schulen für alle Lehrer zur Pflicht gemacht wurden. 1988 wird als Anforderung des Kultusminsteriums an den Lehrer »das Bemühen um eine persönliche Glau-

---

[48] BVerfGE 41,29, Randnr. 104
[49] BVerfGE 93,1, Randnr. 35

benspraxis« genannt.[50] Dagegen erscheint es lächerlich, einen Kampf gegen ein Symbol wie das Kruzifix zu führen.

Das finden die Bayern auch. Der Sturm der Entrüstung, der dort losbricht, veranlasst das Gericht im Nachhinein, das Urteil noch einmal zu erläutern: Nicht das Kreuz an sich sei unzulässig, sondern die Tatsache, dass der Staat es anordne. Diese Auslegung impliziert, dass Kreuze bis auf Widerruf hängen bleiben dürfen. Das reichte den Bayern noch lange nicht. Sie verabschiedeten ein Gesetz, nach dem Eltern den Wunsch nach Abnahme des Kreuzes begründen müssen. Dann eruiert der Schulleiter, ob diese Gründe schwerwiegend sind, und entscheidet unter Berücksichtigung der Mehrheitsmeinung der Eltern, ob das Kreuz abgehängt werden soll.[51] Das gab Arbeit für die Verwaltungsgerichte, denn in manchen Fällen mußten Kreuz-unwillige Eltern ihr Recht einklagen. So sieht die negative Religionsfreiheit in Teilen Deutschlands heute aus.

Ludin, Schavan und vier Gretchenfragen

Auf diese Gemengelage trifft Fereshta Ludin auf ihrem Rechtsweg. Man sieht sich vor dem Stuttgarter Verwaltungsgericht. Diesmal haben beide Seiten ihre juristischen Waffen geschärft, was auch eine leichte Verschiebung der jeweiligen Argumentation mit sich bringt.

In dem Streit vor dem Verwaltungsgericht werden erstmals alle Argumente entfaltet, die den Rechtsweg bis hin zum Verfassungsgericht begleiten werden. Es lohnt deshalb, ihre Rechtsgrundlagen im Einzelnen anzuschauen. Immer wieder wird es sich nun um vier Fragen drehen: die nach dem Symbol Kopftuch, die nach der Religionsfreiheit, die nach der Neutralität des Staates und die nach den besonderen Pflichten der Beamtin.

---

[50] zitiert nach: Gerhard Czermak: Verfassungsbruch als Erziehungsmittel? In: Kritische Justiz 1992: 55

[51] Artikel 7,3 BayEUG: »1. Angesichts der geschichtlichen und kulturellen Prägung Bayerns wird in jedem Klassenraum ein Kreuz angebracht. 2. Damit kommt der Wille zum Ausdruck, die obersten Bildungsziele der Verfassung auf der Grundlage christlicher und abendländischer Werte unter Wahrung der Glaubensfreiheit zu verwirklichen. 3. Wird der Anbringung des Kreuzes aus ernsthaften und einsehbaren Gründen des Glaubens oder der Weltanschauung durch die Erziehungsberechtigten widersprochen, versucht der Schulleiter eine gütliche Einigung. 4. Gelingt eine Einigung nicht, hat er nach Unterrichtung des Schulamts für den Einzelfall eine Regelung zu treffen, welche die Glaubensfreiheit des Widersprechenden achtet und die religiösen und weltanschaulichen Überzeugungen aller in der Klasse Betroffenen zu einem gerechten Ausgleich bringt; dabei ist auch der Wille der Mehrheit, soweit möglich, zu berücksichtigen.« Quelle: *www.km.bayern.de/km/recht/bayeug/eug02.html#Art7*

Die Symbolfrage: Was ist ein Kopftuch?
Eine komplizierte Frage ist die nach dem Charakter des Kopftuchs. Die Gerichte gehen zunächst – wie auch Ludin – davon aus, dass das Tuch »religiöse Kleidung« sei. Einigen können sich fast alle darauf, dass das Tuch ein religiöses Symbol ist. Aber was bedeutet das? Hat das Tuch appellativen Charakter? So hatte Karlsruhe das Kreuz charakterisiert und wollte es deshalb nicht staatlich verordnet wissen. Darüberhinaus kann es ein politisches Symbol für islamischen Fundamentalismus sein oder eines für die untergeordnete Stellung der Frau. Es kann aber auch lediglich ein Kleidungsstück sein, das im Okzident als fremd empfunden wird. Von dieser Definition leiten sich die verschiedenen politischen und juristischen Strategien ab.

Bevor es in den Deutungsdschungel geht, noch einige Bemerkungen zum Symbol an sich: Der Große Brockhaus definiert, es sei »inhaltlich nicht eindeutig zu bestimmen, da es als prinzipiell unendlich interpretierbare Variable in Abhängigkeit vom jeweiligen Kontext mit seinen möglichen Inhalten und seinen möglichen Interpreten korreliert und so stets auch neue Bedeutungen erhalten kann«. Der Verwaltungsrechtler und Islamwissenschaftler Janbernd Oebbecke, der sich mit dem Symbolgehalt des Kopftuchs intensiv auseinandergesetzt hat, erklärt: »... die Veränderbarkeit der Symbole wird beim Umgang mit ihnen genutzt. Damit sind sie oft eher ein Schlüssel zu den Bedürfnissen und Interessen ihrer Produzenten und Adressaten als für die Zusammenhänge, die sie angeblich repräsentieren.«[52] Ein Symbol wie das Kopftuch »ist« also nicht etwas, sondern es wird zu etwas gemacht. Die Interpretation eines Symbols kann gelingen und den Kommunikationsprozess damit stark abkürzen, sie kann aber auch misslingen, betont Oebbecke, etwa, »weil die vom Adressaten wahrgenommene Bedeutung von der Bedeutung abweicht, von der der Produzent ausgeht«. Sie kann auch misslingen, »weil der Rezipient etwas als Symbol deutet, das gar nicht kommunikativ gemeint ist«, erklärt Oebbecke verschmitzt. Wenn Ludin etwa sagt, sie trage das Tuch »für sich«, um ihre Schamgrenze zu wahren, und nicht, um etwas auszudrücken, ist diese Kommunikation in Deutschland kaum verständlich. Die Schamgrenze Haar ist hierzulande unbekannt, das Tuch ist etwas Besonderes – also muss es auch eine besondere Bedeutung haben.

Für Schavan ist die Bedeutung des Tuches sonnenklar: Sie ist politisch. Sie teilt damit die Interpretation der Islamisten, für die das Tuch ein Kampfmittel ist. Nur, hat Ludin das gemeint und will es bloß nicht zugeben, wie alle IslamistInnen? Die politische Symbolik des Tuches kann aber auch noch eine andere sein: Keine, die ein Minuszeichen vor die

---

[52] Janbernd Oebbecke: Das »islamische Kopftuch« als Symbol, in: Stefan Muckel: Kirche und Religion im sozialen Rechtsstaat, Festschrift für Wolfgang Rüfner, Berlin 2003: 595

Rolle der Frau im Islam setzt, sondern eine, die diese positiv bestimmt. Seht her, hier ist ein Exemplar einer diskriminierten Minderheit in Deutschland. Dieses Exemplar ist nicht Putzfrau, es ist Lehrerin geworden. Ein stolzes Zeichen von Identitätspolitik sozusagen. Das aber interessiert niemanden. Identitätspolitik kennt die deutsche Justiz nicht. Und dass ihr Tuch nur ein Kleidungsstück sei, klingt in christlichen Ohren absurd.

Das letzte Schlupfloch des deutschen Rechts für diesen Fall ist die Religionsfreiheit. Also betont Ludin nun, das Kopftuch sei ein Kleidungsstück, das ihr durch die Religion vorgeschrieben sei. Es sei aber kein Symbol mit »appellativem« Charakter, wie das Verfassungsgericht etwa das Kruzifix charakterisiert habe. Weder sie noch ihr Tuch wollten für den Islam werben, betont Ludin. Sie wolle ihre Blöße, ihre weiblichen Reize, bedecken.

Schavan bezweifelt das: Im Koran sei das Kopftuch nicht vorgeschrieben. Die Mehrheit der Musliminnen auf der Welt trügen es auch nicht, so ihr Argument. Daraus schließt sie, dass es eher ein politisches Symbol ist: Es stehe für eine besonders rigide Islamauslegung, die kulturelle Abgrenzung ebenso beinhalte wie einen Zwang gegenüber jungen Musliminnen, denen das Kopftuch von den Eltern vorgeschrieben werde.

Wenn man nun die Gesamtheit dessen, was ein Kopftuch bedeuten kann, als symbolisches Feld betrachtet, dann reduzieren beide dieses Feld vor Gericht: Ludin auf die religiöse Bedeutung, Schavan auf die politische. Zwei andere Deutungen, die mindestens ebenso naheliegend sind, sind anscheinend nicht justiziabel: Das Kleidungsstück als Bedekkung der Scham scheitert an der mangelnden Auslandserfahrung der deutschen Justiz. Und das identitätspolitische Signal Kopftuch sendet ohnehin auf einer andere Frequenz.

Die Gerichte sieben nun auch noch Schavans politische Unterstellung aus: Die Mehrdeutigkeit des Symbols lasse diese einseitige Gefahr-Definition nicht zu, heißt es unisono. Im Zweifel für das angeklagte Symbol sozusagen.

Die Religionsfreiheits-Frage: Was beschränkt die Religionsfreiheit der Lehrerin?

Der Minimalkonsens »religiöse Kleidung« führt dazu, dass als nächstes danach gefragt wird, ob die Religionsfreiheit der Lehrerin es rechtfertigt, dass sie diese religiöse Kleidung in der Schule trägt. Die positive Religionsfreiheit der Lehrerin Ludin könnte in Konflikt geraten mit der negativen Religionsfreiheit der Schüler. Bis die Schüler religionsmündig sind, also bis zum Alter von 14 Jahren, entscheiden über ihr Bekenntnis oder ihre Bekenntnisfreiheit die Eltern.

Die Religionsfreiheit im Grundgesetz

Artikel 3:

(3) Niemand darf wegen seines Geschlechtes, seiner Abstammung, seiner Rasse, seiner Sprache, seiner Heimat und Herkunft, seines Glaubens, seiner religiösen oder politischen Anschauungen benachteiligt oder bevorzugt werden.

Artikel 4:

(1) Die Freiheit des Glaubens, des Gewissens und die Freiheit des religiösen und weltanschaulichen Bekenntnisses sind unverletzlich.

(2) Die ungestörte Religionsausübung wird gewährleistet.

Der Staat gewährleiste ihr nicht die ungestörte Religionsausübung im öffentlichen Raum, so Ludin. Damit sei insbesondere das Gleichbehandlungsgebot verletzt, denn das Christentum dürfe durchaus in der Schule stattfinden. Die negative Religionsfreiheit der Schüler sieht sie gewahrt: Ihr Tuch sei ja keine Werbung für den Islam. Wenn sich ein Schüler tatsächlich daran störe, könne man ja entweder sie oder das Kind in eine andere Klasse versetzen.

Da trifft sie auf Schavans erbitterten Widerstand. Ludin müsse als Repräsentantin des Staates in der Schule prinzipiell bereit sein, einen Ausgleich zwischen ihrer positiven Religionsfreiheit und der eventuellen negativen Religionsfreiheit der Schüler (oder deren Eltern) herbeizuführen. Da sie aber auf keinen Fall auf ihr Tuch verzichten wolle, sei sie nicht fähig zum Ausgleich. Den Vorschlag Ludins, man könne im Konfliktfall entweder sie oder das Schulkind in eine andere Klasse umsetzen, weist Schavan als unpraktikabel zurück.

Die Neutralitätsfrage: Wie viel Religion findet in der Schule statt?

Aus der Religionsfreiheit, die der Staat allen Bürgerinnen und Bürgern eröffnet, ergibt sich, dass er selbst neutral bleiben muss. Diese Neutralität aber ist sehr verwaschen, wie wir wissen. Sie kann distanziert sein wie in Frankreich: Niemand darf seine Religion in den öffentlichen Raum der Schule tragen. Oder sie ist offen, und alle können ihre Religion in den öffentlichen Raum der Schule tragen. Das war bisher die deutsche Interpretation von Neutralität. Der Staat darf sich zwar nicht mit einer Religion identifizieren, aber das nimmt er nicht so genau. Deshalb ist das Christentum zum Beispiel in der Landesverfassung von Baden-Württemberg an prominenter Stelle vertreten. Mit dieser Neutralität vereinbar sind laut baden-württembergischer Landesverfassung auch dezidiert christliche Ziele der staatlichen Erziehung.

Landesverfassung Baden-Württemberg

Artikel 12

(1) Die Jugend ist in Ehrfurcht vor Gott, im Geiste der christlichen Nächstenliebe, zur Brüderlichkeit aller Menschen und zur Friedensliebe, in der Liebe zu Volk und Heimat, zu sittlicher und politischer Verantwortlichkeit, zu beruflicher und sozialer Bewährung und zu freiheitlicher demokratischer Gesinnung zu erziehen.

(2) Verantwortliche Träger der Erziehung sind in ihren Bereichen die Eltern, der Staat, die Religionsgemeinschaften, die Gemeinden und die in ihren Bünden gegliederte Jugend.

Artikel 16

(1) In christlichen Gemeinschaftsschulen werden die Kinder auf der Grundlage christlicher und abendländischer Bildungs- und Kulturwerte erzogen. Der Unterricht wird mit Ausnahme des Religionsunterrichts gemeinsam erteilt.

Diese christliche Schlagseite nutzt Ludin nun für ihre Argumentation. Wer Schulgebete zulasse, bei denen sich Lehrer auch religiös betätigen, der müsse auch so wenig aussagekräftige Handlungen wie das Tuchtragen zulassen. Dass der Staat keine Kruzifixe an der Wand der Klassenzimmern anbringen solle, stehe auf einem anderen Blatt. Schließlich sei die Schulwand kein Bürger, sondern ein Gebäudeteil. Der sei unmittelbar dem Staat zuzuordnen, für den das Identifikationsverbot gilt. Ludin dagegen sei Bürgerin, der die religiöse Betätigung erlaubt sei.

Schavan und ihr Schulamt vergleichen aber Ludins Bekleidung durchaus mit dem Kruzifix an der Wand. Die Logik ist folgende: Die Lehrerin kann zwar glauben und auch beten, wie sie will, in diese Freiheit mischt der Staat sich nicht ein. Doch dem Schulgebet könne das Kind aus dem Weg gehen, der Lehrerin aber nicht. Nach dieser Logik gehört die Kleidung der Lehrer sozusagen zum Setting, mit dem der Staat sich den Kindern präsentiert. Und das muss spätestens seit dem Kruzifix-Urteil neutral sein. Das ist angesichts der vielen Kruzifixe, die immer noch in staatlichen Schulen hängen, eine interessante Argumentation. Denn diese Kreuze müssen nach bayerischer Gesetzeslage erst abgehängt werden, wenn Eltern den jeweiligen Direktor von ihrer Schädlichkeit überzeugt haben. Parallel müsste auch Frau Ludin ihr Tuch erst abnehmen, wenn Eltern die Schule von der Schädlichkeit des Tuches überzeugt haben. Doch davon ist keine Rede.

Die Beamtenfrage: Beeinträchtigt ein Tuch die »Eignung« zum Beamten?

Die vierte und letzte Frage lautet: Hat die Beamtin ein Recht auf Religionsfreiheit im Dienst? In welchen Sinn muss sie neutral sein? Distanziert?

Oder mit einer eigenen Auffassung ausgestattet, aber dennoch Toleranz lehrend? Ein Recht auf Religion hat sie auf jeden Fall. Es gibt sogar ein Diskriminierungsverbot, das die Bevorzugung oder Benachteiligung eines Bekenntnisses ausschließt.

Grundgesetz

Artikel 33:

(2) Jeder Deutsche hat nach seiner Eignung, Befähigung und fachlichen Leistung gleichen Zugang zu jedem öffentlichen Amte.

(3) Der Genuss bürgerlicher und staatsbürgerlicher Rechte, die Zulassung zu öffentlichen Ämtern sowie die im öffentlichen Dienste erworbenen Rechte sind unabhängig von dem religiösen Bekenntnis. Niemandem darf aus seiner Zugehörigkeit oder Nichtzugehörigkeit zu einem Bekenntnisse oder einer Weltanschauung ein Nachteil erwachsen.

Dazu aber gesellt sich, dass Beamte, weil sie dem Staat zuzuordnen sind, in einigen Grundrechten eingeschränkt sind. Als Teil des Staates müssen sie eben auch Neutralität signalisieren. So verfügen es die Beamtengesetze von Bund und Ländern. Auch das von Baden-Württemberg.

Landesbeamtengesetz Baden-Württemberg

§ 70 Amtsführung

(1) Der Beamte dient dem ganzen Volk. Er hat seine Aufgaben unparteiisch und gerecht zu erfüllen und bei seiner Amtsführung auf das Wohl der Allgemeinheit Bedacht zu nehmen.

(2) Der Beamte muss sich durch sein gesamtes Verhalten zu der freiheitlichen demokratischen Grundordnung im Sinne des Grundgesetzes bekennen und für deren Erhaltung eintreten.

§ 72 Politische Betätigung

(1) Der Beamte hat bei politischer Betätigung diejenige Mäßigung und Zurückhaltung zu wahren, die sich aus seiner Stellung gegenüber der Gesamtheit und aus der Rücksicht auf die Pflichten seines Amts ergeben.

Artikel 33 des Grundgesetzes spricht nach Ludins Auffassung für sie. Genau diese Diskriminierung aufgrund ihrer Religionszugehörigkeit finde statt. In den Mäßigungsparagrafen des Landesbeamtengesetzes sei dagegen nur die Rede von politischen Äußerungen, nicht von religiösen. Ihr Tuch hindere Ludin nicht daran, weltanschaulich neutralen Unterricht zu halten. Es habe mit ihrer persönlichen Eignung für den Schuldienst nichts zu tun.

Schavan behauptet, Ludin nicht wegen ihrer Religion zu diskriminieren, sondern ihr fehle die Eignung für diesen Beruf. Artikel 33,3 verbiete zwar die Ablehnung eines Bewerbers allein wegen seines religiösen Bekenntnisses, schließe aber nicht aus, im öffentlichen Dienst an eine damit verbundene mangelnde Eignung anzuknüpfen, argumentiert Schavan. Die »Eignung« ist ein schwammiger Begriff. In den einschlägigen Kommentaren übersetzen die Juristen ihn dahingehend, dass man seine Dienstpflichten erfüllen können muss. Wer aber ein Kopftuch unbedingt tragen wolle und damit eventuell nicht in jeder Klasse unterrichten könne, sei nicht mehr universell einsetzbar und erfülle damit seine Dienstpflichten eben nicht mehr, so Schavan.

Das Verwaltungsgericht Stuttgart: Unsere Neutralität ist christlich

Am 24. März 2000 weist die 15. Kammer des Verwaltungsgerichts Stuttgart die Klage der Lehrerin Ludin ab. Das Oberschulamt habe Recht geurteilt: »Sie erfüllt (...) nicht die persönlichen Voraussetzungen, weil sie im Dienst ein religiös motiviertes Kopftuch tragen möchte und dadurch gegen ihre Dienstpflichten verstoßen würde.«[53]

Die vier Gretchenfragen beantwortet das Gericht so: Die Symbolik des Kopftuchs sei religiös, aber der Staat in Person von Ministerin Schavan darf nicht befinden, ob Ludin es zu Recht trage, weil der Koran oder die Mehrzahl der Musliminnen auf der Welt es so oder so handhabten. Was zum religiösen Bekenntnis gehört und was nicht, muss dem Selbstverständnis der jeweiligen Religionsgemeinschaft überlassen bleiben, hat das Bundesverfassungsgericht schon früh befunden.[54] Der Grund ist einfach: Wenn der Staat bestimmen dürfte, was Religion im einzelnen ist, dann gäbe es keine Religionsfreiheit mehr. Der behauptete Inhalt der religiösen Handlung muss lediglich nachvollziehbar sein. Das ist beim Kopftuch auf dem Haupt einer Muslimin sicherlich der Fall. Nicht alle, aber viele leiten diese Regel aus dem Koran ab.

Auch die politische Interpretation lehnt das Gericht als einseitig ab, doch ein Rest bleibt: »Beim Kopftuchtragen durch die Klägerin handelt es sich um ein demonstratives religiöses Bekenntnis.« Das Gericht folgt Schavans Vergleich mit dem Kruzifix-Urteil: Demonstrative religiöse Bekenntnisse, ob Kreuz oder Tuch, haben in der Schule nichts zu suchen. Die schwache »Sendeenergie« ihres Symbols, die Ludin behauptet, wird hier als starke gedeutet, eben als Demonstration.

---

[53] Dies und alle folgenden Zitate aus dem Urteil: Verwaltungsgericht Stuttgart AZ: 15 K 532/99, in: Neue Zeitschrift für Verwaltungsrecht 2000: 959-961

[54] BVerfGE 24, 236

In Bezug auf Gretchenfrage zwei nach der Religionsfreiheit heißt es: Die Religionsfreiheit der Lehrerin sei durchaus einzuschränken. Die Schüler seien »naturgemäß gezwungen«, die Lehrerin ständig im Blick zu behalten, und könnten nicht ausweichen. Obwohl sich bisher niemand über Frau Ludin beschwert hat, geht das Gericht davon aus, dass dies demnächst passieren würde: »Es kann nicht davon ausgegangen werden, dass bei einer Einstellung der Klägerin Proteste von Eltern und Schülern, die auf ernsthaften Gründen beruhen, mit überwiegender Wahrscheinlichkeit ausbleiben«, urteilen die Richter. Die vermutete negative Religionsfreiheit der Schüler habe aber Vorrang vor der positiven der Lehrerin habe.

Ludin gehe übrigens zu Recht von einer offenen Neutralität aus, antworten die Richter auf Gretchenfrage Nummer drei. Nur bestehe eben die Grenze, dass die anderen dieser Äußerung ausweichen können müssen. Dass die baden-württembergische Landesverfassung so viele christliche Bezüge aufweist, denen man schwerlich ausweichen kann, legt das Gericht dabei interessanterweise zu Ungunsten der Klägerin aus: »Insbesondere aus dieser Wertentscheidung der Landesverfassung ergibt sich, dass für Lehrer, die nichtchristlichen Religionen anhängen, ihre Religionsausübung im Dienst wohl nur unter engeren Voraussetzungen möglich ist als dies bei Lehrern der Fall ist, die christlichen Religionen anhängen«, meint das Verwaltungsgericht. Das ist kurios: Weil so viel Christentum in der Schule ist, muss die muslimische Lehrerin sich besonders zurückhalten, sagt das Gericht. Diese unneutrale Neutralität hätte gerade die Beamtin aber nun ganz besonders strikt zu wahren, so die Antwort auf die letzte Gretchenfrage. Die »Achtung der staatlichen Neutralitätspflicht« sei eine der besonderen Dienstpflichten der Beamten.

Zudem dürften Beamte keine Konflikte hervorrufen. Das hat Ludin zwar noch nicht getan, aber es werde passieren, prognostiziert das Gericht. Wenn die Lehrerin dann tatsächlich aus der Klasse entfernt werden müsste, dann behinderte sie damit das reibungslose Funktionieren der Schule. Das aber darf eine Beamtin nicht. »Diese nicht fernliegende Gefahr verhindert zumindest die universelle Einsetzbarkeit der Klägerin und begründet somit einen Eignungsmangel«, stellt das Gericht fest.

Und wir stellen, etwas bösartig, fest: Die Justiz hält bisher das Kopftuch für eine Demonstration, hat ein schiefes Neutralitätsverständnis und sieht Konflikte, wo noch keine sind.

Der Verwaltungsgerichtshof Baden-Württemberg: Berufsverbot wegen möglicher Konflikte

Ein gutes Jahr später, am 26. Juni 2001, scheitert die Berufung der Lehrerin Ludin von dem Verwaltungsgerichtshof Baden-Württemberg in Mannheim.[55] Das Verwaltungsgericht habe richtig geurteilt, heißt es.

In der Frage der Symbolik schlägt sich der Gerichtshof auf die »Empfänger«-Seite: »Entscheidend ist, welche Wirkung allein der Anblick des von ihr getragenen Kopftuchs bei den einzelnen Schülern entfaltet, insbesondere welche Empfindungen es bei Andersdenkenden auslösen kann«[56], hält der Gerichtshof Ludin entgegen, die sich darüber beklagt hatte, dass man das Tuch als »demonstrativ« bezeichnete. Der bayerische Staat habe im Kruzifix-Fall auch gefunden, seine Kreuze seien lediglich unbedeutendes Kulturgut. Dennoch sei das Empfinden der Eltern ausschlaggebend gewesen. Das Kopftuch sei ein »deutlich sichtbares Symbol, dem sich der Betrachter nicht entziehen kann«, also »ein starkes religiöses Symbol«.[57] Da das Kopftuch stark wirke und sich die Schüler also mit ihm beschäftigten, könnte es passieren, dass sie sich die religiösen Vorstellungen der Lehrerin, die ja als Vorbild wirke, »möglicherweise unüberlegt zu eigen machen«. Das Gericht sei der Überzeugung, dass eine »möglicherweise bestehende Suggestivkraft des Kopftuchs nicht lediglich gering zu bewerten ist«.[58] Man spürt, wie stark der Islam hier als gefährliche Religion gekennzeichnet ist. Denn in der Tat könnte diese unüberlegte Aneignung bei einem Kruzifix ähnlich stattfinden, was niemanden zu beunruhigen scheint.

Eine Lehrerin wirke zwar in der Tat mit ihrer ganzen Persönlichkeit, und nicht nur mit ihrem Kopftuch, doch sei dieses eben sehr markant, meint das Gericht. »Denn das Tragen des Kopftuchs bewegt sich nicht in der Weise im Rahmen des sozial Üblichen, dass es von den Schülern in erster Linie als Kleidungsstück ohne wesentlichen religiösen Bezug wahrgenommen werden könnte.«

Das ist doppelt interessant: Zum einen wird zugegeben, dass das Tuch schlicht fremd ist und dadurch schon problematisch. Zum anderen führt das Gericht den »objektiven Empfängerhorizont« ein. Das ergibt sich aus der Parallele zum Kruzifix-Urteil. Der Unterschied aber ist, dass die »Empfänger« sich im Kruzifix-Fall beklagt hatten. Es war also dokumentiert, dass sie sich beeinträchtigt fühlen. Im Fall des Kopftuches aber nehmen die Gerichte dies bisher nur an. Es gibt keinen Kläger. Nur einen

---

[55] Verwaltungsgerichtshof Mannheim AZ: 4 S 1439/00, abgedruckt in: Neue Juristische Wochenschrift 2001: 2899 ff

[56] Neue Juristische Wochenschrift 2001: 2903

[57] Neue Juristische Wochenschrift 2001: 2903

[58] Neue Juristische Wochenschrift 2001: 2904

Staat, der befürchtet, es könnte einen geben. Weil das Tuch eben so fremd ist.

Die vorbeugende Befürchtung macht sich auch bei den Ausführungen des Gerichts zum Thema Religionsfreiheit bemerkbar. Auch der Gerichtshof in Mannheim geht von zukünftigen Konflikten aus. Diese entständen, da ist man sich sicher, an »zahlreichen Schulen« des Landes. Das könne man unter anderem auch der »anhaltenden kontroversen öffentlichen Diskussion«[59] entnehmen, die sich um den Fall Ludin entsponnen habe.

In der Frage der staatlichen Neutralität anerkennt Mannheim, dass die Tendenz zum Christentum, die Baden-Württemberg seinen Schulen aufgetragen hat, problematisch sein kann. Aber die Mannheimer Richter verlassen sich auf die Ausführungen des Bundesverfassungsgerichts zu den christlichen Gemeinschaftsschulen, in denen es hieß, das Christentum sei ja gar nicht so ernst gemeint:

»Es obliegt dem Landesgesetzgeber, das Spannungsverhältnis zwischen der Religionsfreiheit und der christlichen Verwurzelung ausgleichend zu lösen. (...) Die zulässige Bejahung des Christentums bezieht sich (...) nur auf dessen Anerkennung als prägendem Kultur- und Bildungsfaktor, nicht aber auf bestimmte Glaubenswahrheiten.«[60]

Die nicht so neutrale Neutralität gesteht der Gerichtshof konsequenter Weise nun auch Ludin zu. Ihr als Grundrechtsträgerin könne also nicht direkt die Neutralität der Wand aus dem Kruzifix-Urteil auferlegt werden. Aber sie dürfe damit eben keine Konflikte hervorrufen. Da dürfe der Staat vorbeugen, bestätigt der Gerichtshof.

Das Bundesverwaltungsgericht: Neutralität muss strenger gefasst werden

Je weiter der Instanzenweg fortschreitet, desto klarer scheint den Gerichten zu werden, dass sie Islam und Christentum ungleich behandeln. Das Bundesverwaltungsgericht, das den Fall Ludin zwei Jahre später, am 4. Juli 2002,[61] entscheidet, reagiert in seiner Abweisung der Klage zum ersten Mal offensiv darauf. Aber auch hier wird der imaginäre Konflikt zum Verhängnis: »Von der Bereitschaft, das Kopftuch im Unterricht abzulegen, darf der Beklagte (...) die Einstellung der Klägerin in den öffentlichen Schuldienst abhängig machen«, meint das Gericht.

---

[59] Neue Juristische Wochenschrift 2001: 2904
[60] Neue Juristische Wochenschrift 2001: 2900
[61] Bundesverwaltungsgericht (BVerwG) AZ 2 C 21/01, in: Neue Juristische Wochenschrift 2002: 3344ff

Das Bundesgericht relativiert die Ansicht der Vorgängerinstanzen, dass das Kopftuch stark auf die Schüler einwirke: Der Einfluss des Kopftuchs sei »schwierig einzuschätzen«,[62] lasse sich aber nicht ausschließen. Auf den Grad der Wahrscheinlichkeit komme es aber gar nicht an. Denn in punkto Religionsfreiheiten heißt es schlicht: »Ein schonender Ausgleich zwischen den widerstreitenden Grundrechtspositionen ist nicht möglich.«[63] Das Elternrecht werde allein mit der Einstellung der nicht kompromissbereiten Lehrerin Ludin schon zu stark beschnitten.

In Sachen Neutralität erkennt dieses Gericht aber zum ersten Mal an, was Ludin seit mehreren Jahren behauptet, dass nämlich Christentum und Islam in der Schule mit zweierlei Maß gemessen werden. Daraus zieht es aber andere Schlüsse: An diesem Fall könne man sehen, dass die Gesellschaft pluralistischer werde. Das aber bedeute, dass der Staat mit Religionen im öffentlichen Raum nicht mehr so lax umgehen könne wie bisher mit dem Christentum, schließt das Gericht. »Er muss auf die in einer pluralen Gesellschaft sehr unterschiedlichen Elternauffassungen Rücksicht nehmen und jede religiöse Einflussnahme durch Lehrer unterbinden. Deshalb gewinnt das Neutralitätsgebot mit wachsender kultureller und religiöser Vielfalt – bei einem wachsenden Anteil bekenntnisloser Schüler – zunehmend an Bedeutung und ist nicht etwa im Hinblick darauf aufzulockern, dass die kulturelle, ethnische und religiöse Vielfalt in Deutschland inzwischen auch das Leben in der Schule prägt, wie die Klägerin meint«,[64] heißt es im Urteil.

Von vornherein sei die Neutralität des Beamten nun besonders strikt zu wahren. Auf jeden Fall sei es weise vom Oberschulamt, es nicht auf den Versuch ankommen zu lassen: »Bereits die Eröffnung einer Einwirkungsmöglichkeit auf die Kinder verletzt Glaubensfreiheit und Elternrecht«,[65] so das Bundesverwaltungsgericht. Wie man angesichts dieser eminenten Gefahr bayerische Kruzifixe zulassen kann, erklärt das Gericht nicht.

Hier endet der Instanzenweg des Falles Ludin. Jetzt bleibt ihr nur noch eine Möglichkeit: Das Verfassungsgericht soll ihr Grundrecht schützen. Lehrerin Ludin zieht nach Karlsruhe.

---

[62] Neue Juristische Wochenschrift 2002: 3345
[63] Neue Juristische Wochenschrift 2002: 3346
[64] Neue Juristische Wochenschrift 2002: 3345
[65] Neue Juristische Wochenschrift 2002: 3346

Das Bundesverfassungsgericht – kurz vor der Entscheidungsunfähigkeit

Das Verfassungsgericht bemüht sich um Gründlichkeit: Es hört nicht nur die beiden Streitparteien. Auch das Innenministerium sowie verschiedene Sachverständige geben Stellungnahmen zu dem Fall ab. Die Expertinnen und Experten sollen vor allem die strittigen Symbolfragen klären helfen. Das weist darauf hin, dass das Verfassungsgericht den Pferdefuß der bisherigen Urteile durchaus Ernst nimmt. Ein religiöses Symbol, dessen Gehalt der Staat bestimmt, ist hart an der Grenze, das Abstinenzgebot des Staates in Sachen religiöse Deutungen zu überschreiten. Eine Gefahrenprognose für eine Gefahr, von der man nicht weiß, ob sie existiert, ist ebenfalls ein zweifelhafter Grund für ein Berufsverbot für ritualtreue Musliminnen.

Das Innenministerium stützt die Auffassung der Verwaltungsgerichte auf ganzer Linie. Feinsinnig wird festgestellt, dass der Neutralitätsbegriff keinesfalls verschärft worden sei; es werde lediglich »der wachsenden Bedeutung staatlicher Neutralität bei zunehmender Vielfalt der Gesellschaft Rechnung getragen«. Diese Sprachvolte hat sich auch mittlerweile das Land Baden-Württemberg zu eigen gemacht. Anders hätte es wohl der Tatsache nicht mehr Rechnung tragen können, dass Nonnen im vollen Habit in Baden-Württemberg an einer staatlichen Schule unterrichten. Die gehören dann eben zu einer anderen Neutralitäts-Ära.

Die übereinstimmende Aussage der PädagogInnen: Lehrerinnen können Kinder sicherlich beeinflussen, über den negativen Einfluss eines Kopftuches könne man mangels empirischer Forschung aber rein gar nichts sagen.

Am 3. Juni 2003 werden diese Feinheiten mündlich verhandelt. Das Urteil aber lässt auf sich warten. Das Gericht ist gespalten. Die eine Hälfte findet, dass Beamte strikte Neutralität repräsentieren müssen. Die andere Hälfte aber sieht, dass jemandem der Zugang zu einem Amt verweigert wird, nur weil sein religiöses Selbstverständnis ein ungewöhnliches Kleidungsstück erfordert. Der zweite Senat wird sich nicht einig. Er lässt die Sommerpause verstreichen. Erst am 24. September verkündet schließlich eine Mehrheit von fünf Richtern das Urteil und eine Minderheit von drei Richtern eine »abweichende Meinung«. Die ist fünf Seiten länger als das Urteil und so furios formuliert, als könne man durch Intensität wett machen, was an Richterstimmen fehlte. Nichtsdestotrotz gilt das Urteil der Mehrheit. Und die gibt Frau Ludin fürs erste Recht:

»Das Tragen eines Kopftuchs macht im hier zu beurteilenden Zusammenhang die Zugehörigkeit der Beschwerdeführerin zur islamischen Religionsgemeinschaft und ihre persönliche Identifikation als Muslima deutlich. Die Qualifizierung eines solchen Verhaltens als Eignungsmangel für das Amt einer Lehrerin an Grund- und Hauptschulen greift in das Recht der Beschwerdeführerin auf gleichen Zugang zu jedem öffentlichen Amt aus Artikel 33 Abs. 2 GG in Verbindung mit dem ihr durch Artikel 4 Abs. 1 und 2 GG gewährleisteten Grundrecht der Glaubensfreiheit ein, ohne dass dafür gegenwärtig die erforderliche hinreichend bestimmte Grundlage besteht. Damit ist der Beschwerdeführerin der Zugang zu einem öffentlichen Amt in verfassungsrechtlich nicht tragfähiger Weise erschwert worden.«[66]

Die Symbolfrage: Das Kopftuch kann nicht vom Staat definiert werden

Das Verfassungsgericht stellt sich der Symbolfrage in ihrer ganzen Tragweite. Zunächst identifiziere das Tuch die Trägerin als Muslima. »Das Kopftuch ist – anders als das christliche Kreuz – nicht aus sich heraus ein religiöses Symbol. Erst im Zusammenhang mit der Person, die es trägt und deren sonstigem Verhalten kann es eine vergleichbare Wirkung entfalten. Das von Musliminnen getragene Kopftuch wird als Kürzel für höchst unterschiedliche Aussagen und Wertvorstellungen wahrgenommen.«[67] Das Verfassungsgericht tritt den Definitionen der Verwaltungsgerichte entgegen: Sie hatten gemeint, dass die »Empfänger« des Zeichens »Kopftuch« den Symbolgehalt bestimmen. Da die Empfänger schwiegen, hatte der Staat den Symbolgehalt vorsorglich festgelegt. Die VerfassungsrichterInnen dagegen meinen, dass man auch die Kopftuch-Senderinnen fragen könnte. Es hörte also die Kopftuch-Expertin Yasemin Karakasoglu von der Universität Essen an, die Lehramtsstudentinnen mit Kopftuch nach ihren Motiven befragt hat. Das Gericht schließt aus ihrem Vortrag, »dass angesichts der Vielfalt der Motive die Deutung des Kopftuchs nicht auf ein Zeichen der gesellschaftlichen Unterdrückung der Frau verkürzt werden darf. Vielmehr kann das Kopftuch für junge muslimische Frauen auch ein frei gewähltes Mittel sein, um ohne Bruch mit der Herkunftskultur ein selbstbestimmtes Leben zu führen. (...) Auf diesem Hintergrund ist nicht belegt, dass die Beschwerdeführerin allein dadurch, dass sie ein Kopftuch trägt, etwa muslimischen Schülerinnen die Entwicklung eines den Wertvorstellungen des Grundgesetzes entsprechenden Frauenbildes oder dessen Umsetzung im eigenen Leben erschweren würde.«[68]

---

[66] BVerfG-Urteil vom 24.9.2003, Aktenzeichen 2 BvR 1436/02, Randnr: 30, Quelle: *www.BVerfG.de*

[67] BVerfG 2003: Randnr. 50

[68] BVerfG 2003: Randnr. 52

Doch auch das Verfassungsgericht sieht, dass ebenso die Empfängerinnen und Empfänger des Signals eine herausragende Rolle spielen. Für die Entscheidung, ob das Kopftuch einen Eignungsmangel einer Lehrerin darstelle, müsse selbstverständlich der »objektive Empfängerhorizont« mitberücksichtigt werden. Das Verfassungsgericht räumt andererseits ein, dass die Trägerin die Wirkung des Symbols auf ihrem Kopf auch abschwächen könne: »Die Wirkung eines von der Lehrerin aus religiösen Gründen getragenen Kopftuchs kann allerdings deshalb besondere Intensität erreichen, weil die Schüler für die gesamte Dauer des Schulbesuchs mit der im Mittelpunkt des Unterrichtsgeschehens stehenden Lehrerin ohne Ausweichmöglichkeit konfrontiert sind. Andererseits kann der religiöse Aussagegehalt eines Kleidungsstücks von der Lehrkraft den Schulkindern differenziert erläutert und damit in seiner Wirkung abgeschwächt werden.«[69]

Die Religionsfreiheits-Frage:
Die Religionsfreiheit darf ein Amt nicht nur auf Grund einer selbstgestellten Prognose beschneiden

Die Neuerung, die das Verfassungsgericht in die Diskussion um die Religionsfreiheit einbringt, heißt Parlamentsvorbehalt. Derart in die Religionsfreiheit einer Lehrerin einzugreifen, sei nur möglich, wenn sich das zuständige Amt dabei auf ein Gesetz beziehen könne, nicht nur auf eine Prognose, die sich »nicht auf gesicherte empirische Grundlagen stützen könne«.[70] »Die Einschränkung der vorbehaltlos gewährten Glaubensfreiheit bedarf (...) einer hinreichend bestimmten gesetzlichen Grundlage«,[71] befindet die Mehrheit des Gerichts.

Die Begründung: Die Entscheidung, religiöse Kleidung in der Schule nicht zuzulassen, betreffe »Menschen unterschiedlicher Religionsgemeinschaften unterschiedlich intensiv, je nachdem, ob sie die Befolgung bestimmter Bekleidungssitten als zur Ausübung ihrer Religion gehörig ansehen oder nicht. Dementsprechend hat sie besondere Ausschlusswirkungen für bestimme Gruppen.« Eine Dienstpflicht, die religiöse Kleidung ausschließt, kann aber nur »begründet und durchgesetzt werden (...), wenn Angehörige unterschiedlicher Religionen dabei gleich behandelt werden. Dies ist nicht in gleichem Maße gewährleistet, wenn es den Behörden und Gerichten überlassen bleibt, über das Bestehen und die Reichweite einer solchen Dienstpflicht von Fall zu Fall nach Maßgabe ihrer Prognosen (...) zu entscheiden.«[72] Das ist schwierig: Weil das Klei-

[69] BVerfG 2003: Randnr. 54
[70] BVerfG 2003: Randnr. 55
[71] BVerfG 2003: Randnr. 38
[72] BVerfG 2003: Randnr. 71

dungsverbot ohnehin ungerecht wäre, darf man nicht im Einzelfall entscheiden, sondern ein Gesetz muss die Kleiderfrage generell regeln. Das schlösse zwar endlich einmal die Nonnen mit ein. Aber andere Christen kennen keine Kleidergebote – im Gegensatz zu Sikhs oder Musliminnen. Diese Gruppen wären dann generell und schon per Gesetz im Nachteil. Indirekte Diskriminierung, nennt man das auch.

Die Neutralitätsfrage:
Die Neutralität kann neu definiert werden – aber wenn, dann für alle!

Die bisher erfolgte verschwurbelte Neubestimmung der Neutralität, die keine Neubestimmung sein will, lässt das höchste deutsche Gericht nicht durchgehen. Wenn der bisherige Neutralitätsbegriff zu Konflikten führt, dann muss er insgesamt neu gefasst werden, meinen die Urteilenden. Das Neutralitätsgebot könne nunmehr strenger gehandhabt werden, weil Multireligiosität dies verlange. Aber das kann ein Gericht nicht dekretieren. Die Schule habe sich bisher immer als Ort verstanden, an dem religiöse Bezüge aufgenommen werden und Toleranz eingeübt wird, so die RichterInnen und begründen damit den Kern ihres Urteils:

> »Es ließen sich deshalb gute Gründe dafür anführen, die zunehmende religiöse Vielfalt in der Schule aufzunehmen und als Mittel für die Einübung von Toleranz zu nutzen, um so einen Beitrag in dem Bemühen um Integration zu leisten. Andererseits ist die beschriebene Entwicklung auch mit einem größeren Potenzial möglicher Konflikte in der Schule verbunden. Es mag deshalb auch gute Gründe dafür geben, die staatliche Neutralitätspflicht im schulischen Bereich eine striktere und mehr als bisher distanzierende Bedeutung beizumessen und demgemäß auch durch das äußere Erscheinungsbild einer Lehrkraft vermittelte Bezüge von den Schülern grundsätzlich fern zu halten, um Konflikte (...) zu vermeiden. (...) Wie auf die gewandelten Verhältnisse zu antworten ist, (...) hat nicht die Exekutive zu entscheiden. Vielmehr bedarf es hier der Regelung durch den demokratisch legitimierten Gesetzgeber.«[73]

Dabei können die Länder zu unterschiedlichen Lösungen kommen, »weil bei dem zu findenden Mittelweg auch Schultraditionen, die konfessionelle Zusammensetzung der Bevölkerung und ihre mehr oder weniger starke religiöse Verwurzelung berücksichtigt werden« dürfen.[74] Hier legt das Gericht die Grundlage für die Vielfalt an Gesetzen, die nach dem Urteil in Deutschland ersonnen werden: Man kann die Neutralität so oder so auslegen. Man kann die Schultradition berücksichtigen, aber dann auch wieder nicht, weil man alle gleich behandeln soll.

---

[73] BVerfG 2003: Randnr. 55/56
[74] BVerfG 2003: Randnr. 47

Die Beamtenfrage:
Das Grundrecht der Beamtin darf nur aus schwerwiegenden Gründen eingeschränkt werden

Die Beamtin ist nicht identisch mit dem Staat, sagen die Richter. »Der Staat, der eine mit dem Tragen eines Kopftuchs verbundene religiöse Aussage einer einzelnen Lehrerin hinnimmt, macht diese Aussage nicht schon dadurch zu seiner eigenen und muss sie sich auch nicht als von ihm beabsichtigt zurechnen lassen.«[75] Die Lehrerin kann also durchaus eigenständige religiöse Aussagen machen. Für Lehrer gebe es bisher, anders als für Polizisten oder Richter, keine Regelung über Dienstkleidung.

Die Grundrechte des Beamten werden nur durch seine Pflichten eingegrenzt. Wenn aber schon der Zugang zum Amt verweigert wird, weil in Zukunft das Grundrecht ausgeübt werden soll, dann »muss sich die Annahme eines hierauf gestützten Eignungsmangels ihrerseits vor dem betroffenen Grundrecht rechtfertigen lassen«.[76] Religiös motivierte Bekleidung kann zu einer Störung des Schulfriedens führen, schätzt das Gericht. Aber es handle sich »lediglich um abstrakte Gefahren«. »Die Annahme einer Dienstpflichtverletzung wegen befürchteter bestimmender Einflüsse des Kopftuchs der Beschwerdeführerin auf die religiöse Orientierung der Schulkinder kann sich nicht auf gesicherte empirische Grundlagen stützen.«[77] Eine derart ungesicherte Erkenntnislage reicht als Grundlage einer behördlichen Anwendung des unbestimmten Rechtsbegriffs der Eignung, »die erheblich in das Grundrecht der Beschwerdeführerin (...) eingreift, nicht aus«.[78]

Hier zeigt das Gericht sehr deutlich die Verzerrungen der Vorinstanzen auf: Die Gefahr, die sie in das Tuch hineininterpretierten, ist bisher nicht empirisch belegt. Das ist für ein Berufsverbot zu wenig.

Das Minderheitenvotum

Ganz anderer Meinung – und auf der Linie der Verwaltungsgerichte – ist die Minderheit des Senats, die ihre abweichende Meinung zu Protokoll gibt: »Das von der Beschwerdeführerin begehrte kompromisslose Tragen

---

[75] BVerfG 2003: Randnr. 54
[76] BVerfG 2003: Randnr. 34
[77] BVerfG 2003: Randnr. 55
[78] BVerfG 2003: Randnr. 56

des Kopftuchs im Schulunterricht ist mit dem Mäßigungs- und Neutralitätsgebot des Beamten nicht zu vereinbaren.«[79]

Die Minderheit der Richter findet, dass der Staat in Form des Oberschulamtes sehr wohl definieren darf, was das Kopftuch auf dem Lehrerinnenkopf darstellt. »Die Einschätzung des Symbols ist Sache des Dienstherrn« und »kann von Gerichten nur in eingeschränktem Umfang auf Plausibilität und Schlüssigkeit überprüft werden«.[80] Das Oberschulamt habe das Tuch ganz richtig eingeschätzt und die richtigen Schlüsse gezogen: Es sei ein objektiv ausdrucksstarkes Symbol und damit prinzipiell für Lehrerinnen verboten. Die Minderheit sieht auch, dass Symbole unterschiedlich interpretiert werden. Die Richter verlegen diese Unterschiedlichkeit aber in eine zeitliche Dimension:

»Die Verwendung von Symbolen verändert sich im Laufe der Zeit ebenso wie die Heftigkeit der durch sie hervorgerufenen Resonanz: mal stehen politische Plaketten (z. B. »Stoppt Strauß«, »Atomkraft – nein danke«) mal religiös hergeleitete Zeichen wie die orangefarbene Kleidung der Bhagwan (Osho-) Anhänger im Vordergrund. Der Dienstherr (...) muss jeweils abschätzen, welche Verwendung von Symbolen durch den Beamten mit den allgemeinen beamtenrechtlichen und den besonderen Anforderungen im Schuldienst noch vereinbar oder zu unterbinden ist.«[81]

Die Senatsminderheit lässt damit die Sichtweise zu, dass die Gesellschaft sich verändern könnte und dann das Kopftuch in Zukunft keine Provokation mehr darstelle. Die Forschung, so fahren sie fort, komme durchaus zu der Interpretation, dass das Tuch eine »religiös begründete kulturpolitische Aussage« beinhalte.[82] Und diese begreife eine »womöglich nicht unmaßgebliche oder gar wachsende Zahl von Menschen als kulturelle Herausforderung einer von ihnen in ihrem Wertesystem abgelehnten Gesellschaft«.[83] Die Kopftuchträgerinnen werden hier neu interpretiert: Ihre kulturpolitische Aussage bedeute heute eine »Herausforderung« durch eine nicht näher bestimmte Zahl von Menschen, die auf jeden Fall viele sind. Die lehnen unser Wertesystem ab. Damit wird aus der kulturpolitischen unter der Hand eine polititsche Aussage. Diese Verfassungsrichter sind wieder bei der Definition des Kopftuchs als verfassungsfeindlichem Symbol angelangt.

In der Frage der Religionsfreiheit gibt es für die drei abweichenden Richter keine gleichwertigen Grundrechte von Lehrern und Schülern. »Das für die Grundrechtsverwirklichung wesentliche Rechtsverhältnis in der

---

[79] BVerfG 2003: Randnr. 102
[80] BVerfG 2003: Randnr. 109
[81] BVerfG 2003: Randnr. 109
[82] BVerfG 2003: Randnr. 121
[83] BVerfG 2003: Randnr. 121

Schule wird in erster Linie durch den Grundrechtsschutz von Schülern und Eltern geprägt.«[84] Für den Fall Kopftuch 2003 sei die zeitgemäße Diagnose: »In der Tat ist ein von der Lehrerin getragenes – gegenwärtig – ausdrucksstarkes Symbol mit objektiven religiösen, politischen und kulturellen Sinngehalten geeignet, in die negative Religionsfreiheit von Schülern und Eltern und in das Erziehungsrecht der Eltern einzugreifen.«[85]

Die Schüler werden in die Schule gezwungen, ihre Rechte müssen deshalb besonders geschützt werden, lautet die Begründung. Die Lehrer haben sich dagegen freiwillig für ihren Beruf entschieden, sie müssen dafür Freiheiten aufgeben. Das ist ein starkes Argument, wenn man davon ausgeht, dass die Schüler ihre Freiheit mit dem Kopftuch überhaupt kollidieren sehen.

Weil der Staat den Eltern schon einen Teil ihres Erziehungsrechts wegnehme, müsse er gerade besonders neutral sein, so die drei abweichenden Richter zur Frage der Neutralität des Staates. Gerade in diesem Fall müsse der Staat der Sachwalter ihres Interesses sein, das Kind keiner Religion auszusetzen, die sie für schädlich halten. Die Tatsache, dass noch kein Elternteil vor Gericht erklärt hat, es halte das Kopftuch für eine schädliche Einwirkung, hält die Minderheit in Anbetracht der ohnehin prekären Situation der Eltern für unerheblich.

Das Beamtenrecht legen sie deshalb sehr streng aus: »Wer Beamter wird, stellt sich in freier Willensentschließung auf die Seite des Staates«, erläutern die Richter zur letzten Gretchenfrage. Die »Dienstpflicht des Beamten ist Kehrseite der Freiheit desjenigen Bürgers, dem die öffentliche Staatsmacht in der Person des Beamten gegenübertritt«, definieren sie.[86] Deshalb sei ein neues Gesetz, wie es die Senatsmehrheit fordert, nicht erforderlich. Das Mäßigungsgebot untersage bereits, dass der Beamte den Dienst »prononciert als Aktionsraum für Bekenntnisse, gleichsam als Bühne grundrechtlicher Entfaltung nutzt«.[87]

Was neutrale Amtsführung zu sein hat, bestimme sich aus den konkreten Aufgaben des Beamten. »Verhält sich der Beamte im Dienst politisch, weltanschaulich oder religiös nicht neutral, so verstößt er gegen die ihm obliegenden Dienstpflichten, wenn sein Verhalten objektiv dazu geeignet ist, zu Konflikten oder Behinderungen bei der Wahrnehmung der öffentlichen Aufgaben zu führen.«[88] Deshalb muss er »bereits beim Zugang die persönliche Gewähr für ein neutrales, nicht provozierendes oder herausforderndes Verhalten im Rahmen der künftigen Amtsführung bie-

---

[84] BVerfG 2003: Randnr. 76
[85] BVerfG 2003: Randnr. 111
[86] BVerfG 2003: Randnr. 77/78
[87] BVerfG 2003: Randnr. 79
[88] BVerfGE 39, 334 ist die Entscheidung, auf die sich die Richter hier beziehen.

ten«.[89] Und: »Nicht ausräumbare Zweifel an der Eignung berechtigen die Behörde zu einer negativen Prognose.«[90]

Man könne keinesfalls warten, bis sich jemand beschwere. »Weder den Eltern noch dem Staat ist zuzumuten, angesichts einer schon im Einstellungsgespräch erkennbaren künftigen Konfliktlage abzuwarten, ob und wie sich Konflikte im Einzelfall entwickeln.«[91] Die abweichenden Richter phantasieren ausführlich aus, was der Schule mit einer Kopftuchtragenden Lehrerin alles blühen könnte: Die Rigidität, mit der Ludin am Kopftuch festhalte, rufe »Zweifel an der vorrangigen Loyalität der Beschwerdeführerin zu den politischen Zielen des Dienstherren und der Werteordnung des Grundgesetzes auch in einem möglichen Konflikt mit religiösen Überzeugungen des Islam« hervor.[92] Es wird deutlich, wie nah diese Richter das Tuch an eine politische Aussage stellen. Ludin steht bei ihnen eindeutig unter Fundamentalismusverdacht.

Ungeachtet dieser massiven Kritik hat die Mehrheit des Verfassungsgerichts erstmals eine Haltung legitimiert, die man juristisch im Kopftuch-Streit auch einnehmen kann. Das Tuch ist erst einmal ein Kleidungsstück und dann Zeichen einer bestimmten Religiosität, die eine Beamtin haben darf. In seiner übergreifenden Neutralität darf der Staat diese auch zulassen. Wenn er sich das nicht traut, muss er es laut sagen: per Gesetz.

Alle anderen, zuletzt die abweichenden Karlsruher, finden, religiöse Symbole müssen aus Schulen ganz verschwinden. Die erste Instanz versuchte noch, das Christentum zu retten, die anderen waren konsequenter und wollten sämtliche Symbole verbannen. Der Tenor: Zu viele Religionen in der Schule führen zu Spannungen. Jetzt, wo das Christentum nicht mehr allein ist, sollten der Staat und die Schule strikter neutral werden.

Andere Fälle – andere Entscheidungen

Der Fall Alzayed – Neutral mit Kopftuch

Der Fall Ludin findet auch auf der juristischen Ebene nicht im luftleeren Raum statt. Es gibt einige ähnlich gelagerte Fälle, die zum Vergleich einladen. So klagt etwa die niedersächsische Lehrerin Iyman Alzayed 1999 auf Einstellung in den Schuldienst in eine niedersächsische Grundschule.

---

[89] BVerfG 2003: Randnr. 99
[90] BVerfG 2003: Randnr. 105
[91] BVerfG 2003: Randnr. 112
[92] BVerfG 2003: Randnr. 107

Sie hatte zuvor an einer Waldorfschule gearbeitet und sich von dort mitsamt ihrem Kopftuch an der Grundschule beworben. Das Bewerbungsgespräch mit der deutschen Konvertitin verlief zu allseitiger Zufriedenheit, ihre Einstellung wurde ihr mündlich zugesagt. Drei Wochen später machte die Schule einen Rückzieher. Anlass soll die Intervention der Bildungsministerin Renate Jürgens-Pieper (SPD) gewesen sein. Die Klasse, die Alzayed hatte übernehmen sollen, protestierte lautstark. Die Elternratsvorsitzende Susanne Potthoff wird mit den Worten zitiert: »Wenn eine ein Kreuz um den Hals tragen kann, kann die andere auch ein Kopftuch tragen.« Die Grünen im niedersächsischen Landtag moserten: »Mittelalterliche Ministerin fordert Unterwerfung.«[93] Alzayed klagte und gewann. Warum?

Das Verwaltungsgericht Lüneburg hat die vier Gretchenfragen folgendermaßen beantwortet: Die Suggestivkraft eines Kopftuches auf Kinderköpfe sei gering zu bewerten, denn im Gegensatz zum Symbol Kreuz wirke das Kopftuch ja nur in Verbindung mit seiner Trägerin. Ohnehin sei es für sich genommen kein religiöses Symbol. Solange die Trägerin nicht missionarisch tätig werde, könne das Tuch allein nicht viel bewirken. Schließlich sähen die Kinder Kopftücher auf Musliminnenhäuptern ohnehin jeden Tag. So sieht der »objektive Empfängerhorizont« in Lüneburg aus. Auch Alzayeds eigene Interpretation des Tuches wurde gewürdigt: Sie trüge es, um als »schamhafte Frau« zu gelten, nicht weil sie sich damit Männern unterordnen wolle.[94] Fundamentalismus könne man der Konvertitin, die schließlich eine evangelisch-lutherische Erziehung genossen habe, ohnehin nicht unterstellen, meinte das Gericht.

Die negative Religionsfreiheit der Kinder sei gewahrt, wenn die Lehrerin keine Missionsversuche starte. Sie selbst dagegen werde wegen ihrer Religion diskriminiert, wenn man sie nicht einstelle.

Auch mit Kopftuch könne man weltanschaulich neutralen Unterricht halten, denken die Lüneburger Richter. Sie beziehen sich zudem auf den Erziehungsauftrag, wie er im Niedersächsischen Schulgesetz formuliert ist. Dort heißt es in Paragraph 2: Die Schüler seien zur Toleranz zu befähigen und dazu, »den Gedanken der Völkerverständigung, insbesondere die Idee einer gemeinsamen Zukunft der europäischen Völker, zu erfassen, zu unterstützen und mit Menschen anderer Nationen und Kulturkreise zusammenzuleben«.[95] Zudem seien die Schulen in Niedersachsen, an-

[93] Frankfurter Rundschau, 11.9.1999

[94] Verwaltungsgericht Lüneburg, AZ 1 A 98/00, zitiert nach: Neue Juristische Wochenschrift 2001: 771

[95] So im Niedersächsischen Schulgesetz § 2 I, Auftrag 4, zitiert nach: Neue Juristische Wochenschrift 2001: 769

ders als in Baden-Württemberg, keine »christlichen Gemeinschaftsschulen« mehr. Sie sind laut Schulgesetz »bekenntnisneutral«.[96]

Der »Eignungsmangel« der künftigen Beamtin sei nicht nachgewiesen. Ihn von vornherein anzunehmen, sei eine Diskriminierung. Die Schule könne Alzayed als Beamtin auf Probe einstellen und sehen, ob der Eignungsmangel sich tatsächlich ergebe.

Die nächste Instanz, das Oberverwaltungsgericht Lüneburg, hebt diese Entscheidung am 13. 3. 2002 wieder auf und gibt stattdessen dem Land Niedersachsen Recht. Die Schüler könnten Alzayeds deutlichem Bekenntnis nicht ausweichen. Das verletzte ihr Grundrecht auf Religionsfreiheit, meint das Gericht.[97] Auch eine evangelisch erzogene Lehrerin kann ein so problematisches Symbol nicht mit sich herumtragen.

Der Fall Dahlab in der Schweiz – Kein Kopftuch in der laizistischen Schule

Weil es der einzige ähnlich gelagerte Fall ist, der vor dem Europäischen Gerichtshof für Menschenrechte (EGMR) verhandelt wurde, beziehen sich manche Gerichte auf diesen Schweizer Fall: Im Kanton Genf hatte sich parallel zu Ludin eine konvertierte Grundschullehrerin bis zum EGMR durchgeklagt. Sie hatte bereits einige Jahre mit ihrem Kopftuch unterrichtet, ohne dass sich jemand beschwert hätte. 1996 kam die Anordnung, das Kopftuch in Zukunft zu Hause zu lassen. Die Lehrerin machte sich auf den Klageweg und endete vor dem Straßburger Gerichtshof. Der beantwortete die Symbolfrage in Übereinstimmung mit den Vorgängergerichten so: Das Tuch sei ein »sichtbares starkes Zeichen«,[98] das Schweizer Bundesgericht hatte es als »starkes religiöses Symbol« (un symbole religieux »fort«)[99] bezeichnet. Man könne seinen Einfluss auf die Kinder schwer einschätzen. Es scheine aber wenig geeignet, Kindern Gleichberechtigung und Nichtdiskriminierung beizubringen, da das Tuch den Frauen vom Koran »auferlegt worden zu sein scheint«.[100] Der Eingriff in ihr Grundrecht auf Religionsfreiheit sei gerechtfertigt, denn die Schule habe in der Schweiz neutral zu sein.

Hier aber zeigt sich der entscheidende Unterschied zu den deutschen Fällen: Was etwa der Verwaltungsgerichtshof Mannheim, der sich auf die EGMR-Entscheidung beruft, unterschlägt, ist, dass die Kantonalverfassung von Genf eine strikte Trennung von Staat und Kirche vorsieht:

---

[96] Neue Juristische Wochenschrift 2001: 769

[97] Oberverwaltungsgericht Lüneburg AZ 2 LB 2171/01

[98] EGMR: Beschwerde Nr. 42393/98, zitiert nach: Neue Juristische Wochenschrift 2001: 2873

[99] In der Entscheidung Schweizer Bundesgericht: 2 P 419 1996

[100] Neue Juristische Wochenschrift 2001: 2873

Art 164 Liberté des cultes

2. L'Etat et les communes ne salarient ni ne subventionnent aucun culte.
3. Nul ne peut être tenu de contribuer par l'impôt aux dépenses d'un culte.[101]

Und Beamte haben hier, wiederum im Gegensatz zu Deutschland, bekenntnisfrei zu sein, so das Genfer Kantonsgesetz über öffentliche Erziehung:

Art. 120 Fonctionnaires

2. Les fonctionnaires doivent être laïques. Il ne peut être dérogé à cette disposition que pour le corps enseignant universitaire.[102]

Es ist also eher ein Fall, der parallel zum laizistischen Frankreich zu sehen wäre als zum säkular-vermauschelten Deutschland.

Verwandte Kopftuchfälle

Vier Wochen vor der Entscheidung in Sachen Ludin hatte das Verfassungsgericht schon einmal mit dem Kopftuch zu tun. Fadime C. war nach ihrem Erziehungsurlaub mit einem Kopftuch an den Arbeitsplatz in die Parfümerieabteilung eines Kaufhauses im hessischen Schlüchtern zurückgekehrt. Der Arbeitgeber fand, das ginge nun wirklich nicht, und entließ sie. Der Fall war bis vor das Bundesarbeitsgericht gelangt. Dort wog man die Unternehmensfreiheit gegen die Religionsfreiheit ab und fand, dass letztere schwerer wiege. Der Arbeitgeber habe keinen wirtschaftlichen Schaden nachweisen können, der ihm durch das Kopftuch entstanden wäre. Das Verfassungsgericht bestätigte diese Entscheidung am 21.8.2003.[103] Parallelen zum Fall Ludin kann man höchstens indirekt ziehen. Im Kaufhaus-Fall war weder ein Beamtenverhältnis noch die besondere Situation in einer Schule im Spiel, die beide die Religionsfreiheit beeinflussen können. Allerdings ist auffällig, wie wenig das Tuch in diesem Fall als »Gefahr« eingestuft wird. Auch den Kommentatoren in der Presse ist klar, dass dem Kaufhaus das Tuch auf dem Kopf der Fadime C. schlicht zu fremd war.

Dass es auch um Fremdheit geht, zeigt noch deutlicher der Fall der Doris Graber, der noch gar keiner ist. Die Grundschullehrerin Graber ist konvertierte Muslimin und trägt ein Kopftuch. Unbehelligt lehrt sie in

---

[101] Constitution de la République et Canton de Genève, Titre XII. Cultes, Schweizerische Bundesgesetze: SR 131.234

[102] »loi sur l'instruction publique« – LIP, Artikel 120

[103] Bundesarbeitsgericht: 2 AZR 472/01, Bundesverfassungsgericht: BvR 792/03

Stuttgart-Bad Cannstadt, wenige Kilometer vom Kultusministerium der Annette Schavan entfernt. Aber sie hatte das Tuch im Nacken zusammengebunden, »richtig flott«, wie eine Elternvertreterin bemerkte. Und schon wird ein muslimisches Tuch nicht als Gefahr wahrgenommen, mehr noch, es wird sogar überhaupt nicht wahrgenommen. Die Kolleginnen hatten es als Modegag betrachtet. Bis Ludins Anwalt den Fall Graber vor dem Verwaltungsgericht erwähnte. Das Kultusministerium war blamiert. Nun blickt auch Graber einer ungewissen Zukunft entgegen. Demnächst muss die Schulbehörde wohl entscheiden, ob auch dieses Kopftuch, das noch nicht einmal aufgefallen war, den Schulfrieden gefährdet.

Die juristische Debatte um den Fall Ludin

»Zwei Juristen, fünf Meinungen«, ist ein altes rechtwissenschaftliches Bonmot. In unserem Fall haben sich zwar sehr viele Juristinnen und Juristen geäußert, letztlich müssen sie aber alle entscheiden: Kopftuch raus oder Kopftuch rein. Selbstverständlich ist es einigen auch gelungen, Zwischenpositionen zu entwickeln. Also: Viele Juristen – drei Meinungen, und die sollen nun an wenigen Beispielen vorgestellt werden.

Kopf ohne Tuch

»Eine Moschee in unserer Nachbarschaft erscheint bizarr, fast unwirklich, wie eine Stein gewordene fata-morgana, und das berühmtberüchtigte Kopftuch, erst recht der Tschador, bleibt vielen von uns schleierhaft.«[104] Professor Christian Hillgruber aus Erlangen bedenkt den Kopftuchfall in größeren Dimensionen: »Der deutsche Kulturstaat und der muslimische Kulturimport«, so der Titel seines Aufsatzes.

»Die Moscheen«, so hat Hillgruber beobachtet, »werden immer größer, die Minarette immer höher. Der Islam erhebt mit ihnen den provokativen Anspruch auf unübersehbare dauerhafte Präsenz in einem christlichen Land. Nicht wenige dieser Bauten tragen den anmaßenden Namen ›Eroberer-Moschee‹ und verkünden damit unverhohlen die feste Absicht der Muslime, von Deutschland religiös Besitz zu ergreifen.«[105] Es ist selten in

[104] Christian Hillgruber: Der deutsche Kulturstaat und der muslimische Kulturimport, in: Juristenzeitung 1999: 538ff

[105] Hillgruber 1999: 542. Auch andere Kopftuchgegner untermauern ihre juristische Haltung mit solch farbenfrohen Einleitungen, so etwa auch Bertrams: Bei ihm »schießen Moscheen wie Pilze aus dem Boden, während christliche Kirchen zum Abriss an-

der juristischen Literatur, dass jemand seine politischen Vorurteile so unverhohlen äußert, normalerweise werden sie in eine juristische Argumentation verpackt. In der folgenden juristischen Darstellung kehrt Hillgruber denn auch zu einer solchen zurück.

Die Symbolfrage ist für ihn schnell geklärt: Das objektive Auge des Beobachters erblickt im Kopftuch ein »zur Schau getragenes, demonstratives Bekenntnis zu einer strengen Auslegung der Kleidervorschriften des Islam«.[106] Dieses Symbol trifft nun auf Hillgrubers strenge Auslegung des Beamtenrechts. Der Beamte habe nur eingeschränkte Grundrechte, finden sämtliche Kopftuchgegner; Hillgruber aber meint sogar: »Nach zutreffender Auffassung kann sich der Beamte bei seiner dienstlichen Tätigkeit überhaupt nicht auf Grundrechte berufen.«[107] Selbstverständlich, so ergibt sich aus diesen beiden Setzungen, könne man mit Kopftuch nicht mehr staatliche Neutralität verkörpern.

Etwas gebremster gibt sich Verfassungs- und Staatskirchenrechtler Helmut Goerlich aus Leipzig, der damit wohl eher den Mainstream der Kopftuchgegner unter den Juristen darstellt.[108] Er reflektiert, dass der Neutralitätsbegriff des Verfassungsgerichts sich mit dem Kruzifix-Urteil in der Tat etwas verengt habe, und begründet dies mit dem sozialen Wandel: Heute sei die negative Religionsfreiheit der Schüler wichtiger zu nehmen, sonst könne es öfter zu Konflikten wie dem Kruzifix-Streit kommen. »Je größer die Wahrscheinlichkeit solcher verdeckter Konflikte oder ihnen vorausgehender Spannungen wird, desto wichtiger ist es, die Distanz und Neutralität der Lehrperson zu sichern«, schließt Goerlich daraus. Distanz und Neutralität seien aber keinesfalls gesichert, wenn jemand ankündige, »stets religiös motivierte Kleidung zu tragen, die anderen legitimerweise anstößig erscheint«.[109] Er sieht auch, dass dieses Gebot bei christlichen Lehrern kaum eingehalten wurde, doch auch diese Zeiten seien damit vorbei: Lehrpersonen könnten »heute ihre Erscheinung nicht mehr – d. h. nicht im gleichen Maße wie früher – durch religiöse Symbole prägen«, folgert der Staatskirchenrechtler.[110]

---

stehen«. Michael Bertrams: Lehrerin mit Kopftuch? Islamismus und Menschenbild des Grundgesetzes, in: Deutsches Verwaltungsblatt 2003: 1225

[106] Hillgruber 1999: 544

[107] Hillgruber 1999: 543

[108] Helmut Goerlich: Distanz und Neutralität im Lehrberuf – zum Kopftuch und anderen religiösen Symbolen, in: Neue Juristische Wochenschrift 1999: 2929ff

[109] Goerlich 1999: 2930

[110] Goerlich 1999: 2929

Kopf mit Tuch

Eine Flut von Literatur der Kopftuchbefürworter setzt sich mit der Symbolfrage auseinander. Das liegt daran, dass sich viele an der hemdsärmeligen Definition des Stoffes durch die baden-württembergische Kultusministerin stoßen. Einige Beispiele: Anne Debus[111] etwa widerspricht Schavans Deutung des Tuches als Politikum. Es sei, so zitiert sie muslimische Gewährsmänner, ein rein religiöses Symbol. Wie mit einem solchen im Beamtenverhältnis umzugehen sei, lege das Gesetz nicht fest, insofern müsse die Politik entscheiden. Auf dieser Ebene plädiert sie für Multireligiosität in der Schule – auch unter Lehrerinnen. Ömer Alan und Ulrich Steuten[112] gehen noch weiter: Der Koran habe dem Tuch nur eine funktionale Bedeutung zugewiesen. Wie in jener Zeit auch bei anderen Religionen und Völkern üblich, sei es »zweckmäßiger Schutz vor Sonne, Wind und Staub«. Der Schleier in seiner heutigen Form sei erst 300 Jahre nach Mohammed durchgesetzt worden. Als islamisches Symbol wie etwa die Kaaba könne man es auf keinen Fall betrachten. Sie plädieren für eine Einzelfallprüfung der Gesinnung. Wer nicht indoktriniere, sei als Lehrerin geeignet. Janbernd Oebbecke[113] stellt sogar in den Raum, dass man sich auf die symbolische Kommunikation per Kopftuch gar nicht einlassen brauche: Ludin habe klar gemacht, dass das Tuch lediglich ihre Schamgrenzen wahre, darüber hinaus solle es nichts bedeuten. Das Land Nordrhein-Westfalen etwa fahre nicht schlecht damit, die weitere Symbolik des Kopftuches zu ignorieren und sich schlicht auf das Verhalten der Trägerin zu konzentrieren. Damit erübrige sich eine gesetzliche Regelung. Johannes Rux[114] meint, »eine nur halbwegs kompetente Lehrerin wird in der Lage sein, den Kindern die Gründe für ihr religiös geprägtes Verhalten darzulegen, ohne sie im Sinne dieses bestimmten Glaubens zu beeinflussen«. Das Bundesverwaltungsgericht hätte, was die Wirkung des Tuches angeht, »unter keinen Umständen auf seinen eigenen ›Sachverstand‹ vertrauen dürfen, sondern vielmehr auf die Expertise fachkundiger Gutachter zurückgreifen müssen«. Nun müsse es damit leben, dass seiner Entscheidung »ein gewisser haut-gout der Voreingenommenheit« anhänge«.[115] Den staatlichen Stellen fehlte für eine »Einschätzung der Symbolik in jedem Fall (...) die Feststellungskompetenz«,

---

[111] Anne Debus: Der Kopftuchstreit in Baden-Württemberg, Gedanken zu Neutralität, Toleranz und Glaubwürdigkeit, in: Kritische Justiz 1999: 430ff

[112] Ömer Alan, Ulrich Steuten: Kopf oder Tuch, Überlegungen zur Reichweite politischer und sozialer Akzeptanz, in: Zeitschrift für Rechtspolitik, 1999: 209ff

[113] Oebbecke 2003: 593ff

[114] Johannes Rux: Der Kopftuchstreit und kein Ende, in: Zeitschrift für Ausländerrecht und Ausländerpolitik 10/2002: 366

[115] Rux 2002: 368

meint auch Rüdiger Zuck.[116] »Das Kopftuch allein macht sicherlich noch keine aggressive Fundamentalistin.«[117]

Mit den weiteren Zusammenhängen zwischen Religionsfreiheiten und Neutralität beschäftigen sich weniger Befürworter-Beiträge, beispielhaft seien hier noch zwei vorgestellt.

Eine gewichtige Stimme in der Auseinandersetzung kommt von dem ehemaligen Verfassungsrichter Ernst-Wolfgang Böckenförde. Er vergleicht im Jahr 2001 die beiden mittlerweile ergangenen Urteile der Verwaltungsgerichte in Stuttgart und Lüneburg mit der großväterlichen Frage, ob der »Kopftuchstreit« denn auch »auf dem richtigen Weg« sei.[118] Das Verwaltungsgericht Lüneburg sei dabei auf dem rechten Pfad, das Stuttgarter läge falsch, befindet Böckenförde. Warum?

»Bietet die Persönlichkeit der Lehrerin die Gewähr, dass sie den Schülern religiös-weltanschaulich offen gegenübertritt, sie in keiner Weise zu missionieren oder indoktrinieren sucht, ist eine mögliche Suggestivwirkung des Kopftuches relativ gering«, so schätzt Böckenförde die Symbolfrage ein.[119] Die Trägerin des Kopftuches könne nicht unter eine dem Tuch von außen zugeschriebene Symbolwirkung subsumiert werden. Aber sie könne zu besonderer Sorgfalt und eventueller Rücksichtnahme angehalten sein, um bestehenden Vorurteilen bei Schülern und Eltern entgegenzutreten.

Lüneburg habe die anstehenden Rechtsfragen in ein »Mehreck-Verhältnis« der Positionen von Lehrerin, Staat und Schülern/Eltern gebettet, lobt Böckenförde. Bei der Abwägung der Religionsfreiheit dürfe nämlich keine Vorrangposition ermittelt werden, »die letztlich subjektiv durch eigene Standpunktnahme bedingt sind«, leitet er aus einer Verfassungsgerichtsentscheidung ab.[120]

Für die Lehrerin gilt also zunächst das Diskriminierungsverbot aus Artikel 33. Die Behörde muss gleichwohl über die Neutralität des Staates wachen. Dies tut sie, indem sie die Eignung der Bewerberin auf mögliche Einschränkungen durch ihr Bekenntnis prüft. »Und die Argumentationslast für solche Einschränkungen trägt die Behörde«, sie müsse der Bewerberin einen Eignungsmangel nachweisen. »Soweit es auf Einschätzungen und Prognosen ankommt, gehen Unsicherheiten zu ihren Lasten«,[121] meint Böckenförde. Ganz im Gegensatz zu Hillgruber hält Bök-

[116] Rüdiger Zuck: Nur ein Kopftuch? Die Schavan-Ludin-Debatte, in: Neue Juristische Wochenschrift 1999: 2948ff

[117] Zuck 1999: 2949

[118] Ernst-Wolfgang Böckenförde: Kopftuchstreit auf dem richtigen Weg?, in: Neue Juristische Wochenschrift 2001: 723ff

[119] Böckenförde 2001: 726

[120] nämlich: BVerfGE 52,223, 246f.

[121] Böckenförde 2001: 724

kenförde es für ein völlig veraltetes Bild des Beamten, dass dessen Grundrechte »beim Eintritt ins Beamtenverhältnis, wie man noch nach 1949 meinte, an der Tür abgegeben werden«.[122]

Der Lehrer sei dafür da, die Schüler zur Toleranz zu erziehen, sie seien damit gerade nicht einer »letztlich standpunktlosen – absoluten Neutralität« verpflichtet. Die Rechtsprechung des Verfassungsgerichts sei aber immer von einer offenen Neutralität der Schule ausgegangen, die verschiedenen religiösen Bekenntnissen Raum lässt. Die Grenze sei indoktrinierendes oder missionierendes Verhalten. So lange Lehrerinnen dieses nicht an den Tag legten, sollten sie mit Kopftüchern unterrichten dürfen, so das Plädoyer der Ex-Verfassungsrichters.

Es gebe allerdings auch keinen Anspruch darauf, das Tuch zu tragen: Die pädagogische Verantwortung der Lehrkraft schließe ein, dass sie »unter bestimmten Umständen zeitweise auf das Kopftuch zu verzichten« habe. Das hieße aber nicht, dass man ihr von vornherein den Eintritt ins Beamtenverhältnis untersagen könne, solange es noch keinen Anlass gebe. »Allenfalls, wenn eine Bewerberin von vornherein erklärt, niemals, auch unter notstandsähnlichen, anders nicht behebbaren Situation, auf das Kopftuch im Unterricht zeitweise verzichten zu wollen, könnte ihre Eignung für den Lehrberuf in Abrede gestellt werden.«[123] Das ist eine etwas wackelige Hintertür, die Böckenförde da öffnet: Was ist eine notstandsähnliche Situation, die anders nicht behebbar ist? Versetzen kann man eine Lehrerin immer, es macht nur Arbeit. Die wollten die Gerichte den Schulbehörden bisher nicht zumuten. Böckenförde anscheinend schon: Die notstandsähnliche Situation scheint, wenn man die Begriffswahl Böckenfördes richtig deutet, nicht dann eingetreten, wenn Eltern gegen das Tuch protestieren, sondern erst, wenn sie die Schule belagern und aushungern wollen.

Für die Juristin Kirsten Wiese, die ihre Dissertation dem Kopftuch-Streit widmete, kennzeichnet das Tuch lediglich die Zugehörigkeit zum Islam.[124] Es könne kein Einstellungshindernis sein, denn Artikel 33 erlaube ja gerade Beamten, ein religiöses Bekenntnis zu haben. Sie dürften sich nur nicht parteiisch verhalten. Eine nicht bewiesene suggestive Wirkung des Tuches reiche für den Ausschluss einer Bewerberin aus dem Beamtenstatus nicht aus.

Sie stellt zudem auf die politische Wirkung eines Ausschlusses von strenggläubigen Musliminnen aus dem Staatsdienst ab: Es sei »gesell-

---

[122] Die Grundlage sieht er in der Entscheidung BVerfGE 33,1

[123] Böckenförde 2001: 728

[124] Kirsten Wieses Dissertation ist noch unveröffentlicht, ihre Haltung in Kurzfassung: Kommentar zum Bundesverwaltungsgerichtsurteil, in: Zeitschrift für Beamtenrecht 2003: 37ff

schaftspolitisch nicht hinnehmbar, dass gerade jetzt, wo auch Muslime wollen, was Christen seit der Gründung der Bundesrepublik durften, nämlich in der staatlichen Sphäre agieren, aus der bislang als hinkende Trennung von Staat und Kirche interpretierten Neutralitätspflicht eine radikale Trennung werden soll«.[125]

Die Unentschiedenen

Nachdenklich geben sich Norbert Janz und Sonja Rademacher:[126] Sie bekunden ebenfalls, dass sich ein Wandel des Neutralitätsverständnisses abzeichne, wenn man religiöse Kleidung nun so vehement verbanne. Dafür könne es durchaus Gründe geben. Doch müsse man dann alle Religionen gleich behandeln. Mit einem eigenen Urteil aber zögern die zwei. Mehr Religionen in der Schule? »Im Hinblick auf eine integrative Erziehung, die auch der Auseinandersetzung mit den Andersdenkenden und dem Erlernen von Toleranz gegenüber anderen dienen soll, mag eine solche Entwicklung wünschenswert sein. Gleichwohl steht außer Frage, dass das Erscheinungsbild der staatlichen Schulen und die Wirkungen, die von ihnen ausgehen, durch eine solche Öffnung grundlegend verändert würden.«[127]

Eine Art Zwischenlösung propagieren die Düsseldorfer Juristen Hans Michael Heinig und Martin Morlok.[128] Sie sind damit auch diejengen, die die Entscheidung des Verfassungsgerichts vorwegnehmen und bereits im Vorfeld für eine gesetzliche Regelung plädieren. Sie sehen das Grundgesetz und auch die Schul- und Beamtengesetze nicht gewappnet für die religiöse Vielfalt, wie sie in den letzten Jahrzehnten in Deutschland entstanden ist. Insbesondere gehe das Grundgesetz bei Religion immer nur vom Christentum aus, es habe keine Begriffe dafür, dass Religion einmal nicht »sozialproduktiv« wirken könnte, was es vom Christentum annimmt, sondern eventuell auch destruktiv, heißt es mit Seitenblick auf den 11. September 2001.

Die öffentliche Hand könne daraus schließen, dass das Neutralitätsgebot strenger zu fassen sei. Aus dem Grundgesetz lasse sich dazu aber keine konkrete Leitlinie ablesen. Das Parlament müsse diese Entscheidung treffen – und zwar für alle Religionen gleich.

---

[125] Wiese 2003: 41

[126] Norbert Janz, Sonja Rademacher: Islam und Religionsfreiheit, in: Neue Zeitschrift für Verwaltungsrecht 1999: 706ff

[127] Janz/Rademacher 1999: 712

[128] Hans Michael Heinig und Martin Morlok: Von Schafen und Kopftüchern, in: Juristenzeitung 2003: 777ff

Die »vorsorgende Konfliktlösung« der Verwaltungsgerichte sei dagegen nicht überzeugend. Denn der Abwägungsprozess zwischen den Grundrechten sei von ihnen mit Bezug auf das Neutralitätsgebot schlicht »abgeschnitten« worden.[129] So scharf, wie die Richter täten, seien die Schulgesetze einfach nicht. Der einzige beamtenrechtliche Einwand, den sie gelten lassen, ist der Hinweis darauf, dass ein Beamter zu funktionieren habe, also auch »ubiquitär« einsetzbar sein müsse: »Ist freilich absehbar, dass eine Bewerberin dem Widerspruch der Schüler bzw. Eltern nicht nachzukommen bereit ist, kann sie als für die angestrebte Tätigkeit ungeeignet abgelehnt werden«,[130] finden die Autoren, womit sie eine Schlagseite zu den Kopftuch-Gegnern hätten, denn Frau Ludin wollte dem Einspruch der Schüler keineswegs durch das Abnehmen ihres Tuches begegnen. Insgesamt plädieren Heinig und Morlok jedoch für eine Art Widerspruchslösung, wie sie auch aus dem Kruzifix-Urteil gefolgert wurde: Das Tuch könne getragen werden, bis sich jemand beschwere. Eine Lösung, muss man wohl hinzufügen, die von verschiedenen Seiten bereits als wenig praktikabel angesehen wurde: Eine Lehrerin ist eben keine Wand, das Kopftuch kein Kreuz, das man mal eben abhängen kann. Wenn es dann aber die ganze Lehrerin zu entfernen gilt, wird die Sache kompliziert.

Kommentare und Gutachten zum Verfassungsgerichtsurteil

Das Urteil des Bundesverfassungsgerichts vom 24.9.2003 war überraschend. Die wenigsten KommentatorInnen hatten zuvor einen Parlamentsvorbehalt ins Spiel gebracht. Fast alle hatten erwartet, das Verfassungsgericht würde nach einigen Hirn- und KollegInnenmartern das Neutralitätsgebot des Staates den Erfordernissen der Zeit anpassen, indem es sich klar entweder für oder gegen eine Verschärfung der Neutralitätspflicht ausspricht. Dies genau überlässt das Gericht nun den Landesgesetzgebern. Darüber waren viele, die sich vom Gericht Klarheit erhofft hatten, nicht glücklich.

Sich derart hinter dem Gesetzgeber zu verstecken, sei »feige«, so Bundestagspräsident Wolfgang Thierse[131] – in Übereinstimmung mit der *Zeit*, die »Feige Richter« titelt.[132] »Karlsruhe drückt sich«, meint die *FAZ,*[133] und auch die *Süddeutschen Zeitung* nennt das Urteil »unbefriedigend«.[134] An-

---

[129] Heinig/Morlok 2003: 784
[130] Heinig/Morlok 2003: 785
[131] »Land darf Lehrerin ihr Kopftuch verbieten«, Der Tagesspiegel, 25.9.2003
[132] Die Zeit, 25.9.2003
[133] Frankfurter Allgemeine Zeitung, 25.9.2003
[134] »Zeit für ein Toleranzedikt«, Süddeutsche Zeitung, 25.9.2003

dere Kommentatorinnen sehen durchaus einen rechtpolitischen Sinn darin, diese grundlegende Entscheidung den Parlamenten zu überlassen. Die *Berliner Zeitung* findet es sogar »raffiniert«, die *tageszeitung* urteilt »mutig und gut für alle Beteiligten«.[135]

Die fulminanteste Kritik am Karlsruher Urteil übte Karlsruhe selbst: Die abweichende Meinung der drei Minderheitsrichter blieb die ausführlichste Stellungnahme, die bis zur Drucklegung dieses Buches erschien. Unterstützt werden die drei vom Kommunalrechtler Jörn Ipsen aus Osnabrück, der einen der ersten Kommentare zum Urteil verfasste:[136] Als »eher assoziative Annäherung an das Problem« verurteilt er das Urteil, von systematischer Prüfung könne keine Rede sein. Konkret moniert er zweierlei: Die Mehrheit des Gerichts habe die symbolische Wirkung des Kopftuches nicht in ein konsistentes Verhältnis zum Kruzifix-Urteil des ersten Senats gesetzt. Wenn das Kreuz an der Wand ein derart starkes Symbol darstelle, dass es Kinder zweifelsohne beeinflusse, dann könne bei dem Kopftuch nicht lediglich auf eine ungewisse Erkenntnislage über die Wirkung spekuliert werden. Diese habe beim Kruzifix schließlich auch bestanden.

Das ist für ihn von Bedeutung, weil auch er die Grundrechte einer Beamtin durchaus eingeschränkt sieht. Er rückt die Position der Beamtin quasi näher an die der Wand, die keine eigenen Rechte hat. Es gebe nicht drei Rechtspositionen zu berücksichtigen, sondern nur zwei: die Eltern und den Staat inklusive Beamtin. »Tripolarität versus Bipolarität« nennt Ipsen dies und erteilt der Tripolarität eine Absage: Der Staat hätte dann überhaupt keine Möglichkeit mehr, »ungeeignete« Bewerber auszuscheiden, weil die sich alle auf ihre Grundrechte beriefen. Vorsichtiger schließen sich einer eher ablehnenden Haltung der Offenheit des Gerichts auch andere KommentatorInnen an, die jeweils der Minderheitenmeinung des Senats zuneigen.[137]

Susanne Baer und Michael Wrase[138] sehen die Polaritätenfrage genau umgekehrt: Eine »Bipolarität« anzunehmen bedeute einen Rückfall in die von der herrschenden Meinung schon seit längerem abgelehnte Lehre vom »besonderen Gewaltverhältnis« das zwischen Staat und Beamten

---

[135] »Aus Not zur Vielfalt«, die tageszeitung, 25.9.2003; »Einfach raffiniert«, Berliner Zeitung, 25.9.2003

[136] Jörn Ipsen: Karlsruhe locuta, Causa non finita – Das BVerfG im sogenannten Kopftuch-Streit, in: Neue Zeitschrift für Verwaltungsrecht 2003: 1210ff

[137] vgl. etwa: Albrecht Weber: Religiöse Symbole in der Einwanderungsgesellschaft, in: Zeitschrift für Ausländerrecht und Ausländerpolitik 2,2004: 53ff; ähnlich: Karl-Hermann Kästner: Anmerkung, in: Juristenzeitung 23/2003: 1178ff

[138] Susanne Baer, Michael Wrase: Staatliche Neutralität und Toleranz: Das Kopftuchurteil des Bundesverfassungsgerichts, in: Neue Juristische Wochenschrift 2003: 3111ff

herrsche. Selbstverständlich könne auch eine Beamtin den Schutz ihrer Grundrechte verlangen. Da eine Suggestivwirkung auf die Kinder nicht überzeugend dargelegt worden sei, könne dieses Grundrecht nicht einfach übergangen werden: »Grundrechte dürfen nicht auf einen Verdacht hin eingeschränkt werden«, meint das kommentierende Duo. »Kollidierendes Verfassungsrecht« könne durchaus zu einer »Eingriffsermächtigung« für den Gesetzgeber führen, erklären sie und heißen die Entscheidung des Verfassungsgerichts damit gut. Sie können sich beide Varianten vorstellen: kein Gesetz und eine gründliche Eignungsprüfung – denn Kopftuchträgerinnen müssen sich durchaus damit auseinandersetzen, dass sie ein ambivalentes Symbol tragen – oder ein Gesetz, das religiöse Kleidung verbietet.

Auch Ute Sacksofsky[139] meint, gerade Artikel 33, der eine religiöse Diskriminierung beim Zugang zu öffentlichen Ämtern verbiete, sehe diesen Schutz für Beamtinnen vor. Das Gericht hätte ihrer Meinung nach aus der mangelnden Plausibilität der angeblich vom Kopftuch ausgehenden Gefahren schließen müssen, dass dies keinen Eingriff in das Grundrecht auf Religionsfreiheit rechtfertige. Sacksofsky ist sogar der Ansicht, dass auch der Widerspruch von Eltern gegen das Kopftuch diesen Eingriff nicht hervorrufen dürfe, wenn die Lehrerin vom Schulamt für »geeignet« angesehen werde. »Ebensowenig wie Elternproteste die Einstellung eines farbigen Lehrers verhindern könnten, kann dies bei religiösen Merkmalen der Fall sein«, meint Sacksofsky. Die Autorin kann dem Karlsruher Spruch dennoch etwas abgewinnen: »Die Vorstellung, multikulturelle Gesellschaft in den einzelnen Ländern unterschiedlich zu leben und damit verschiedene Modelle auszuprobieren, birgt einen nicht unbeträchtlichen Charme.«

Die weiteren Kommentare schließen schon den Gesetzentwurf Baden-Württembergs mit ein, der lediglich das Kopftuch aus der Schule verbannen möchte, nicht aber christliche oder jüdische Symbole.

Johannes Rux wundert sich, dass das Verfassungsgericht nicht berücksichtigte, dass insbesondere die Landesverfassung Baden-Württembergs doch bereits religiöse Bezüge in der Schule zuließe. Damit wäre ein Kopftuchverbot nicht vereinbar. Insbesondere der darauf folgende Gesetzentwurf Baden-Württembergs, der eben nur christliche Bezüge zuließe, verstoße gegen das Gleichbehandlungsgebot.[140]

---

[139] Ute Sacksofsky: Die Kopftuch-Entscheidung – von der religiösen zur föderalen Vielfalt, in: Neue Juristische Wochenschrift 2003: 3297ff

[140] Johannes Rux: Kleiderordnung, Gesetzesvorbehalt und Gemeinschaftsschule, in: Zeitschrift fürAusländerrecht und Ausländerpolitik 1/2004: 14ff, ähnlich: Ulf Häußler: Leitkultur oder Laizismus?, in: Zeitschrift für Ausländerrecht und Ausländerpolitik, 1/2004: 6ff

Genau dieses Vorgehen sieht Klaas Engelken, Ministerialrat aus Stuttgart, durchaus durch den Karlsruher Spruch gedeckt: Auf eine am Gleichheitssatz »orientierte« Behandlung sei lediglich »zu achten«, präpariert er aus dem Urteilstext heraus und meint, damit sei der Weg für eine unterschiedliche Behandlung aus gewichtigen Gründen geöffnet.[141]

Auf das Feld der politischen Symbolik kehrt ein Rechtsgutachten der Verfassungsrechtler Ulrich Battis und Peter Bultmann zurück. Sie waren von der SPD-Fraktion des Nordrhein-Westfälischen Landtags beauftragt worden, die Konsequenzen des Verfassungsgerichtsurteils für das Land auszuloten.[142] In dieser Interpretation wird das Kopftuch zu einem Symbol der untergeordneten Stellung der Frau und damit tendenziell verfassungsfeindlich, weil es eine Art Propaganda gegen Artikel 3 sei. Battis und Bultmann meinen, das Verfassungsgericht habe diese gesellschaftspolitische Bedeutung des Kopftuches nicht berücksichtigt. Das Urteil verlange zwar, »alle Deutungsmöglichkeiten« bei der rechtlichen Behandlung des Tuches zu berücksichtigen. Doch bei seiner eigenen Wertung lasse es die gesellschaftspolitische Deutung unter den Tisch fallen und spreche nur noch von der religiösen Aussage. Die Autoren wollen nun der gesellschaftspolitischen Aussage wieder zu ihrem Recht verhelfen und kommen zu dem Schluss, dass das Tuch gegen Artikel 3 verstoße: »Es steht massiv für die dem Mann nicht ebenbürtige Sonderstellung der Frau in der Gesellschaft.« Die Minderheit des Verfassungsgerichts hatte gemeint: »Der freie Mensch zeigt dem anderen sein Antlitz« – die Autoren erweitern dieses Dekret um das Haar: Es gelte auch, dass »der freie Mensch dem anderen sein Haupthaar zeigt«, so meinen sie.[143]

Damit wird die Kopftuchträgerin zu einem merkwürdigen Geschöpf. Obwohl sie selbst gar nichts verfassungsfeindliches im Sinn haben mag, könnte sie durch ihr Kopftuch zur Verfassungsfeindin mutieren. Die Gutachter machen das Kopftuch zum verfassungsfeindlichen Symbol. Nun wird der Radikalenerlass als rechtliches Vergleichsinstrument herangezogen und festgestellt, dass die Gesinnung der Lehrerin dann wohl per Einzelfallprüfung untersucht werden müsse. Da die Lehrerin in dieser Prüfung auch klarstellen könne, dass sie keine Verfassungsfeindin ist, bleibt dann noch der Deutungshorizont der Kinder als Einstellungshindernis übrig. Die könnten ihr Symbol immer noch falsch deuten. Die Gutachter

---

[141] Klaas Engelken: Anmerkung, Deutsches Verwaltungsblatt 2003: 1539ff, dieser Ansicht wird vehement widersprochen, etwa von: Ernst-Wolfgang Böckenförde: Ver(w)irrung im Kopftuchstreit, Süddeutsche Zeitung, 16.1.2004

[142] Ulrich Battis/Peter Bultmann: »Verfassungsrechtliche Anforderungen an ein gesetzliches Verbot von Beamtinnen, insbesondere von Lehrerinnen.« Rechtswissenschaftliches Gutachten im Auftrag der SPD-Fraktion im Nordrhein-Westfälischen Landtag 2004

[143] Battis/Bultmann 2004: 23

schlagen nun vor, dass dieser Horizont jeweils erkundet wird: Haben Schulleitung und Schulkonferenz nichts gegen das Tuch, so kann die Lehrerin unterrichten.

Die deutsche Justiz und ihre Scheuklappen

Das deutsche Gerichtswesen war gründlich, aber auf einem sehr schmalen Terrain. Es trug sozusagen rechts und links Scheuklappen und hat immer die gleiche Furche umgepflügt: Wie neutral muss eine Beamtin sein? Hat sie Anspruch auf Religionsfreiheit? Was, wenn ihre Religionsfreiheit eine Gefahr für die Religionsfreiheit der Kinder darstellt? Erstaunlich blind ist das gesamte System dagegen für die Fragen, die den Status des Islam als Minderheitenreligion angehen. Damit geht nicht einher, dass eine Minderheitenreligion besondere Rechte einfordern könnte. Aber es bedeutet, dass in der Einschätzung der Religion größere blinde Flecken auftauchen können als bei einer Mehrheitsreligion, die man gut kennt. Einige seien hier genannt.

Der erste betrifft das Symbol Kopftuch. Religiöse Musliminnen machen dieses Kleidungsstück zu einem Teil ihrer Persönlichkeit. Zum Symbol dagegen machen es vor allem die Mehrheitsgesellschaft und alle, die es nicht mögen. Deshalb vergleichen sie es mit dem Kreuz. Doch es ist ein fundamentaler Unterschied, ob eine Christin ein Kreuz abnimmt oder eine Muslimin ihr Kopftuch. Die Christin kann ihren Schambereich auch ohne Kreuz schützen. Eine Muslimin, die meint, die Religion erweitere ihren Schambereich auf das Haar, kann das nicht ohne weiteres. Sie müsste ihre Schamgrenze während der Schulzeit verschieben – schwer vorstellbar. Was für die eine Religion kein Problem ist, stellt für die andere eines dar. Man könnte von mittelbarer Diskriminierung sprechen: Ungleiches wird gleich behandelt.

Der zweite blinde Fleck offenbart sich, wenn man die staatlich angestellten Nonnen in der Klosterschule Lichtental[144] zum Vergleich heranzieht. Ist nicht ihre Kleidung auch ein Symbol für das merkwürdige Weltbild der katholischen Kirche? In der katholischen Kirche gibt es Berufsverbote für Frauen, ein Verstoß gegen Artikel 3 des Grundgesetzes. Klosterschülerinnen können ein Lied davon singen, was für einen schrecklichen Einfluss Nonnen ausüben können. Warum vergleicht kein Richter den Fall Ludin mit Nonnen an staatlichen Schulen? Weil sich noch kein

---

[144] vgl. »Ein Opfer für das Abendland«, Die Zeit, 9.10.2003

Gericht dazu geäußert hat. Und warum nicht? Weil die Kinder, deren Eltern sich über die Nonnen beschwerten, bisher einfach an andere Schulen geschickt wurden. Etwas ähnliches schlägt Fereshta Ludin seit 1998 auch für ihren Fall vor. Plötzlich erscheint dies aber Schulbehörden wie Gerichten als völlig unpraktikabel.

Stattdessen wird das Tuch als »Gefahr« identifiziert und damit immer weiter politisiert. Das ist der dritte blinde Fleck. Inwiefern ist ein Kopftuch eine Gefahr? Eine Gefahr war es bisher für Frauen, weil ihnen das Tuch aufgezwungen wurde. Was an einer Frau, die es freiwillig trägt, für Kinder so gefährlich sein soll, ist dagegen ziemlich unklar. Wenn Eltern ihre Töchter zum Tuchtragen anhalten oder zwingen, tun sie das auch ohne eine Kopftuch tragende Lehrerin, wie man in deutschen Schulen sehen kann. Wenn es andersherum einem Mädchen attraktiv erscheint, das Tuch zu tragen, wird eine Lehrerin ohne Kopftuch sie nicht durch ihr leuchtendes Vorbild abhalten – das tut sie jetzt nämlich auch nicht. Das Bild einer Lehrerin mit Tuch ist durch die Länder, in denen es einen Kopftuchzwang gibt, äußerst negativ konnotiert. Zu Recht, wenn man an die Unfreiheit in diesen Ländern denkt. Aber vielleicht zu Unrecht, wenn es um einen freiwilligen Akt in Deutschland geht. Diese »Gefahr«-Interpretation wird in den Urteilen mitgeführt und prägt auch einige Gesetzentwürfe. Mit diesem Vorrang für die Deutungen der »Empfänger« wird Klischees und Vorurteilen Tür und Tor geöffnet. Mit einer solchen Begründung kann nicht nur in der Schule jederzeit gegen das Tuch und damit gegen Musliminnen agitiert werden. Jetzt haben sie es amtlich: Sie sind so unterdrückt, dass sie nicht auf Schülerinnen losgelassen werden können. Sie sind so unterdrückt, dass sie gegen die Verfassung verstoßen. Die Gerichte haben zur Stigmatisierung einer Minderheit beigetragen.

Die Frage, ob eine Lehrerin mit Kopftuch auch etwas positives bewirken könnte, stand dementsprechend außerhalb ihres Blickfeldes. Die Frage ist aber nicht so abwegig. Auf der identitätspolitischen Ebene könnte so ein Exemplar der angeblich »Unterdrückten«, das seinen Weg gemacht hat, genau dieses Stigma sprengen.

Auch den Islamismus haben die Gerichte kräftig aufgewertet. Die Definition eines Tuches durch ein Prozent der Muslime in Deutschland schlägt alle anderen Definitionen. Oder findet die Mehrheitsgesellschaft inklusive ihrer Richter auch, dass man mit einem Kopftuch ein Mensch zweiter Klasse ist?

Diese Vorurteilsstruktur begünstigt den vierten blinden Fleck: Das Tuch gefährde den Schulfrieden, heißt es. Wenn KollegInnen oder Eltern eine Lehrerin ablehnen, ohne dass diese in ihrem Verhalten einen Anlass dazu gibt, dann stören die Eltern den Schulfrieden und nicht die Lehrerin. Kinder lernen in deutschen Schulen nicht, dass es Menschen gibt, die anders aussehen als sie und dennoch dasselbe Wert sind. Sie lernen, dass anderes Aussehen gefährlich ist und ausgegrenzt werden muss. Erziehung zur Toleranz in Deutschland im Jahr 2003.

Der letzte blinde Fleck, der hier erwähnt werden soll, betrifft das Neutralitätsverständnis: Keines der Gerichte hat berücksichtigt, dass Lehrerinnen in weiten Teilen Deutschlands keinen weltanschaulich neutralen Unterricht halten, ja, ihn nicht halten dürfen. Das ist nirgends so deutlich wie in Bayern, das seinen LehrerInnen bedeutet, sie müssten einen positiven Bezug zur Kirche haben und ihren Glauben praktizieren. Auch die Tatsache, dass Kruzifixe nach wie vor in Klassenzimmern hängen, spricht nicht gerade für ein überschäumendes Bekenntnis zur Neutralität. Aber auch Baden-Württemberg hat die Verpflichtung auf christliche Grundwerte in seine Verfassung und ins Schulgesetz übernommen. Nicht zuletzt stört sich das Land nicht daran, dass die Kinder in »christlichen Gemeinschaftsschulen« unterrichtet werden. Dass das Verfassungsgericht daraus 1975 schloss, diese Werte hätten ja mit Glaubensinhalten nichts zu tun, ist schön, aber nur schwer vorstellbar. Wer christliche Werte vermittelt, vermittelt selbstverständlich Glaubensinhalte. Denn der Glaubensinhalt besteht aus Werten, die durch eine Autorität – Gott – untermauert werden. Diese Werte ohne ihre Autorisierung zu vermitteln, dürfte nicht ganz einfach sein. Wenn es dagegen um reine Wertevermittlung auf der Basis einer individuellen Ethik oder einer anderen Moralphilosophie ginge, hätte man das Christentum in den Gesetzen gar nicht erwähnen müssen. Nicht zuletzt spricht die auch in Baden-Württemberg gepflegte Praxis, Nonnen an einer staatlichen Schulen unterrichten zu lassen, für diese Einschätzung.

Diese Tatsachen nehmen die Gerichte nicht ernst. Nur der Mannheimer Verwaltungsgerichtshof hat den nebulösen Satz übrig, dass die Länder und die Schulen das Spannungsverhältnis zwischen christlichen Grundlagen und Neutralität eben irgendwie zu lösen hätten. Einen echten Vergleich der religiösen Bezüge nimmt kein Gericht vor: Wenn man alle Religionen gleich behandeln möchte, müssten Länder und Schulen sowohl das Spannungsverhältnis zwischen Christentum und Neutralität, als auch das zwischen Islam und Neutralität lösen. Das eine auszuhalten, das andere dagegen schlicht zu vermeiden, indem man Zeichen des Islam verbietet, hat mit Gleichbehandlung nichts zu tun. Vor diesem Hintergrund wirken die Neutralitätsfanfaren etwa der Minderheit des Verfassungsgerichtssenats merkwürdig. Tatsächlich hängt ein Geruch von Zwei-Klassen-Justiz in diesen Urteilen: Alle Religionen sind gleich, aber das Christentum ist gleicher.

Interessant ist, dass sich in punkto Neutralität von Instanz zu Instanz mehr Ehrlichkeit in den Urteilen findet. Es mag zynisch klingen, dass genau in dem Moment, in dem eine Minderheitenreligion gleiche Rechte beansprucht wie die Mehrheit, die Spielregeln geändert werden sollen. Dennoch ist der Gedanke plausibel: Kämpfe um Ressourcen oder Einfluss zwischen Religionsgruppen waren immer schon ausschlaggebend dafür, dass der Staat strenger säkular wurde. Ob das aber Auswirkungen auf das Tuch einer Lehrerin haben muss, ist damit nicht gesagt. Man kann noch sehr viel Religion aus den Schulen verbannen, bevor man den Lehrerinnen an die Wäsche geht.

Kapitel 3

Die Politik

In der öffentlichen Debatte lassen sich die juristischen Bewertungen von politischen Einschätzungen der Symbolik des Tuches nicht mehr trennen. Der Vorteil ist, dass man leichter als im Rechtsstreit erkennen kann, welches politische Denkmuster hinter welchem juristischen Argument steckt. Der Nachteil ist, dass diese Debatte ausufert, denn es wird sich weniger an der Rechtslage als an Gewohnheiten und vermeintlichen WählerInnengefühlen orientiert.

Jenseits der vom Gericht aufgezeigten beiden Möglichkeiten »alles rein« oder »alles raus« konnte sich deshalb eine dritte Position herausbilden: Ihre VertreterInnen wollen Symbole ausschließen, die den Schulfrieden gefährden könnten, und christliche und jüdische Zeichen davon ausdrücklich ausnehmen. Das Verfassungsgericht hat diese Regelung zwar mit seinen Gleichbehandlungshinweisen ausgeschlossen, aber dennoch hat sie eine wachsende Anhängerschar gefunden. Unter anderem haben sich die CDU-regierten Länder diese Variante in ihren Gesetzentwürfen zum Thema Kopftuch zu eigen gemacht. Baden-Württemberg, Niedersachsen, Hessen, das Saarland und Bayern gehen von einem zweifelhaften Prinzip aus: Im christlichen Abendland dürfe das Christentum in der Schule stärker vertreten sein als andere Religionen, so ihr Ansatz. Der Habit und das Kreuz können bleiben, das Kopftuch muss gehen. Sie beziehen sich auf die Passagen des Karlsruher Urteils, die den Interpretationshorizont der SchülerInnen und Eltern zum Maßstab machen und die erlauben, dass man regionale Traditionen berücksichtigen darf. So die juristische Position.

Dahinter steht, so argumentieren die entsprechenden Landesregierungen, die politische Einschätzung des Kopftuches als Symbol für eine »Gefahr«. Das Bild der muslimischen Frau ist tendenziell verfassungsfeindlich. Diese Haltung findet sich in der CSU, der CDU und auch vereinzelt in der SPD. Hier insbesondere bei Politikern wie Bundestagspräsident Wolfgang Thierse, der seine christliche Prägung nicht verhehlt. Auch

Bundeskanzler Gerhard Schröders Äußerung, ein Kopftuch habe in der Schule nichts zu suchen, könnte dahingehend gedeutet werden, dass er andere Symbole für weniger problematisch hält, doch eindeutig ist seine Aussage bisher nicht. Schließlich findet sie sich bei Vertretern der Kirchen.

Die zweite Anti-Kopftuch-Fraktion nimmt das Gleichbehandlungsgebot ernst und fordert, religiöse Symbole insgesamt aus der Schule zu entfernen. Hier hat ein großer Teil der SPD seine Aktien, besonders herausgehoben durch ihre Islam-Beauftragte Lale Akgün, die kemalistische und feministische Argumente bündelt, aber auch einige Grüne. Dazu gesellen sich LaizistInnen unterschiedlichsten Ursprungs. So trommeln kemalistische und alevitische MuslimInnen türkischer Herkunft sowie die Türkische Gemeinde in Deutschland für ein Verbot religiöser Symbole in der öffentlichen Schule. Aber auch Feministinnen, die den Patriarchalismus sowohl des Christentums als auch des Islam schon immer angeprangert haben und lieber humanistische Werte in den Schulen vertreten sehen möchten, gehören dazu. Schließlich sind auch KirchenvertreterInnen, die in Kauf nehmen, dass sie dann ebenfalls etwas Einfluss in den Schulen verlieren könnten, mit dieser Position zu finden. Auch von dieser Gruppe wird das Kopftuch als »gefährliches« Symbol gedeutet.

Schließlich gibt es zum dritten eine Fraktion, die meint, dass Religionen durchaus in der Schule stattfinden sollen oder dass dies zumindest die geltenden Rechtslage sei, die auch auf Muslime anzuwenden sei. Dies meinen etwa die Bundesländer Hamburg und Rheinland-Pfalz, die keine Anstrengungen gesetzgeberischer Art unternehmen wollen.

Im politischen Spektrum hat sich vor allem Bundespräsident Rau dezidiert mit dieser Auffassung positioniert. Die Integrationsbeauftragte der Bundesregierung, die Grüne Marieluise Beck, spricht sich mit einem Aufruf ebenfalls eindeutig für eine liberale Haltung aus. Unter den Grünen vertritt eine starke Strömung diese Haltung, darunter ein Teil der Bundestagsfraktion und Außenminister Joschka Fischer. Die PDS vertritt sie fast in Gänze.

Unter den Kopftuch-Befürwortern versammeln sich zudem heterogene gesellschaftliche Gruppen. Es finden sich sowohl die muslimischen Verbände in Deutschland als auch einzelne VertreterInnen der anderen Religionsgemeinschaften darunter. Die Gewerkschaft Erziehung und Wissenschaft hat sich für das Tolerieren der Kopftücher ebenso ausgesprochen wie der Interkulturelle Rat. Schließlich stellen PublizistInnen und WissenschaftlerInnen vor allem die Interpretation des Symbols »Kopftuch« als »Gefahr« in Frage. Sie führen Untersuchungen über Kopftuchträgerinnen ins Feld, verweisen auf ethnologische Studien, die die Wichtigkeit von »Integration durch Differenz« betonen, und verurteilen vor allem das klischeehafte Denken der Kopftuch-Gegner, die das alte »Feindbild Islam« bedienten.

Wenn man die jeweiligen Positionen grob zuordnet – wobei einzelne Abweichler (-gruppen) immer zu berücksichtigen sind –, ergibt sich folgendes Bild: Die Union und die Kirchen betont das Christentum, die SPD eher die Laizität, die Grünen sind tolerant. Die MigrantInnen holen die politschen Kämpfe der Türkei nach, die Feministinnen spalten sich in »Pseudotolerante« und »Zwangsbefreierinnen« und werfen sich gegenseitig Paternalismus vor.

DIE BUNDESLÄNDER UND IHRE GESETZE

Kopftuch nein, Kreuz ja: Unterschiedliche Behandlung der Religionen

In christlich geprägten Bundesländern ziehen konservative Regierungen eine Grenze zwischen Christentum und Islam, die ihnen absolut evident erscheint. Das Christentum gehöre zur kulturellen Tradition, auf denen die deutsche Gesellschaft beruhe, und könne deshalb nicht einfach »abgestreift« werden, so etwa die CDU-Kultusministerin Annette Schavan in **Baden-Württemberg**. Sie meint, das Verfassungsgericht gehe durchaus konform mit ihrer Einschätzung. Es betont, dass »der Staat nicht historisch vermittelnden Wertüberzeugungen gegenüber gleichgültig sein darf, die zu den Grundlagen des Gemeinwesens gehören«.[145] Daraus leitet Schavan ihr Gesetz vom 11. 11. 2003 ab:

> »Lehrkräfte dürfen in der Schule keine politischen, religiösen, weltanschaulichen oder ähnliche äußeren Bekundungen abgeben, die geeignet sind, die Neutralität des Landes gegenüber Schülern und Eltern oder den politischen, religiösen oder weltanschaulichen Schulfrieden zu gefährden oder zu stören. Insbesondere ist ein äußeres Verhalten unzulässig, welches bei Schülern oder Eltern den Eindruck hervorrufen kann, dass eine Lehrkraft gegen Menschenwürde, Gleichberechtigung des Menschen nach Artikel 3 GG, Freiheitsgrundrechte oder die freiheitlich-demokratische Grundordnung auftritt.«

Dann folgt die Ausnahme Christentum:

> »Die Darstellung christlicher und abendländischer Bildungs- und Kulturwerte oder Traditionen entspricht dem Erziehungsauftrag der

[145] Gastkommentar Annette Schavan, *Die Welt,* 11.11.2003, Quelle: *www.annette-schavan.de*

(...) Landesverfassung und widerspricht nicht dem Verhaltensgebot nach Satz 1.«[146]

Die religionsbezogene Begründung allein scheint den AutorInnen des Gesetzes wohl zu schwach. Schon hier wird die politische Symbolik ausdrücklich ins Spiel gebracht. In der Begründung des Gesetzes wird dann Klartext geredet:

> »Auf dieser Grundlage ist das Tragen eines Kopftuches unzulässig, weil zumindest ein Teil seiner Befürworter mit ihm sowohl eine mindere Stellung der Frau in Gesellschaft, Staat und Familie, die mit Art.1 und Art. 3, Abs. 2 und 3 GG unvereinbar ist, als auch eine fundamentalistische kämpferische Stellungnahme für ein theokratisches Staatswesen entgegen den Grundwerten des Art. 20 GG verbindet.«[147]

Die Ausnahmeregelung für die Christen in Baden-Württemberg suggeriert interessanterweise, dass diese symbolisch gegen die Grundordnung verstoßen dürfen, wie es ihnen beliebt. Und genau so könnte man den Entwurf auch verstehen: Denn ebenso, wie man mit dem Anblick von Kopftüchern Fundamentalisten assoziieren könnte, könnte sich jemand beim Anblick katholischer Nonnen daran erinnert fühlen, dass die katholische Kirche Berufverbote für Frauen ausspricht und damit gegen das Grundgesetz verstößt. Das Gesetz schließt nun ausdrücklich aus, dass aus solchen Assoziationen etwa ein Berufsverbot für Nonnen folgt. Vielmehr gehören katholische Verfassungsverstöße zum abendländischen Kulturgut und sind deshalb erwünscht.

Auch **Bayern** hat sich diese Haltung zu eigen gemacht. Parallel zum baden-württembergischen Vorgehen heißt es im bayerischen Gesetzentwurf:

> »Äußere Symbole und Kleidungsstücke, die eine religiöse oder weltanschauliche Überzeugung ausdrücken, dürfen von Lehrkräften im Unterricht nicht getragen werden, sofern die Symbole oder Kleidungsstücke bei den Schülern und Schülerinnen oder den Eltern auch als Ausdruck einer Haltung verstanden werden können, die mit den verfassungsrechtlichen Grundwerten und Bildungszielen der Verfassung einschließlich den christlich-abendländischen Bildungs- und Kulturwerten nicht vereinbar ist.«[148]

---

[146] Gesetz zur Änderung des Schulgesetzes, Landtag Baden-Württemberg Drucksache 13/2793 vom 14.1.2004, Quelle: *www3.landtag-bw.de/WP13/Drucksachen/2000/13_2793_d.pdf*

[147] Landtag Baden-Württemberg 2004, a.a.O.

[148] Gesetzentwurf der Bayerischen Staatsregierung, Quelle:

Die Bayern scheuen sich nicht, christliche Werte und Grundgesetz-Werte in ihrem Gesetzentwurf gleich in eins zu setzen.

Eine Variation dieser Haltung bietet **Niedersachsen**. Dessen Änderungsentwurf des Schulgesetzes sieht zunächst ganz ähnlich aus:

> »Lehrkräfte dürfen in der Schule keine politischen, religiösen, weltanschaulichen oder ähnliche Bekundungen abgeben, die geeignet sind
> 1. die Neutralität des Landes gegenüber Schülerinnen und Schülern in Frage zu stellen
> oder
> 2. den Schulfrieden zu gefährden oder zu stören«,

heißt es da, mit christlich-jüdischer Ausnahmeklausel:

> »Die Bekundung christlicher und abendländischer Bildungs- und Kulturwerte oder Traditionen widerspricht nicht dem Bildungsauftrag der Schule.«[149]

Apart an diesem Entwurf ist das Ersetzen der »äußeren Bekundung« durch das Wort »Bekundung«. Darin ist die verbale Aussage ausdrücklich eingeschlossen: LehrerInnen dürfen sich in der Schule nicht mehr religiös, weltanschaulich oder politisch äußern, wie die Begründung erläutert: Die Änderung

> »erfasst äußere Bekundungen, also z.B. verbale Äußerungen, Kleidungsstücke, Plaketten und sonstige Formen des Auftretens, die von Dritten als Ausdruck politischer, religiöser, weltanschaulicher oder ähnlicher individueller Überzeugung wahrgenommen werden können.«[150]

Der Entwurf rief den Protest der LehrerInnengewerkschaft hervor: Diese Regelung könne »im Zweifelsfall auch als Knebel oder als Maulkorb für politisch engagierte Lehrer« eingesetzt werden, kritisiert etwa der Sprecher der niedersächsischen GEW, Richard Lauenstein.[151] Ob auch ReligionslehrerInnen sich nicht mehr religiös äußern dürfen, ist nicht näher bestimmt. Das Gesetz sieht weiterhin vor, dass LehrerInnen, die nicht die

---

www.km.bayern.de/imperia/md/content/pdf/aktuelles/kopftuch.pdf

[149] Entwurf Gesetz zur Änderung des Niedersächsischen Schulgesetzes vom 13. 1. 2004, Landtagsdrucksache 15/720, Quelle: *www.landtag-niedersachsen.de/Drucksachen/Drucksachen_15_2500/0501-1000/15-0720.pdf*

[150] Landtagsdrucksache 15/720

[151] »Der Lehrer, das neutrale Wesen«, die tageszeitung, 12.1.2004

Gewähr bieten, das Gesetz während des gesamten Dienstzeit einzuhalten, nicht eingestellt werden dürfen. Für die GEW sind damit »Tür und Tor für eine Neuauflage von Berufsverbotstendenzen« geöffnet.

Der Landtag im **Saarland** hat ein ähnlich allgemeines Äußerungsverbot ersonnen wie Niedersachsen. Die Privilegierung von christlichen und jüdischen Symbolen wurde etwas vorsichtiger formuliert und explizit erst in der Begründung des Gesetzentwurfes festgeschrieben. Im Gesetzestext ist sie folgendermaßen gefaßt:

> »Die Schule unterrichtet und erzieht die Schüler bei gebührender Rücksichtnahme auf die Empfindungen andersdenkender Schüler auf der Grundlage christlicher Bildungs- und Kulturwerte. Der Erziehungsauftrag ist in der Art zu erfüllen, dass durch politische, religiöse, weltanschauliche oder ähnliche äußere Bekundungen weder die Neutralität des Staates gegenüber Schülern und Eltern noch der politische, religiöse oder weltanschauliche Schulfrieden gefährdet oder gestört werden.«[152]

Klingt das noch nach einem größeren Ermessensspielraum, so heißt es in der Begründung dann ausdrücklich:

> »Auf dieser Grundlage ist zum Beispiel das Tragen eines Kopftuches unzulässig, weil zumindest ein Teil seiner Befürworter mit ihm sowohl eine mindere Stellung der Frau (...) als auch eine fundamentalistische, kämpferische Stellung für ein theokratisches Staatswesen (...) verbindet.«

Für christliche und jüdische Bekundungen dagegen folgert der Entwurf aus der saarländischen Verfassung, die sich positiv auf die christlich-abendländische Tradition beruft:

> »Danach ist es konsequenterweise kein Verstoß gegen das Neutralitätsgebot, wenn sich zu dieser christlich-abendländischen und europäischen Tradition bekannt wird. Das Tragen jüdischer und christlicher Symbole bleibt damit möglich.«

Hessen schließlich hat ähnlich formuliert. Doch will das Land das Tuch nicht nur aus der Schule, sondern aus dem gesamten öffentlichen Dienst entfernen. Das bedeutet, dass nicht nur die besondere Situation des Aufeinandertreffens verschiedener Grundrechte in der Schule gesetzlich ge-

---

[152] Gesetz zur Änderung des Gesetzes zur Ordnung des Schulwesens im Saarland vom 12.2.2004, Landtagsdrucksache 12/1072, Quelle: *www.landtag-saarland.de/dms/Gs1072.pdf*

regelt wird, sondern dass sämtliche Beamte christlich-abendländische Neutren zu sein haben, auch wenn sie in einem Archiv oder einem Amt sitzen, in dem sie keinen Sichtkontakt zur Öffentlichkeit haben. Das »Gesetz zur Sicherung der staatlichen Neutralität«[153] gebietet Beamten und LehrerInnen gleichermaßen, sich im Dienst neutral zu verhalten:

> »Insbesondere dürfen sie Kleidungsstücke, Symbole oder andere Merkmale nicht tragen oder verwenden, die objektiv geeignet sind, das Vertrauen in die Neutralität ihrer Amtsführung zu beeinträchtigen oder den politischen, religiösen oder weltanschaulichen Frieden zu gefährden. Bei der Entscheidung (...) ist der christlich und humanistisch geprägten abendländischen Tradition des Landes Hessen angemessen Rechung zu tragen.«

So heißt es gleichlautend in den Änderungsvorschlägen zum Beamtengesetz wie zum Schulgesetz. In der Begründung ist zwar die Rede davon, dass hier Spielraum für Einzelfallentscheidungen gegeben sei – wie theoretisch bei all diesen Entwürfen –, doch dient auch hier das Kopftuch als Beispiel für ein Symbol, das verboten werden kann. Auch entsprechende Verwaltungsvorschriften zur Präzisierung können erlassen werden.

Die große Koalition in **Bremen** hat sich zwar einen Diskussionsprozess verordnet, doch ist die CDU damit offenbar schon fertig: Am 27.1.2004 präsentierte sie der Presse einen Gesetzentwurf, den der Koalitionspartner zu diesem Zeitpunkt noch gar nicht kannte. Darin werden nur Symbole an LehrerInnen erlaubt, die entweder christlich oder zurückhaltend sind. Den Maßstab bildet die Konfliktgefahr, die laut CDU im Symbol lauert. Im Gesetzentwurf heißt es:

> »In ihrem Erscheinungsbild dürfen Lehrkräfte religiöse und weltanschauliche Symbole in der Schule nicht verwenden. Ausgenommen hiervon bleiben Symbole, die wegen ihrer Verwurzelung in der christlich geprägten abendländischen Kulturtradition oder die im Hinblick auf ihr zurückhaltendes Erscheinungsbild die Erwartung rechtfertigen, dass durch sie keine Spannungen in die Schule getragen (...) werden.«[154]

Christliche Symbole könnten angeblich ebenso wenig Konflikte hervorrufen wie Kippas; Kopftücher dagegen schon. Die **Bremer SPD** dagegen

---

[153] »Gesetz zur Sicherung der staatlichen Neutralität« vorgelegt am 12.2.2004, Landtagsdrucksache Nr:16/1879, Quelle: *www.hessischer-landtag.de/Dokumente/Plenarsitzungen/01897.pdf*

[154] Gesetzentwurf der CDU-Fraktion zur Änderung des Bremischen Schulgesetzes vom 27.1.2004

tendiert dazu, alle religiösen Symbole aus der Schule zu entfernen. In Bremen herrscht ähnlich wie in Berlin eine etwas strengere Neutralität als in anderen Bundesländern. Der Religionsunterricht etwa ist in beiden Ländern kein ordentliches Lehrfach.

Die Bremer CDU war übrigens deshalb so schnell, weil sie Gefahr im Verzug sah: Eine Referendarin mit Kopftuch nähert sich unausweichlich dem Schuldienst, im Juni 2004 wird sie ihr Examen ablegen.

Kein Kreuz, keine Kippa, kein Kopftuch: Die Schule säkularisieren

Am klarsten verfolgt die Linie der säkularen Schule die **Berliner** SPD-Regierung – unter Protest ihres Koalitionspartners PDS. In Berlin gelte seit langem, dass weder Kopftuch noch Ordenstracht in der Schule etwas verloren hätten, schreibt etwa Innensenator Peter Körting in einem Zeitungs-Gastbeitrag: »Bisher war es in Berlin ein ungeschriebenes Gesetz, dass indoktrinierende Religionssymbole im öffentlichen Dienst nichts verloren haben. Daran haben sich alle gehalten. Mit der Entscheidung des Bundesverfassungsgerichts ist deutlich geworden, dass man dieses ungeschriebene Gesetz in eine rechtliche Form gießen muss, um die bisherige Handhabung beibehalten zu können.«[155]

Umstandslos hat er damit die christliche Symbolik eingemeindet und könnte seine Begründung bei der allgemeinen Religionsferne der Berliner Schulen belassen. Aber auch Körting beschwört die Gefahren des politischen Islam: »Für die Verfechter ist das Kopftuch nur eine Etappe. Ist es da ein weiter Schritt zur Duldung der Steinigung einer Frau in Nigeria, die nur ihr Leben selbstbewusst gestalten will?« Seines Erachtens sagt das Kopftuch allen unbedeckten muslimischen Frauen und Mädchen: »Du hast die falsche Religionsauffassung, du verhältst dich falsch. Die gleiche Situation würde auch in anderen Bereichen des öffentlichen Dienstes entstehen.« In Berlin bahnt sich ein Verbot aller religiösen Symbole für Angehörige des öffentlichen Dienstes an, die mit Publikum zu tun haben. Ob ein solcher Eingriff in die Religionsfreiheit aller BeamtInnen verfassungsfest ist, ist aber ebenso wie in Hessen fraglich. Ein Gesetzentwurf war für März 2004 angekündigt, lag bei Drucklegung dieses Buches aber noch nicht vor.

Schleswig-Holstein hat sich ebenfalls noch eine Denkpause mit Anhörungen im Frühjahr verordnet, die Bildungsministerin tendiert aber ebenfalls zu einem Gesetz, das alle Religionssymbole gleichermaßen verbannt.

---

[155] »Innensenator Erhart Körting sagt nein zum Kopftuch im öffentlichen Dienst«, die tageszeitung, 20.10.2003

Das Tuch tolerieren

Es gibt Bundesländer, die bereits Kopftuch-Lehrerinnen beschäftigen. Sie haben nach eigener Auskunft keine schlechten Erfahrungen gemacht. In **Nordrhein-Westfalen** unterrichtet ein gutes Dutzend Musliminnen mit Tuch, in **Hamburg** eine. Beide Länder sahen zunächst keinen Gesetzgebungsbedarf, **Rheinland-Pfalz** ist sogar explizit gegen gesetzliche Maßnahmen.

Beispielhaft für deren Haltung ist zunächst die Aussage des SPD-Justizministers von Nordrhein-Westfalen, Wolfgang Gerhards gewesen: »Die Vorstellung, dass jede Frau, die ein Kopftuch trägt, entweder selber indoktrinieren will oder von ihrer Familie, ihrer Religion oder den Geistlichen missbraucht wird, ist zu eng. So machen wir die Frauen zu Objekten unserer eigenen Ängste und Befürchtungen – ohne genau hinzusehen.« Ob eine Lehrerin indoktrinieren wolle, könne man aber nur »von Fall zu Fall sehen«.[156] Die Schule sei ein Ort, an dem Toleranz eingeübt werden müsse. Das bedeute, dass unterschiedliche Religionen durchaus sichtbar werden könnten. Doch nachdem sie ein entsprechendes Rechtsgutachten studiert hat,[157] möchte die Regierung diese Einzelfälle entgegen ihrer ursprünglichen Ansicht per Gesetz absichern. Dieses sähe gemäß dem Gutachten eine Ausnahmeklausel für akzeptierte Nicht-Fundamentalistinnen vor. Je nach Stimmung an den Schulen könnte es also bei einer eingeschränkten Toleranz-Regelung bleiben.

Auch die meisten ostdeutschen Länder sehen keinen Handlungsbedarf: **Mecklenburg-Vorpommern**, **Sachsen-Anhalt** und **Thüringen** gehören dazu. In **Brandenburg** gibt es zwar keine Kopftuch-Lehrerinnen, aber das Land möchte mit Berlin kooperieren, so dass eine Regelung nicht ausgeschlossen ist. **Sachsen** hat zwar kein Kopftuch-Gesetz, aber es hat die »christlichen Werte« kurz nach dem Urteil in sein Schulgesetz eingefügt, so dass die Ausgangslage für eine Ungleichbehandlung der Religionen geschaffen wäre.

Der Bundespräsident

Anders als andere prominente SPD-Politiker hat sich **Bundespräsident Johannes Rau** eindeutig für ein Tolerieren des Kopftuches ausgesprochen. Schon Ende Dezember 2003 kritisierte er die Ungleichbehandlung der Religionen in den CDU-Gesetzentwürfen. »Ich bin für Freiheitlichkeit,

---

[156] »Verbot für das Kopftuch?« Die Zeit, 9.10.2003
[157] s. o.

aber ich bin gleichzeitig für Gleichbehandlung aller Religionen. Die öffentliche Schule muss für jeden zumutbar sein, ob er Christ, Heide, Agnostiker, Muslim oder Jude ist. Und es darf nicht durch religiöse Symbole, die der Lehrer mit sich trägt, ein gewisser Vorrang oder Vormachtstellung gesucht werden.«[158] In seiner vielbeachteten Wolfenbütteler Rede zu Lessings 275. Geburtstag am 22. Januar 2004 rief er dann eindeutig zur Toleranz auf und untermauerte dies mit zwei Leitsätzen. »Die Debatte um das Kopftuch wäre (...) viel einfacher, wenn es ein eindeutiges Symbol wäre. Das ist es aber nicht. Deshalb muss in dieser Sache nach meiner festen Überzeugung der alte Grundsatz gelten: Der mögliche Missbrauch einer Sache darf ihren Gebrauch nicht hindern.« Rau folgert daraus: »So sehr wir jede Form von Fundamentalismus bekämpfen müssen, so wenig dürfen wir die Religionen unterschiedlich behandeln. Im demokratischen Rechtsstaat gilt das Recht auf Unterschiede, aber kein unterschiedliches Recht.« Er fügt seine persönliche Haltung zum Tuch an: Rau wolle nicht, dass alle religiösen Bezüge aus Schulen verschwinden. Den Fundamentalismus dagegen könne man anders sicher sinnvoller bekämpfen. »Pauschaler Verdacht stärkt ihn, statt ihn zu schwächen«, ist Raus Überzeugung. Er formuliert statt dessen Integrationsanforderungen an beide Seiten: Der Islam müsse sein Verhältnis zum Staat klären. Frauenrechte müssten gewahrt werden. Zur Integration gehöre auch, dass man die Sprache des Landes lerne. Deutschland habe allerdings ebenfalls versäumt, Integrationsleistungen zu erbringen, ordentlichen Islamunterricht gebe es in den Schulen immer noch nicht.[159]

Die Parteien

SPD

Diese Haltung haben auch SPD-Landesregierungen wie die von Kurt Beck in Rheinland-Pfalz eingenommen. Mindestens ebenso viele aber meinen, man solle die Schule nun von religiösen Symbolen aller Art befreien. **Bundeskanzler Gerhard Schröder** erteilte zumindest dem Kopftuch eine Absage, verlor allerdings zu dem unbequemeren Thema Kutte und Kippa zunächst kein Wort: »Kopftücher haben für Leute im staatlichen Auftrag, also auch für Lehrerinnen, keinen Platz«, befand er via

---

[158] Quelle: *www.heute.t-online.de/ZDFheute/artikel/6/0,1367,HOME-0-2092422,00.html*

[159] »Religion ist nicht bloße Privatsache«, Rede von Bundespräsident Johannes Rau am 22.1. 2004, Quelle: *www.bundespraesident.de*

Bild.[160] Die Islam-Beauftragte der SPD-Fraktion im Bundestag dagegen, **Lale Akgün**, befürwortet mit dem Verbot des Kopftuchs eindeutig das Ausschließen aller religiösen Symbole für LehrerInnen und bewegt sich damit auf der Linie, die der Berliner Landesverband anstrebt. Es stehe nicht zur Debatte, alle Musliminnen unter einen fundamentalistischen Generalverdacht zu stellen oder sie zu stigmatisieren. Es gehe auch nicht um eine Entscheidung gegen »den« Islam. Aber: »Es ist grotesk, die demonstrative Unterordnung unter ein Symbol der Geschlechtertrennung als ›Emanzipation‹ zu bezeichnen und darin gewissermaßen den ›Normalfall‹ weiblicher muslimischer Existenz zu sehen. Wovon und gegen wen wollen sich die ›selbstbewussten‹, von ›Tugendhaftigkeit‹ und ›Sittsamkeit‹, durchdrungenen Kopftuchträgerinnen ›emanzipieren‹?«, fragt die SPD-Abgeordnete.[161] Sie sieht in der Akzeptanz des Kopftuches eine »Anbiederung an kulturalistisch-religiöse Interessenverbände«, die Musliminnen das Tuch vorschreiben wollten. »Wer wirklich Emanzipation im Sinne von Aufklärung und Humanismus will, der schaut kritisch auf einen Kopftuchdiskurs, bei dem es nicht um die einzelne muslimische Frau geht, sondern um die religiös-kulturelle Deutungsmacht innerhalb des Islam«, so schreibt sie. Auch der Leiter der Abteilung »Interkultureller Dialog« der Friedrich-Ebert-Stiftung, **Johannes Kandel**, möchte alle Symbole aus den Schulen entfernt sehen.[162]

In der SPD gibt es aber auch Verfechter der christlich-islamischen Ungleichbehandlung. Der prominenteste ist der Christ und **Bundestagspräsident Wolfgang Thierse**: »Ein Kreuz ist kein Symbol von Unterdrükkung, das Kopftuch für viele muslimische Frauen schon«, erklärte er. Er vergleicht die »Sitte« des Kopftuchzwangs im Iran mit den Sitten der Bundesrepublik: Die Pflicht für deutsche Journalistinnen, bei der Berichterstattung aus dem Iran ein Kopftuch zu tragen, sei »die Anpassung einer Reporterin an die Sitten eines Landes«, sagte Thierse. »Könnte man dann den muslimischen Bürgerinnen unseres Landes nicht zumuten, sich an die Sitten und Grundüberzeugungen unseres Landes zu halten?«, fragte der Bundestagspräsident und fügte hinzu, im Grundgesetz sei die Unterdrückung der Frau nicht gestattet. »Das setzt Schranken für das Zeigen einer Symbolik, die dies ausdrückt.«[163] Dieser Haltung hat sich unter anderen der Saarländische SPD-Chef **Heiko Maaß** angeschlossen. Es ist dennoch eine Minderheitenposition in der SPD.

---

[160] Bild am Sonntag, 21.12.2003

[161] Lale Akgün: »Religiöse Vielfalt UND Emanzipation – Wider die Kulturalisierung des Kopftuch-Diskurses«, Presserklärung der Islam-Beauftragten der SPD-Fraktion, 17.12.2003

[162] »Es geht darum, wie demonstrativ ein Symbol ist«, die tageszeitung, 13.10.2003

[163] Tagesspiegel am Sonntag, 4.1.2004

CDU/CSU

Applaus für das Vorgehen der konservativ regierten Bundesländer kommt aus den konservativen Parteien. Besonders deutlich wurde die Unionsspitze, als Bundespräsident Johannes Rau im Dezember 2003 die Gleichbehandlung aller Religionen forderte. Sowohl CSU-Chef **Edmund Stoiber** als auch CDU-Chefin **Angela Merkel** machten deutlich, dass sie dem Christentum sehr wohl den Vorrang einräumen wollen. Einer Gleichbehandlung der Religionen im öffentlichen Dienst könne sie nicht zustimmen, schrieb Merkel im Neujahrsbrief 2004 an alle Parteimitglieder. Auch im öffentlichen Raum sei der Bezug auf christliche Quellen der Werteordnung in Form religiöser Symbole aktuell. Dem weltanschaulich neutralen Staat könnten die christlich inspirierten Traditionen der deutschen Kultur und ihrer Symbole nicht gleichgültig sein. Ihre Verbannung aus dem öffentlichen Raum sei daher keine Lösung. Die Betonung der christlichen Kultur habe nichts mit Diskriminierung anderer Religionen zu tun. Dies sei nur Ausdruck »eines Lebenselementes unserer Kultur«.[164] Schon kurz nach dem Karlsruher Urteil hatte Merkel sich in einem Zeitungsinterview festgelegt: »Ich möchte nicht, dass Lehrer mit Kreuz an einer Kette genauso behandelt werden wie eine Frau mit Kopftuch. Das Kopftuch steht für ein Menschenbild, das mit der individuelle Würde und unserem christlich-jüdischen Erbe sowie der Aufklärung schwer vereinbar ist.«[165]

Stoiber kritisierte in *Bild*, das muslimische Kopftuch an Schulen sei ein »politisches Symbol«, das nicht mit einer »aufgeklärten Demokratie«[166] vereinbar sei. Widerspruch kommt von denen in der CDU, die mit Integrationsfragen beschäftigt sind. Die ehemalige Berliner Ausländerbeauftragte **Barbara John** hat ebenso wie die Vorsitzende der Zuwanderungskommission, **Rita Süssmuth**, einen Aufruf der Integrationsbeauftragten Beck unterschrieben, der sich gegen das Verbot von Kopftüchern an Schulen ausspricht.

Bündnis 90/Die Grünen

Die Grünen sind die Partei, die sich über die Kopftuchfrage wirklich den Kopf zerbricht. Sie stehen für die Integration von MigrantInnen, sie stehen für Multikultur. Aber sie stehen auch für Feminismus. Auch die Frauen haben daher geteilte Auffassungen: die Integrationsbeauftragte will Toleranz, die Frauenpolitikerin Säkularität, die Christin eine Ungleichbehandlung. Die stärkste Strömung scheint die tolerante zu sein: Hier

---

[164] epd, 2.1.2004
[165] Rheinischer Merkur, 2.10.2003
[166] dpa, 30.12.2003

haben mehrere prominente PolitikerInnen relativ früh Pflöcke eingeschlagen.

Einen heftig befehdeten Aufruf für Toleranz verfasste die **Integrationsbeauftragte Marieluise Beck.** Da ihn 70 prominente Frauen unterzeichneten, soll er unten unter Feminismus behandelt werden.

Ralf Fücks, Vorstandsmitglied der Heinrich-Böll-Stiftung, hat sich frühzeitig für eine liberale Haltung eingesetzt.[167] Die Partei-Promis **Joschka Fischer** und **Daniel Cohn-Bendit** unterstützten einen Toleranz-Beschluss des hessischen Landesparteitags vom 15.11.2003. Trotz dieser gewichtigen Fürsprecher wurde der Antrag nur mit knapper Mehrheit angenommen. Darin machen die Grünen deutlich, dass sie Indoktrination nicht dulden möchten und eine neue »partizipative Kontrolle des Verhaltens der Lehrkörper« einführen möchten.[168] Sie trennen aber zugleich das, was viele Verbotsbefürworter vermischen. Den Menschenrechtsverletzungen im Namen des Islam stellen sie die Religionsfreiheit der Lehrerin gegenüber.

Sie trennen das Tuch von der politischen Einstellung: »Der Unterschied zwischen Fundamentalisten und Modernisierern in der aktuellen Debatte innerhalb der islamischen Welt ist (...) nicht, dass Fundamentalisten für und Modernisierer gegen das Kopftuch sind«, geben sie zu bedenken. Die Modernisierer wollten verschiedenen Spielarten des Islam Raum geben. »Versteifen wir uns auf eine (Verbots-) Seite, dann fallen wir den Modernisierern in den Rücken, weil wir damit alle Kopftuchträgerinnen zu potenziellen Fundamentalistinnen erklären würden. Und wir spielen dann strukturell das Spiel der Fundamentalisten, statt ihnen den Kampf anzusagen, auch den um ihre Symbole.«

Nicht nur die frauenpolitische Sprecherin der Bundestagsfraktion, **Irmingard Schewe-Gerigk,** macht da nicht mit: »Die Lehrerin repräsentiert den Staat und ist Autoritätsperson. Das Kopftuch symbolisiert den Unterschied zwischen Frauen und Männern und bedeutet eine besondere sittlich begründete Kleidungsvorschrift für Frauen. Eine solche Ungleichbehandlung widerspricht Artikel 3 GG. Daraus kann ein wesentlicher Anpassungsdruck auf muslimische Schülerinnen entstehen. Diesen Konflikt halten wir für unangemessen. Religiöse Bekleidung von Lehrenden in öffentlichen Schulen lehnen wir ab«,[169] so schreibt Schewe-Gerigk am Ende einer langen Stellungnahme, in der sie sich vor allem auf das Minderheitenvotum des Verfassungsgerichts bezieht.

---

[167] »Bürgerinnen unterm Kopftuch«, Die Zeit, 11.9.2003

[168] »Toleranz ist immer auch ein Risiko«, dokumentiert in: Frankfurter Rundschau, 14.11.2003

[169] Irmingard Schewe-Gerigk: Stellungnahme und Position zum Urteil des Bundesverfassungsgerichts, 13.01.2004, Quelle: *www.schewe-gerigk.de/dokumente/25384.html*

Auch die menschenrechtspolitische Sprecherin der Fraktion, **Christa Nickels**, schließt sich dieser Position an und weitet sie sogar noch auf andere Beamtinnen aus: »Muslimische Schülerinnen müssen frei entscheiden können, ob sie ein Kopftuch tragen wollen oder nicht. Es ist aber fragwürdig, ob sie diese Wahlfreiheit de facto noch haben, wenn ihre Lehrerin im Unterricht ein Kopftuch trägt. Entscheidend ist die gebotene Neutralität des Staates – und zwar insbesondere dann, wenn er in der Person von Beamten mit Herrschaftsanspruch den Bürgern gegenüber tritt. Im Sinne dieses Minderheitenvotums (des Verfassungsgerichts) ist es Staatsdienerinnen durchaus zuzumuten, sich im Dienst mit dezenten Symbolen zu begnügen, um ihren Glauben auszudrücken, und das Kopftuch abzulegen. Das gilt für Lehrerinnen ebenso wie für Richterinnen, Polizistinnen oder Amtsärztinnen. Wenn eine solche Regelung die Konsequenz hätte, dass dann an staatlichen Einrichtungen auch Kippa oder Habit abgelegt werden müssen, halte ich das für akzeptabel.«[170]

Die andere prominente Christin der Grünen, Bundestagsvizepräsidentin **Antje Vollmer,** möchte dagegen die christlichen Symbole behalten. Das Kopftuch aber sei heutzutage kein einfaches religiöses Symbol: »Spätestens seit Chomeini ist das Kopftuch ein politisches Symbol der islamistischen Bewegung (...). Diese politische Demonstration hat an unseren Schulen nichts zu suchen«, befindet sie und gibt einen Wandel ihrer Meinung an: »Wie jeder westliche Mensch war ich zunächst auf der Linie der abstrakten Toleranz, aber nach Gesprächen mit Frauen aus den Ländern, die jetzt unter dem Islamismus leiden, habe ich meine Meinung geändert.«[171]

FDP

Die Liberalen ringen noch heftig mit sich. Einerseits ist die Partei eine Freundin der Säkularisierung, andererseits der Religionsfreiheit. Entsprechend sind beide Haltungen zu vernehmen. Die baden-württembergische FDP-Justizministerin **Corinna Werwig-Hertneck** verteidigt zwar den Gesetzentwurf ihrer CDU-Kultusministerin, ihre kritische Haltung dazu ist jedoch bekannt. Der neue kirchenpolitische Sprecher der Bundestagsfraktion, **Hans-Michael Goldmann**, vertritt mit einer toleranten Position die entgegengesetzte Meinung zu seiner Vorgängerin, Marita Sehn.

---

[170] Christa Nickels: Blinder Fleck im Kopftuchstreit, in: Publik-Forum 21/2003, Quelle: *www.christanickels.de/artikel.php?thema=&unterthema=&artikel=162*

[171] »Vollmer fordert Kopftuchverbot für Lehrerinnen in Deutschland«, Financial Times Deutschland, 19.12.03

PDS

In der **PDS** ist das Meinungsbild einigermassen geschlossen. Das nützt ihr jedoch nichts, denn ihren Toleranzkurs trägt der Berliner Koalitionspartner SPD nicht mit. In ihrem Antrag für das Berliner Abgeordnetenhaus vom November 2003 heißt es: »Gerade Frauen in der Diaspora greifen auf das Kopftuch zurück, um mit Selbstbewusstsein ihr Anderssein zu markieren oder eine Differenz im Verständnis von Sittsamkeit und Tugendhaftigkeit gegenüber der Aufnahmegesellschaft zu dokumentieren. Das Kopftuch hat immer unterschiedliche Bedeutungen gehabt, so war die Pflicht, es seit den 80er Jahren in Iran zu tragen, ein Mittel massiver Unterdrückung der Frauen durch islamische Fundamentalisten. 30 Jahre zuvor war das Verbot, es im Iran zu tragen, ebenfalls ein Mittel der Unterdrückung. Durch ein Kopftuchverbot würden sich viele Muslime in der Einschätzung bestärkt fühlen, sie seien gesellschaftlich ausgegrenzt und chancenlos. Auf Ausgrenzungserfahrungen folgt häufig der Rückzug aus der Mehrheitsgesellschaft. Fundamentalisten werden dies ausnutzen und damit vergrößert ein solches Gesetz die Probleme im Zusammenleben statt sie zu lösen.« Dazu erinnern die PDS-Abgeordneten an die Erfahrungen mit Symbolverboten aus der DDR: »So waren Sticker der Jungen Gemeinde ebenso verboten wie ›Schwerter zu Pflugscharen‹-Aufnäher. Mal waren es Schuhe mit Kreppsohlen, dann wieder Jeans und Parka. (...) Auch in der DDR gab es kein positives ›pädagogisches‹ Ergebnis durch die Repressionen.«[172]

Die Gegenstimme in der PDS kommt von ihrer Spezialistin für Integration, der türkischstämmigen Abgeordneten **Evrim Baba**. Sie spricht sie für eine säkulare Schule aus.

Gesellschaftliche Gruppen

Die Kirchen

Große Teile der Kirchen sind höchst einverstanden mit der Sicht, dass Kopftücher etwas fundamental anderes seien als Kreuze, viele mögen es aber nicht so laut sagen. Der **Rat der Evangelischen Kirche** in Deutschland verabschiedete kurz nach dem Karlsruher Urteil am 10. Oktober 2003 eine Erklärung, in der es heißt: »Wenn eine muslimische Bewerberin für eine Lehrtätigkeit (...) im Dienst ein Kopftuch tragen will,

---

[172] Quelle: *www.torpedokaefer.de/mskopftu.htm*

begründet ihr Verhalten angesichts der Bedeutung des Kopftuchs im Islam Zweifel an ihrer Eignung als Lehrerin an einer staatlichen Schule.«[173]

Das war der kleinste gemeinsame Nenner, auf den der Rat sich verständigen konnte. »Korridor-Lösung« wird er genannt, weil diese Formulierung Platz für Individual-Urteile lässt. Ein dezidierter Kopftuch-Gegner ist allerdings der Ratsvorsitzende **Wolfgang Huber**: »Das Kopftuch ist zwar ein religiöses Zeichen, symbolisiert aber auch eine Haltung im Verhältnis der Geschlechter, die mit unserer Verfassung nicht vereinbar ist. Wer sagt, mit dem kleinen Kreuz an meinem Revers dürfe ich nicht in die Schule, muss begründen, warum das ein antidemokratisches Zeichen sein soll. Nur dann ist es vergleichbar«, erklärte er in einem Interview.[174] Es gebe deutliche Zeichen dafür, dass das Kopftuch desintegrierend wirke, findet er. Eine ähnliche Position vertritt die Bischöfin der Hannoverschen Landeskirche, **Margot Käßmann**.

Es gibt aber viele evangelische Würdenträger, die eine tolerante Haltung zum Tuch einnehmen. Dazu gehören die Bischöfinnen der Nordelbischen Landeskirche, **Maria Jepsen** und **Bärbel Wartenberg-Potter**, die beide den Aufruf von Marieluise Beck unterzeichnet haben. Der Präses der Evangelischen Kirche im Rheinland, **Nikolaus Schneider**, warnte davor, religiöse Symbole an den Schulen generell zu verbieten. »Wir legen Wert darauf, dass Religionslehrer ihren Glauben vermitteln und durch Zeichen verdeutlichen können«,[175] sagte er. Bei muslimischen Lehrerinnen, die ihr Kopftuch im Unterricht tragen wollen, müsse in jedem Einzelfall bewertet werden, was mit dem Kopftuch ausgedrückt werden solle.

Als bisher höchste Instanz der **Katholiken** hat sich der Vorsitzende der vatikanischen Glaubenskongregation **Kardinal Josef Ratzinger** beim Silvestergottesdienst 2003 in Regensburg geäußert: »Ich würde keiner muslimischen Frau das Kopftuch verbieten, aber noch weniger lassen wir uns das Kreuz als öffentliches Zeichen einer Kultur der Versöhnung verbieten.«[176] Während vom Vatikan laut Pressestelle keine offizielle Stellungsnahme zu erwarten sei, hat auch der neue Nuntius in Berlin, **Erzbischof Erwin Josef Ender**, seine persönliche Haltung durchaus kenntlich gemacht: »Man sollte vielleicht von einem Kleidungsstück nicht so viel Aufhebens machen«,[177] meinte er. Auch **Kardinal Karl Lehmann**, der Vorsitzende der Bischofskonferenz, votiert vorsichtig für Toleranz, indem er die einseitigen Verbote von Kopftüchern kritisierte: Der Gesetzgeber

---

[173] Stellungnahme des Rats der EKD vom 11. Oktober 2003, Quelle: *www.ekd.de/presse/397_pm200_2003_rat_folgerungen_kopftuchurteil.html*

[174] »Ein Kopftuch integriert nicht«, die tageszeitung, 8.11.2003

[175] epd, 2.12.2003

[176] dpa, 1.1.2004

[177] »Botschafter des Papstes gegen Kopftuchverbot«, die tageszeitung, 26.1.2004

dürfe nicht eine Religion bevorzugen, sondern müsse die Glaubensfreiheit stärken, die das Grundgesetz verbürge, erklärte er.[178] Die Bischofskonferenz solle sich nach seinem Dafürhalten nicht festlegen, schließlich sitze man »selbst im Glashaus«.[179]

Doch seine **Bischofskonferenz** verabschiedete einen Tag vor dem Karlsruher Urteil eine »Arbeitshilfe«, die in der Tendenz doch den pro-christlichen Kopftuchgegnern zuzuordnen ist. In dem Papier namens »Christen und Muslime in Deutschland« hat die Bischofskonferenz dem Kopftuch eine eigene Passage gewidmet. Dort wird aus verschiedenen Koran-Interpretationen abgeleitet, dass der Koran ein Kopftuch keinesfalls vorschreibe. Dies habe aber der Zentralrat der Muslime dennoch in seiner Stellungnahme für das Verfassungsgericht behauptet. Das Papier zieht daraus keine Schlüsse, suggeriert aber durch diese Ausführungen, dass der Zentralrat damit unlautere Interessenpolitik betrieben habe. Dennoch verlangt der Text, die Gewissensentscheidung von Musliminnen zu respektieren, »die der Überzeugung sind, dass ihnen ihre Religion eine solche Pflicht auferlegt«.[180] Einzelne Bischöfe verstärken diese Tendenz zur Ambivalenz. So erklärte **Kardinal Joachim Meisner** etwa, eine Minderheit habe selbstverständlich das Recht auf Religionsfreiheit, »aber sie kann in diesen Dingen nicht dasselbe erwarten wie die gewachsene Kultur«.[181] Deshalb könnten für muslimische und christliche Kennzeichen in den Schulen auch nicht dieselben Maßstäbe gelten: »Wir sind von unserer ganzen Kultur her ein christlich geprägtes Volk, daher muss man sehr sensibel mit unseren christlichen Symbolen umgehen.« Das Kopftuch »als politisches Symbol« sei in der Schule nicht hinnehmbar. Es könne allerdings auch ein religiöses Symbol sein, gab er zu bedenken, ohne klarzustellen, ob das den Status des Tuches als »nicht hinnehmbar« ändere.

Der Präsident der katholischen Laienorganisation **Zentralkomitee der deutschen Katholiken (ZdK)**, Hans-Joachim Meier, ist eindeutiger: Das Kopftuch als Zeichen der Unterordnung der Frau widerspreche der Gleichstellung von Mann und Frau und damit der Verfassung, sagte er auf der Herbstvollversammlung seines Komitees.[182]

Erfreut zeigen sich auch Bischöfe, wenn ihnen Gesetzentwürfe auf den Leib geschneidert werden. So begrüßte etwa der Regensburger **Bischof Gerhard Ludwig Müller** das bayerische Gesetz mit der Ausführung: »Die Ordenstracht der Schwestern sowie die priesterliche Kleidung sind nicht

---

[178] ebenda

[179] »Kopfsache«, Frankfurter Allgemeine Zeitung, 25.9.2003

[180] Deutsche Bischofskonferenz: Arbeitshilfe 172: Christen und Muslime in Deutschland: 226, Quelle: *www-dbk.de/schriften/fs_schriften.html*

[181] dpa 22.11.03

[182] dpa, 21.11.03

Demonstration der eigenen Religion, sondern vielmehr Ausdruck dafür, dass Ordensleute und Priester ihr Leben aus der Nachfolge Christi für den Dienst am Menschen in den verschiedensten Segmenten der Gesellschaft einsetzen. Insofern ist eine Parallelisierung mit dem Kopftuch muslimischer Mitbürgerinnen nicht möglich.«[183]

Die Gewerkschaften

Der **DGB** kann sich zu einer klaren Stellungnahme noch nicht durchringen und plant erst einmal Diskussionen zum Thema. Aus der Dienstleistungegewerkschaft **Verdi** kommen Signale in Richtung Toleranz: So hat die Vizechefin, Marion Mönig-Raane, den entsprechenden Aufruf der Integrationsbeauftragen Beck mitunterzeichnet. Die **Gewerkschaft Erziehung und Wissenschaft (GEW)** hat sich nicht der Meinung ihrer Migrationsfachfrau Sanem Kleff angeschlossen, sondern nach dem Karlsruher Urteil für Einzelfall-Entscheidungen und gegen gesetzliche Verbote plädiert: Der Streit um das Tuch sei auch ein Symbol der verfehlten und nicht ausdiskutierten Integrationspolitik in Deutschland, meinten die GEW-Vorsitzende **Eva-Maria Stange** und der baden-württembergische GEW-Landeschef **Rainer Dahlem**. »Jetzt aber überall Gesetze zu schaffen, die bestimmte Einzelfälle regeln, führt in die falsche Richtung«, sagten Stange und Dahlem. »Die GEW sei sich sehr wohl der differenzierten Sachlage bewusst. So sei einerseits das Kopftuch als Symbol einer religiösen Überzeugung zu akzeptieren. Andererseits stehe es aber auch für die Unterdrückung von Frauen. Es habe für viele junge Frauen einer harten Auseinandersetzung im Elternhaus bedurft, sich von dieser Fessel zu befreien. Als Angehörige einer anderen Kultur und Religion haben wir aber nicht das Recht, über Verbote innerislamische Konflikte zu entscheiden«, heißt es in ihrer Pressemitteilung. Sie stellten klar, dass Inhalte fundamentalistischer islamischer Organisationen nichts in der Schule zu suchen hätten und die entsprechende Neutralität der Lehrkräfte zu wahren sei. Aber: »Für eine Bewertung und Entscheidung ist jeweils die Prüfung des Einzelfalls und des konkreten Verhaltens einer Lehrkraft notwendig.«[184]

Für eine generelle Säkularisierung der Schule spricht sich dagegen die in Ankara geborene **Sanem Kleff** aus, die den **Bundesausschuss für multikulturelle Angelegenheiten der GEW** leitet: »Religiöse Symbole haben meines Erachtens keinen Platz an einer staatlichen Schule, die mit

---

[183] Stellungnahme zum bayerischen Kopftuchgesetz, Quelle: *www.bistum-regensburg.de/Default.asp?op=show&id=891*

[184] Pressemitteilung der GEW am 24.9.2003, Quelle: *www.gew.de/presse/archiv/2003/3quartal/texte/d_092403.htm*

Steuergeldern finanziert wird. Sie dürfen auch von Lehrerinnen nicht hineingetragen werden.«[185] »Der vielstimmige Chor rund um den Fall Ludin verdeckt, worum es im Kern tatsächlich geht. Die zentrale und bis heute nicht beantwortete Frage lautet schlicht: Will das vereinte Deutschland ein säkularer Staat sein oder nicht? Wenn ja, muss dann nicht vordringlich die Beziehung zwischen Staat und den christlichen Glaubensgemeinschaften neu definiert werden?«, fragt sie in einem Debattenbeitrag.[186] Die jetzige Regelung werde den weitgehend atheistischen ostdeutschen Ländern ebenso wenig gerecht wie den zahlreichen Religionsgemeinschaften, denen die Privilegien der Kirchen vorenthalten würden.

Gegen Kopftücher in deutschen Schulen ist der etwas konservativere **Lehrerverband**. Der Präsident Josef Kraus befürchtet »ein hyperindividualistisches Verständnis von Freiheit bei gleichzeitiger Vernachlässigung der schutzwürdigen Interessen der übergroßen Mehrheit« und empfiehlt Frankreich als Vorbild.[187]

Die MigrantInnen

Die Organisationen, in denen MigrantInnen vertreten sind, stehen sich unversöhnlich gegenüber. Es ist eine Konfliktlinie aus vielen muslimischen Länder, die sich hier wiederholt. Insbesondere türkische MigrantInnen fürchten um die Freiheiten, die der Kemalismus Frauen in der Türkei bescherte. Dieser Kampf ist heftig, weil die Islamisten in der Türkei vor ein paar Jahren noch wesentlich radikaler waren. Auf das Konto islamistischer Attentäter geht eine Reihe von politischen Morden in den achziger Jahren. Unter den Opfern waren auch prominente Frauenrechtlerinnen.

Sanem Kleff ist deshalb kein kemalistischer Einzelfall. Die **Türkische Gemeinde Deutschlands** (TGD) warnte mehrfach vor »falscher Toleranz«: Bei der Kopftuchdebatte geht es nicht allein um eine Kopfbedeckung. Das Tragen dieses Kleidungsstücks ist für viele Frauen in der Türkei eine Angewohnheit, sicherlich auch aus religiösen Gründen. Bei der Diskussion, ob Lehrerinnen in der Schule ein Kopftuch tragen dürfen, geht es um viel mehr. Für viele, die sich vehement für das Tragen eines Kopftuches einsetzen, spielt es als Symbol ihrer politisch-ideologischen Gesinnung eine sehr zentrale Rolle. Die Interpretation des seinem Wesen nach sehr toleranten Islam darf nicht fundamentalistischen Kräften überlassen werden. Die TGD ist für ein Verbot aller religiösen Symbole, weil die Schule nicht zum Austragungsort religiöser Konflikte werden darf. »Dies würde

[185] »Die Gesellschaft soll solche Dinge aushandeln«, die tageszeitung, 25.9.2003
[186] »Kopflose Debatte«, die tageszeitung, 14.7.2003
[187] »Das Kreuz mit dem Tuch«, Rheinischer Merkur, 2.10. 2003

den sozialen Frieden in der Schule, unter den Lehrenden und möglicherweise auch unter den Schüler/innen gefährden. Dies wird auch dem Integrationsprozess von nichtdeutschen Kindern keinen guten Dienst erweisen.«[188]

Der **Türkische Bund Berlin-Brandenburg** (TBB) betont ebenfalls die fundamentalistische Strategie, der streng religiösen Lebensweise vermehrt Freiräume in Deutschland zu erkämpfen: »Immer mehr werden islamistische Forderungen insbesondere im Bildungssystem erhoben und leider oft von den Verwaltungsgerichten bestätigt (beispielsweise kein koedukativer Sportunterricht, Teilbefreiung von Sexualkunde u.a.).« Das Kopftuch für Lehrerinnen sei Teil dieser Strategie. »Der TBB warnt davor, in die von den Islamisten gestellten Fallen wie ›Kopftuchverbot/Berufsverbot/Frauendiskriminierung‹ zu tappen«, heißt es explizit.[189]

Zu den Fachleuten mit türkisch-kemalistischem Hintergrund, die das Tuch lieber aus der Schule verbannt sähen, gehört auch der Leiter des **Essener Zentrums für Türkeistudien**, Faruk Sen.[190]

Andere **muslimische Frauen** meldeten sich gesondert zu Wort: In einem Aufruf, der gegen den Appell an die Toleranz von Marieluise Beck gerichtet war, sprechen sich 60 AkademikerInnen mit Migrationshintergrund für »Neutralität in der Schule« aus. Die emanzipatorischen Kopftuchträgerinnen stellen für sie

> »eine quantitativ vernachlässigbare Gruppe dar, die kaum Einfluss hat. Diese jungen Frauen sehen ihr Hauptziel darin, gegen die von ihnen besonders herausgestellten Ausgrenzungsmechanismen der Mehrheitsgesellschaft aufzutreten. Sie sind praktisch machtlos gegen die Instrumentalisierung durch islamistische Kräfte. (...) Unsere Frage lautet deshalb: Wer würde sich innerhalb der muslimischen Bevölkerung durch die Untersagung des Kopftuchs in den Schulen ausgegrenzt fühlen? Es wären nur diejenigen, die unter dem Einfluss der Islamisten stehen und für die das Kopftuchtragen nicht nur im Privatleben, sondern auch im öffentlichen Dienst als unverzichtbar gilt. Alle, für die die Religion eine private Angelegenheit ist, und alle, die gegenüber religiösen Vorschriften indifferent sind, kennen und akzeptieren problemlos das Verfassungsprinzip von der Neutralität der Schule. (...) Nach unserer Auffassung ist eine solche Deutlichkeit in einer demokratisch verfassten Gesellschaft erforderlich, um den islamistischen Kräften zu signalisieren, dass diese Gesellschaft nicht vor ihnen zurückweicht und ihnen nicht Schritt für Schritt immer mehr Raum im öffentlichen Leben überlässt. Die Erfahrung zeigt, dass diese Kräfte jede Erweiterung ihres Spielraums nutzen, um ihre ›antidemokratischen, an-

---

[188] Pressemitteilungen der Türkischen Gemeinde Deutschland, 13. und 15.1.2004, Quelle: *www.tgd.de*

[189] Presseerklärung des Türkischen Bund Berlin: Naivität nützt den Fundamentalisten, 1. 12. 2003

[190] Süddeutsche Zeitung, 4.10.2003

tisemitischen und frauenfeindlichen‹ Positionen durchzusetzen. Die Erfahrung aus zahlreichen Ländern mit mehrheitlich muslimischer Bevölkerung und Ländern mit signifikanten muslimischen Minderheiten in Europa zeigt hinreichend, dass das Tragen des Kopftuchs in staatlichen Institutionen längst zum Kampfprogramm von islamistischen Kräften geworden ist.«[191]

Die Rechtsanwältin **Seyran Ates**, die sich ebenfalls öffentlich für ein Verbot des Kopftuches engagiert, sieht sehr wohl, dass die Freiheit von emanzipierten Tuchträgerinnen damit eingeschränkt wird. Doch für die Anwältin, die sich vor allem gegen Zwangsheiraten engagiert, wiegt der Schaden, den die Tücher auch anrichten können, schwerer:

> »Dass diese Frauen nun keine berufliche Karriere machen können, weil sie ein Kopftuch tragen, finde ich im Vergleich zu dem, was Frauen erleben, die nicht selbstbestimmt leben, so harmlos, dass ich kein Bedauern dafür empfinde, wenn einer Kopftuch tragenden Frau der Zugang zu einem Arbeitsplatz verwehrt wird. Denn wenn diese fortschrittlichen verhüllten Akademikerinnen tatsächlich so modern und demokratisch sind, werden sie das Kopftuch für ihre berufliche Karriere stundenweise ablegen können oder Perücken tragen, wie in der Türkei die Studentinnen. Sie haben Lösungsmöglichkeiten. Die Frauen, die unter frauenfeindlichen Attacken einer Religion zu leiden haben, haben nicht einmal eine Stunde am Tag die Gelegenheit, selbstbestimmt zu handeln und zu leben.«[192]

Auch die Sozialwissenschaftlerin **Necla Kelek** meint, das Kopftuch sei keine persönliche Angelegenheit der Mädchen. Sie seien oft zu jung, um sich darüber eine Meinung zu bilden. Die reaktionäre Haltung der Männer zwinge der Gesellschaft diese ganze Diskussion auf.

> »Sie schicken die Kinder mit Kopftüchern zur Schule, sie verweigern ihnen den Sportunterricht, die Teilnahme an Klassenreisen. Brüder setzen ihre Schwestern unter Druck, fühlen sich als die besseren Menschen und sind gewalttätig gegenüber ihren Frauen. Hier liegt das Problem. Die Apartheid gegenüber den Frauen wird von den Männern gelebt. Ihre Rolle scheint niemand in Frage zu stellen.«[193]

Demgegenüber meint die deutsch-ägyptische Islamwissenschaftlerin **Riem Spielhaus**, dass die Kopftücher kein direkter Tribut an autoritäre Väter seien: Der »Anständigkeitsdiskurs« sei weltweit auf dem Vormarsch in muslimischen Gemeinschaften. Er habe mit einer Rückbesinnung auf den Islam zu tun, aber nicht mit Fundamentalismus. Die Tatsache, dass Frau-

---

[191] »Für Neutralität in der Schule«, die tageszeitung, 14.2.2004

[192] Seyran Ates: Zuerst das Kopftuch, dann der Tschador, dann die Burka?! Ein Protest gegen das Kopftuchurteil – Vortrag in der Evangelischen Akademie Bad Boll am 28.11.2003, Quelle: *www.ev-akademie-boll.de/texte/online/ doku/642203/_642203.htm*

[193] Necla Kelek: Islam im deutschen Alltag, unveröffentlichtes Manuskript

en dafür auch vor Gericht streiten, sieht sie eher positiv: »Damit kommen sie in gewisser Weise in der deutschen Realität an. (...) Ihre Bereitschaft, mit Kompromissen zu leben, die ihr Selbstverständnis behindern, nimmt in dem Maß ab, in dem sie Deutschland als ihre Lebenswelt begreifen.«[194]

Dass hier auch der Kampf zwischen KemalistInnen und Islamistinnen aus der Türkei erneut ausgetragen wird, bestätigt sich auch durch die Reaktion der religiösen Verbände. Die große und schweigende Mehrheit der türkischen Muslime wird dabei von der großen und schweigenden Organisation **DITIB (Türkisch-islamische Union der Anstalt für Religion)** vertreten. DITIB ist die Auslandsorganisation des türkischen staatlichen Präsidiums für Religionsangelegenheiten, das die Glaubensfragen in der Türkei regelt. Weil aber in der Türkei der Kopftuchstreit ungleich stürmischer verläuft, zieht DITIB es vor, in dieser Angelegenheit in Deutschland keine Stellungnahmen abzugeben. Die Organisation, die schätzungsweise die allermeisten der Kopftuch-Trägerinnen beherbergt und ihre Interessen vertreten könnte, fällt damit als Stimme vollständig aus. Das ist ein echtes Dilemma. Denn nun beherrschen die radikaleren Verbände das Feld der Kopftuch-VerteidigerInnen. Sie finden die höchsten Töne für ihre Empörung.

Es sind Verbände wie der **Zentralrat der Muslime (ZMD)** oder der **Islamrat**, unter deren Dächern sich laut Verfassungsschutz eine Reihe von zumindest verbalradikalen Vereinigungen wie Milli Görus oder AnhängerInnen der Muslimbrüder-Ideologie finden. Beide repräsentieren eine eher orthodoxe Minderheit unter den deutschen Muslimen. »Sie können (...) nicht ermessen, was sie diesen Mädchen und Frauen antun, wenn sie sie herabwürdigen und aus dem öffentlichen Leben ausschließen wollen«, heißt es in der Stellungsnahme des ZMD zum Karlsruher Urteil. »Es ist schon erschreckend festzustellen, dass sich heute wiederholt, was die Juden im ausgehenden achtzehnten und neunzehnten Jahrhundert mit ihrer ›Integration‹ durchleben mussten. Die Muslime stehen in Deutschland vor der gleichen Entwicklung. Dem Islam droht die Gefahr, auf Grund des politischen und staatlichen Drucks gespalten zu werden in zwei ›Konfessionen‹: den Islam und den Reformislam. Dieses Vorgehen der Politiker bzw. des Staates ist mit dem Neutralitätsgebot unserer Verfassung unvereinbar.« Zentralrat wie Islamrat betonen, dass sämtliche islamische Rechtsschulen die Kopfbedeckung der Frau als religiöse Pflicht bezeichnen, politisiert werde es dagegen von der Mehrheitsgesellschaft in Deutschland. Dass es im »weit entfernten Ausland« Kopftuchzwänge gebe, könne nicht zu einem Berufsverbot für Musliminnen in Deutschland führen.

---

[194] Riem Spielhaus: Kopftuch-Diskurse. unveröffentlichtes Manuskript

An die fragwürdigen Opfervergleiche mit den Juden schloss auch Fereshta Ludin selbst an, als sie bei einer Diskussion bemerkte, sie fühle sich »wie kurz vor dem Holocaust«.[195] Eine Äußerung, die sie postwendend schriftlich zurücknahm.

Es sind unter anderem auch Zweigstellen dieser Organisationen, die Kopftuch-Demonstrationen organisieren oder Kopftuch-Informationsseiten im Internet betreiben. Als Frau aus diesen Zusammenhängen hat sich die **Frauenbeauftragte des Zentralrats**, Maryam Brigitte Weiß, zu Wort gemeldet: Nach einer Suada über zu freizügig angezogene Frauen, Drogenabhängige, Alkoholiker und exhibitionistische Talkshows kommt sie zum Thema. All diese Menschen bezögen sich auf das Recht auf Entfaltung ihrer Persönlichkeit.

> Unsere Gesellschaft leistet sich nach außen hin also den Luxus der Individualität. »Erlaubt ist, was gefällt.« Dabei muss nicht dem Betrachter gefallen, was er sieht. Es reicht, wenn es dem gefällt, der es tut. Und was tut der, dem so viel Freizügigkeit, wie oben in der Mode beschrieben, nicht gefällt? Der kann ja weggucken und schweigen, will er nicht in den Verdacht geraten, ein Boykotteur von »Freiheit« und zugleich von Frieden und Sicherheit zu sein. Und was tut die, die sich nicht so freizügig zeigt? Die sich vielleicht sogar bedeckt? Die vielleicht sogar darauf besteht, langärmelig und ihr Haar bedeckend durch die Straßen zu gehen? Kann für diese Frau auch gelten »Erlaubt ist, was gefällt«? Was ist mit ihrem Recht auf Freiheit?
> Kann man von einer Frau verlangen, dass sie ihr Kopftuch auszieht, damit sie eine Arbeitsstelle bekommt? Ist dies nicht eine Nötigung zu einer Handlung, die nicht mit der freien Entscheidung der Person übereinstimmt? Eine Frau mit Kopftuch, die darauf angewiesen ist zu arbeiten, um ihren Lebensunterhalt zu verdienen, wird durch die Drohung »So kann ich sie nicht einstellen!« und der damit verbundenen Folge der finanziellen Not veranlasst, etwas zu unterlassen, nämlich das Tragen des Kopftuchs. Eine solche Nötigung kann nach § 240 StGB mit einer Freiheits- oder Geldstrafe geahndet werden. Wie viele Arbeitgeber und Arbeitgeberinnen machen sich demnach in Deutschland strafbar?
> Und ist es nicht auch »sittenwidrig«, von einer Frau das Abnehmen des Kopftuchs zu verlangen, wenn dieses Verhalten (das Tragen des Kopftuchs) »aufgrund langer Gewohnheit befolgt wird« (Brockhaus)? Wenn das Anstandsgefühl (Anstand = von einer best. Gesellschaft als gutes Benehmen bewertetes Verhalten) verletzt wird, kann dieses als ein Verstoß gegen die »guten Sitten« gesehen und nach § 138 BGB bestraft werden.
> Aber wen interessieren heute schon noch »gute Sitten« und »Anstand«? Wenn es als schick gilt, sich als von der Norm abweichend zu outen, kann

[195] »Ludin fühlt sich ›wie kurz vor dem Holocaust‹«, Frankfurter Allgemeine Sonntagszeitung, 23.11.03

nicht erwartet werden, dass ein Mehr an Kleidung öffentliche Zustimmung findet.[196]

Derart konservativ werben andere Organisationen nicht für die »guten Sitten«, doch auch der Versuch der **Ahmadiyya-Bewegung**, die Kopftücher zu verteidigen offenbart einen merkwürdigen Blick auf die Sexualität. Auf ihrer Website »kopftuch.info« heißt es unter anderem: Das Kopftuch sei ein »Protest gegen eine Fixierung auf das Aussehen, Verkümmerung der inneren Werte, Eitelkeit und Stolz.« Zudem protestiere man »gegen die Degradierung der Frau zum Sexualobjekt«. Es sei auch ein Zeichen gegen die »sexuell angespannte Atmosphäre in der Öffentlichkeit« und die »Herabsetzung des Mannes auf die Stufe des Neandertalers: auf den Fortpflanzungstrieb«. Es gebe keinen Kopftuchzwang, wird aus dem Koran zitiert. Das Tuchtragen sei eine individuelle Entscheidung zur Differenz: »Nur tote Fische schwimmen mit dem Strom.« Die Krönung ist ein Zitat von Sigmund Freud: »Der Verlust der Scham ist der Beginn der Barbarei.«[197]

Der konservative Islam sieht die Chance gekommen, seine antiquierten Moralbegriffe mit jungen Kopftuchträgerinnen aufzuwerten. Diese allerdings scheinen die »sexuell angespannte Atmosphäre« eher zu genießen. Sie sind unter dem Kopftuch oft extrem attraktiv gekleidet.

Eine Mittlerposition zwischen den MigrantInnengruppen versucht der **Interkulturelle Rat** einzunehmen, der sowohl den interreligiösen Dialog zwischen den in Deutschland vertretenen Religionen organisiert, als auch mit Integrationsfragen beschäftigt ist. Im Januar 2004 veröffentlicht er »Thesen zum Kopftuch«, in denen er der Besorgnis Ausdruck gibt, dass »die Frage, ob eine Lehrerin in Schule und Unterricht ein Kopftuch tragen darf, in Teilen der Mehrheitsgesellschaft zur Projektionsfläche für Ängste und nicht überwundene Vorurteile gegenüber Muslimen, dem Islam und allem Fremden überhaupt wird«. Andererseits gebe es »bei muslimischen Organisationen auch Tendenzen, das Kopftuch politisch zu instrumentalisieren«, gibt der Rat unter Vorsitz des Pfarrers **Jürgen Miksch** zu bedenken. Das Argumentationspapier stellt Pro- und Kontra-Argumente gegeneinander und schließt mit einer Reihe von Thesen, die beide Seiten fordern.[198] So werden die muslimischen Verbände aufgefordert, »die frei-

---

[196] Quelle: ww w.huda.de/frauenthemen/50064594021235414.html

[197] Quelle: *www.kopftuch.info*, Die Ahmadiyya ist eine in Pakistan entstandene muslimische Abspaltung, deren Anhänger als Häretiker verfolgt werden. Deshalb leben viele Ahmadis im deutschen Asyl. Aber auch deutsche Konvertiten sind dabei, darunter der umtriebige Sprecher Hadayatullah Hübsch. Die Ahmadiyya sind laut Spuler-Stegemann (1999: 56) konservativ, ritualtreu und missionieren gern.

[198] Interkultureller Rat: Thesen zum Kopftuch, Quelle: *www.interkultureller-rat.de/Kopftuch.shtml*

heitlich-demokratische Grundordnung der Bundesrepublik Deutschland vorbehaltlos zu bejahen«. Ihre Organisationen müssten sich ebenfalls »demokratisch und transparent« weiter entwickeln. Die Mehrheitsgesellschaft ihrerseits hätte die Muslime als gleichberechtigte Verhandlungspartner zu akzeptieren. Auf dieser Grundlage plädiert der Interkulturelle Rat gegen ein Kopftuchverbot. Es sei in einem Staat, der nicht streng säkular sei, nicht notwendig und führe im Gegenteil nur zu mehr Konflikten. »Die in Jahrhunderten gegen Staat und Staatskirche erkämpfte Religionsfreiheit muss sich auch bei der Integration von Bevölkerungsgruppen islamischer Prägung bewähren«, meint der Rat und schließt pragmatisch: »Ein Blick in europäische Nachbarländer wie Großbritannien oder Österreich zeigt, dass dort seit Jahren Lehrerinnen mit Kopftuch unterrichten, ohne dass es zu nennenswerten Problemen gekommen wäre. Gleichzeitig haben Kopftuchverbote in Frankreich und der Türkei zu einem Streit ohne Ende geführt. Dies sollte und kann Deutschland erspart werden.«

Einen weiteren Vorstoß in dieser Richtung unternahmen **sämtliche Integrations-, Migrations- und Ausländerbeauftragte des Landes Berlin**: Sie beobachten, wie muslimische Frauen mit Kopftuch seit Beginn des Streits stigmatisiert wurden. »Mit Sorge stellen wir fest, dass seit Beginn der Kopftuchdebatte muslimische Erzieherinnen, die ein Kopftuch trügen, kaum noch Praktikumsplätze finden. (...) Der Maßstab für die Bewertung einer Lehrerin darf nicht sein, was sie auf dem Kopf trägt, sondern ob sie eine gute Lehrerin ist, die die Achtung der Grundwerte der Demokratie vermitteln kann.«[199] Die Ausländerbeauftragten halten deshalb ein gesetzliches Koptuchverbot »für das integrationspolitisch falsche Zeichen«. Statt des Verbotes wollen sie ein »Aktionsprogramm zur Verbesserung der Integrationschancen für Frauen und Mädchen mit Migrationshintergrund«. Und sie wollen Lehrer aufklären, damit diese besser mit den Alltagskonflikten im Zusammenhang mit dem Islam umgehen können.

Die Frauen

Die feministische Debatte ist schwer gespalten. Gegen religiöse Symbole in der Schule sprechen sich ebenso frauenbewegte Stimmen aus wie für die Selbstbestimmung von religiösen Musliminnen. »Mein Kopf gehört mir« ist zwar ein Slogan, der von der 1970er-Jahren-Frauenbewegung entliehen wurde, doch die Original-Vertreterinnen bezweifeln heute genau das: Für sie sind die Kopftuchfrauen fremdbestimmt und

[199] »Ein Kopftuchverbot löst keine Probleme«, Pressemitteilung des Beauftragten des Senats von Berlin für Integration und Migration, 17.2.2004

manipuliert. Dagegen hat die **Integrationsbeauftragte Marieluise Beck** ihre berühmten siebzig Frauen versammelt. Ein Auszug aus dem Aufruf:

> »Nicht jede muslimische Frau, die sich für das Kopftuch entscheidet, vertritt den politischen Islam oder sympathisiert mit ihm. Gerade Frauen in der Diaspora greifen auf das Kopftuch zurück, um mit Selbstbewusstsein ihr Anderssein zu markieren oder eine Differenz im Verständnis von Sittsamkeit und Tugendhaftigkeit gegenüber der Aufnahmegesellschaft zu dokumentieren. Emanzipation und Kopftuch sind für viele Musliminnen eben kein Widerspruch.
> Wenn wir ohne Prüfung der individuellen Motive generell Frauen mit Kopftuch vom öffentlichen Schulleben ausschließen, treffen wir gerade die Frauen, die mit ihrem Streben nach Berufstätigkeit einen emanzipatorischen Weg beschreiten wollen.
> Da das Kopftuch ein geschlechtsspezifisches Merkmal ist, treffen wir zudem immer nur Frauen und nie den Mann – weder als Unterdrücker noch als politisch Agierenden. Um männliche islamische Fundamentalisten vom Schuldienst fernzuhalten, stehen uns die – wie wir finden auch für Frauen ausreichenden – Instrumente der individuellen Eignungsprüfung und des Disziplinarrechts zur Verfügung. Es steht zu befürchten, dass das Verbot des Kopftuchs für Lehrerinnen die allgemeine gesellschaftliche Stigmatisierung derjenigen Frauen, die es tragen, vorantreibt. Mit der Botschaft, das Kopftuch sei per se politisch und gehöre daher verboten, wird diese Einordnung auch die Frau in der Arztpraxis, die Verkäuferin und vielleicht bald auch die Schülerin treffen. Dies kann nicht in unserem Sinne sein. Es gilt, muslimische Frauen auf ihrem Berufsweg zu stärken und es ihnen damit möglich zu machen, einen selbstbewussten, frei gewählten Lebensentwurf zu verfolgen.
> Durch ein Kopftuchverbot würden sich viele Muslime in der Einschätzung bestärkt fühlen, sie seien gesellschaftlich ausgegrenzt und chancenlos. Auf Ausgrenzungserfahrungen folgt häufig der Rückzug aus der Mehrheitsgesellschaft. Undemokratische islamische Organisationen wissen dies auszunutzen, dies ist der Nährboden für radikale Gesinnungen.«[200]

Beck hat einige Namen von Gewicht unter ihrem Aufruf versammeln können. Hier finden sich die CDU-Politikerinnen Barbara John und Rita Süssmuth, die Grünen Ministerin Renate Künast, Marianne Birthler, Claudia Roth, Grietje Bettin, Antje Hajduk, Sylvia Löhrmann und Fraktionschefin Krista Sager, aus der FDP Sabine Leutheusser-Schnarrenberger, Irmgard Schwaetzer und Lieselotte Funcke. Zwei der drei evangelischen Bischöfinnen haben unterzeichnet: Bärbel Wartenberg-Potter und Maria Jepsen. Aus den Gewerkschaften sind die GEW-Chefin Eva-Maria Stange und die Verdi-Vizechefin Margret Mönig-Raane dabei. Dazu verschiedene Migrationsfachfrauen und -wissenschaftlerinnen. Zu ihnen gehören etwa die

---

[200] Marieluise Beck et al.: »Religiöse Vielfalt statt Zwangsemanzipation!« Aufruf wider eine Lex Kopftuch. Quelle *www.integrationsbeauftragte.de*

Essener Sozialwissenschaftlerin Yasemin Karakasoglu, die vor dem Verfassungsgericht als Kopftuch-Expertin aufgetreten war, oder die Islam-Expertin Gerdien Jonker. Aber auch die feministische Publizistin Katharina Rutschky oder die Sozialwissenschaftlerin Birgit Rommelspacher stehen auf der Liste. Hier ist auch eine der raren jüdischen Stimmen zu dem Thema Kopftuch zu finden: Elisa Klapheck, die Chefredakeurin der Zeitschrift *Jüdisches Berlin,* hat mit unterzeichnet.

Aber auch andere einzelne Publizistinnen und Wissenschaftlerinnen melden sich zu Wort: **Barbara Vinken**, Professorin für Romanistik und Autorin des vielbeachteten Buchs »Die deutsche Mutter«, diagnostizierte, dass der Staat, der sich mühsam der Religion entledigt habe, auf dieses erneute religiöse Symbol traumatisiert reagiere:

> »Hinter dem Kopftuch verbirgt sich eine verdrängte Angst des aufgeklärten Staates (...): Steht er mit Kopftuch etwa vormodern unaufgeklärt da? (...) Im Stande religiöser Verblendung statt der aufgeklärten Toleranz, zu deren Bild seit den Wehen der Religionskriege die von der Religion verhüllte Frau gehört? (...) Um aus dieser prekären Lage herauszukommen, die keine Überwindung verspricht, sondern eine Fortführung der Religionskriege unter neuem Namen androht, müssen wir uns dem Sachverhalt stellen, dass die Neutralität unserer Institutionen eine postchristliche ist. Dieser Staat hat das Christentum nicht hinter sich gelassen, sondern in sich aufgenommen (...). Ohne diesen Erkenntnisprozess, als das abstrakte Postulat, als das er heute auftritt, verfällt der Laizismus in dieselbe obskurante Ideologie, die er überwinden will.« Fundamentalistischen Auslegungen des Islam müsse man nur da widersprechen, »wo sie garantierten Freiheiten zuwider laufen. Man sollte der Wirkung dieser Freiheiten zutrauen können, gegenläufige Interpretationspraktiken irrelevant und unattraktiv zu machen. Das kann nicht dadurch geschehen, dass Gerichte sie indirekt in der Wirksamkeit ihrer symbolischen Politik bekräftigen. (...) Jenseits aller Staats- und Amtskörper sollte man einer Frau, der es unangenehm ist, ohne Kopftuch in der Öffentlichkeit aufzutreten, ohne Ansehen der Gründe die selbstgesetze Schamgrenze zubilligen.«[201]

Als Iranerin steht sie nicht in der ersten Reihe des deutschen Feminismus, als Nobelpreisträgerin aus einem Land, das den KopftuchgegnerInnen als Beispiel dient, ist ihre Haltung interessant: Die Rechtsanwältin **Schirin Ebadi**, deren Auftritt ohne Kopftuch bei der Übergabe des Friedensnobelpreises im Dezember 2003 die VerbotsbefürworterInnen beflügelte, widerspricht diesen mit einigem Nachdruck. Jede Frau, die das Kopftuch aus freien Stücken tragen möchte, sollte dies tun können:

> »Wenn sie nicht missionieren will, sollte sie das Kopftuch tragen dürfen, genauso wie man das Recht haben sollte, mit Hut spazieren zu gehen. Oder nackt. Ich bin der Überzeugung, dass Menschen die Freiheit besit-

---

[201] »Die Angst vor dem Kopftuch«, Die Zeit, 18.9.2003

zen müssen, so zu leben wie sie es wollen. (...) Dass bestimmte Länder nun Musliminnen verbieten wollen, mit Kopftuch in der Schule zu unterrichten, widerspricht der Idee von Freiheit. Dass in Europa eine Frau wegen ihres Kopftuchs nicht Parlamentsabgeordnete sein darf, widerspricht der Idee von Freiheit. Wir müssen lernen, nebeneinander in Frieden zu leben, auch wenn wir unterschiedliche Glauben und Meinungen haben.«[202]

Ihre Haltung ist typisch für Vertreterinnen eines muslimischen Feminismus, den vor allem die paternalistische Haltung der West-Feministinnen den Musliminnen gegenüber stört. Andere Iranerinnen vertreten die gegenteilige Ansicht: Die Schriftstellerin **Chahdortt Djavann** etwa, die heute in Frankreich lebt, hat in bewegenden Worten ihr Nein zum Tuch formuliert: »Das Kopftuch verurteilt den weiblichen Körper dazu, sich zu verhüllen, abzuschotten. Denn der Körper einer Frau ist das Objekt, in das muslimische Männer ihre Ehre einbrennen, und darum – und nur darum – muss dieser Körper beschützt werden. Das Kopftuch symbolisiert nichts als die psychische Verwirrtheit der muslimischen Männer...«[203]

Die markanteste Argumentation gegen das Kopftuch in deutschen Schulen schließt an diese Haltung an und kommt von der Feministin und Herausgeberin der Zeitschrift *Emma*, **Alice Schwarzer**.

»Seit mindestens 20 Jahren ist der Schleier keine Frage von Tradition oder Glauben mehr, sondern eine politische Demonstration. Er ist die Flagge des islamistischen Kreuzzuges, der die ganze Welt zum Gottesstaat deformieren will. Wehret den Anfängen!«, schreibt sie.[204] Sie stellt den Zusammenhang des Tuches mit dem politischen Islam nicht nur auf symbolische Ebene, sondern direkt her: Fereshta Ludin sei ebenso wie einige andere Lehrerinnen mit Kopftuch Anhängerin eines fundamentalistischen Islam. Allerdings sind ihre Belege nicht eindeutig. Dass Ludin eine muslimische Frauengruppe gegründet habe, hält einmal als Beweis her. Anonyme Zeuginnen ein andermal. Auch Schwarzer stellt das Kopftuch in den Zusammenhang mit einem wachsenden Einfluss der Islamisten in den Schulen. Die Mädchen hätten früher ihre Kopftücher vor der Schule abgenommen, mittlerweile kämen sie »in vollem Ornat« in den Unterricht, so zitiert Schwarzer eine Gesamtschullehrerin. Das Ganze habe System, meinen die Lehrerin und auch Schwarzer.[205] Mit Polemik wird dabei nicht gespart: »Wir haben in Deutschland (...) einen Schulterschluss zwischen religiösen Fundamentalistinnen und weltlichen Differenzialistinnen quer durch alle Lager, die beide nichts halten von den universellen

---

[202] »Rechte Menschenrechte«, Süddeutsche Zeitung, 10.12.2003

[203] Chahdortt Djavann: »Bas les voiles«, Paris 2003, Auszug in der Berliner Zeitung, 10. 1. 2004

[204] »Herablassende Pseudo-Toleranz«, Frankfurter Rundschau, 2.6.2003

[205] Alice Schwarzer: Die Gotteskrieger und die falsche Toleranz«, Köln 2002: 136

Menschenrechten«, meint Schwarzer etwa.[206] Das dürften die MenschenrechtlerInnen, die gegen ein Kopftuchverbot sind, wohl anders sehen. Schwarzer will konsequenter Weise alle Symbole aus den Schulen verbannen: Die klare Trennung von Staat und Religion sei »noch nie so wichtig wie heute« gewesen, postuliert sie.[207]

Alice Schwarzer ist nicht allein unter den feministischen Säkularistinnen. Explizit gegen den Aufruf von Marieluise Beck wendet sich etwa die Berliner Feministin **Halina Bendkowski** in einem Gegenaufruf: »In einer problemabgewandten ›liberalen‹ Haltung liefern (die Unterzeichnerinnen) junge Mädchen, die in der Schule eine Chance hätten, etwas anderes – Freiheit – kennen zu lernen als religiöse Unterdrückung, genau dieser aus. Anstatt durch den Kopftuchkonflikt alarmiert, endlich die Trennung von Staat und allen Kirchen zu fordern und durchzusetzen, verfällt die Allparteienfrauenschar in die pseudoemanzipatorische Falle der Duldung von Frauenunterdrückung, weil eine Lehrerin ihre islamische Überzeugung des Kopftuchzwanges auch beruflich nicht unterdrücken will«, heißt es darin.[208]

Im Anschluss an den Anti-Beck-Aufruf wurde ein weiterer aus der selben Gruppe lanciert, in dem ausgeführt wird:

> »Bei der gegenwärtigen ›Kopftuch-Debatte‹ geht es nicht nur um eine Kleiderordnung. In Wirklichkeit befinden sich viele in Deutschland lebende Frauen in einem rechtsfreien Raum. Es gibt eine große Zahl hier lebender Frauen und Mädchen, für die das Grundgesetz nicht zu gelten scheint und denen das Grundgesetz keine Rechtssicherheit bietet. Was heißt das?
> Diese Frauen dürfen nicht aus eigenem Willen das Haus verlassen, sei es, weil es ihnen als Ehefrauen von ihren Männern verboten wird oder weil sie von Menschenhändlern nach Deutschland verschleppt, zur Prostitution gezwungen und ansonsten versteckt, weil illegal gehalten werden.
> Mädchen dürfen – veranlasst durch deren Eltern und Verwandte – sich auf der Straße nicht frei bewegen, in den Schulen nicht am Sportunterricht teilnehmen, nicht am Sexualkundeunterricht, nicht an Klassenfahrten. Sie dürfen keine Freizeitangebote wahrnehmen oder als Erwachsene nicht die zur Verfügung gestellten Integrationsangebote annehmen, z. B. Sprachkurse belegen.
> Zu Hunderten werden sie allein in Berlin jährlich entführt und zwangsverheiratet. Das Beschneidungsverbot wird übertreten und praktisch nicht verfolgt.« [209]

---

[206] Schwarzer 2002: 134

[207] in der Sendung »Berlin Mitte« vom 25.9.2003, Quelle: *www.zdf.de/ZDFde/inhalt/0/0,1872,2068864,00.html*

[208] »Solidarität mit Köpfen ohne Tücher«, die tageszeitung, 6.12.2003

[209] *www.members.partisan.net/sds/sds06203.html*

Migranten, die die Freiheiten der Frauen nach Artikel 3 GG nicht anerkennen, sollten ihr »Aufenthaltsrecht verwirken«, regen die UnterzeichnerInnen an. Diese Forderung nach Abschiebung von Männern, die ihren Töchtern das Kopftuch aufdrücken, ist auch von einigen WissenschaftlerInnen und PolitikerInnen unterschrieben worden, darunter Anita Heiliger vom Deutschen Jugendinstitut, der Frauenrechtsorganisation Terre des femmes, der Soziologieprofessorin Frigga Haug oder der Publizistin Viola Roggenkamp. Das ist erstaunlich, weil hier dazu aufgerufen wird, das Rechtsstaatsprinzip für MigrantInnen ausser Kraft zu setzen. Der Vorschlag sei, so erklärte Frigga Haug im Nachhinein, vor allem als »Provokation« gedacht.[210]

Feministinnen dieser Generation sprechen sich oft explizit für Laizität aus: So verweist etwa die Professorin für Sozialwesen an der FH Erfurt, **Cillie Rentmeister**, explizit auf ihre Vergangenheit als »Mitbegründerin der ›neuen‹ deutschen Frauenbewegung« und wünscht sich »eine geschlechterdemokratische, laizistische, pluralistische europäische Kultur«, in der Kopftücher keinen Platz haben. Die Frauenbewegung habe für die Aufhebung der Trennung von privat und öffentlich gekämpft, die Frauen in die Unsichtbarkeit verbannte. Auf dem Weg zu der von ihr gewünschten Gesellschaft hat der Schleier daher nichts zu suchen: »Ich halte die Verschleierung (...) für einen Rückschlag: Die Trennung in die zwei Sphären von ›privat‹ und ›öffentlich‹ wird ausgerechnet in deutschen staatlichen Schulen wieder eingeführt und praktiziert.«[211]

Solche Ansichten halten Frauen mit Kopftüchern für glatte Fehlanalysen. **Iyman Alzayed**, die Goslarer Grundschullehrerin, fühlt sich dadurch sogar in ihrer Würde verletzt: »Die Einschätzung des Kopftuchs als ›Symbol‹ ist meiner Einschätzung nach bereits die Ursache fataler Fehlurteile. Das Kopftuch (...) stellt einen Teil einer religiösen Glaubenspraxis dar, indem es die Funktion erfüllt, Teile ihres Äußeren zu bedecken, die die Frau als mündiger Mensch zu bedecken wünscht. (...) Jedes Ideologisieren läuft dem Recht der Frauen auf Selbstbestimmung als mündige Menschen zuwider.« Es gebe auch schlechte Praktiken im Namen des Islam. Die Frauen und Mädchen, die darunter litten, bräuchten selbstverständlich Unterstützung. »Eine Unterstützung, die sich aber nicht am erwarteten Erscheinungsbild festmacht (und somit nur eine durch eine andere hineinprojizierte ablöst), sondern eine Unterstützung, die das Indivi-

---

210 »Der Streit um das Kopftuch verdeckt die wahren Probleme, meint Frigga Haug«, die tageszeitung, 17.1.2004

211 Cillie Rentmeister: Rückschläge? Überlegungen zu Kulturrelativismus und Geschlechterdemokratie in Deutschland, in: Via Regia – Blätter für internationale kulturelle Kommunikation, Juli 2000

duum in seinen jeweiligen eigenen Sichtweisen ernst nimmt und somit eine Unterstützung des jeweiligen eigenen Strebens anbietet.«[212]

Kopftuchträgerin ist auch **Hamideh Mohagheghi**, eine iranische Juristin und Theologin, die das **muslimische Frauennetzwerk Huda** mitgegründet hat. Sie meint ähnlich: »Die Mehrheit der muslimischen Frauen sehen in der Form ihrer Kleidung ein Zeichen ihrer Religiosität (...). Sie sehen darin weder die eigene Ausschließung aus der Gesellschaft noch wollen sie damit ein Zeichen setzen, dass alle anderen Frauen weniger Wert sind. (...) Daher ist es für sie nicht tragbar, wenn sie erleben müssen, nicht nach ihrer Kompetenz, sondern nach ihrem Aussehen beurteilt zu werden, oder dass ihre Lebensform immer wieder mit extremen Strömungen in Verbindung gebracht wird.«[213]

Exkurs: Berufsverbote

Das Stichwort Berufsverbot fiel mehrmals in der politischen Debatte. Vor allem die Juristen Battis und Bultmann beziehen sich positiv darauf: Eine Art Extremistenbeschluss erscheint ihnen angesichts des verfassungsfeindlichen Kopftuches ganz angemessen. Auch der Zentralrat sprach von einem »Berufsverbot für praktizierende Musliminnen«.

Berufsverbote sind gelinde gesagt verrufen, und zwar nicht zuletzt durch diejenigen, die sie einst einführten: die SPD. Am 28. Januar 1972 beschloss die Ministerpräsidentenkonferenz auf Anregung des SPD-Bundeskanzlers Willy Brandt den »Radikalenerlass«, um politische »Extremisten« aus dem Öffentlichen Dienst fern zu halten. Willy Brandt selbst hat das später als »historischen Irrtum« bezeichnet, der damalige NRW-Justizminister Diether Posser nennt sie heute einen »verfassungswidrigen Missgriff«.[214] Zur Abwehr von »Verfassungsfeinden« sollten damals »Personen, die nicht die Gewähr bieten, jederzeit für die freiheitlich demokratische Grundordnung einzutreten«, aus dem Öffentlichen Dienst ferngehalten werden.[215] Die Behörden erhielten die Erlaubnis, sich beim Verfassungsschutz über die politischen Aktivitäten ihrer StaatsdienerInnen per »Regelanfrage« zu informieren. Damit lag die Entscheidung, wer ein

---

[212] Vortrag auf der Tagung: »Das Kreuz mit dem Kopftuch.« in: Evangelische Akademie Bad Boll, 29.11.03 Quelle: *www.ev-akademie-boll.de/texte/online/doku/642203/_642203.htm*

[213] unveröffentlichtes Manuskript

[214] »Verheerende Folgen«, Frankfurter Rundschau, 28.1.2002

[215] Ministerialblatt Nordrhein-Westfalen 1972: 342, Quelle: *www.dhm.de*

Verfassungsfeind ist, bei der Exekutive statt bei der Hüterin der Verfassung, dem Bundesverfassungsgericht. Bis 1976 die SPD-Länder zumindest die Regelanfrage wieder abschafften, wurde beinahe eine halbe Million Bewerberinnen und Bewerber auf diese Art geprüft. Da die Unionsländer munter weiterfragten, waren 1979 bereits über eine Million Anfragen gestellt worden.[216] Es kam laut Bundesregierung zu 11.000 offiziellen Berufsverbotsverfahren, 2.200 Disziplinarverfahren, 1.250 Ablehnungen von Bewerbern und 265 Entlassungen.[217] Der Erlaß wurde offiziell nie aufgehoben, allerdings wandten ihn immer weniger Länder an: Bayern und Baden-Württemberg waren 1990 die letzten, die die Regelanfrage abschafften, den Radikalenerlass sollen sie erst 2000 außer Kraft gesetzt haben.

Betroffen von den so genannten Berufsverboten war vor allem die politische Linke: Mitglieder der Deutschen Kommunistischen Partei (DKP) und des Kommunistischen Bund Westdeutschlands (KBW), aber auch Mitglieder der Deutschen Friedensunion, JungsozialistInnen und JungdemokratInnen, KriegsgegnerInnen und kritische GewerkschafterInnen.

Der Radikalenerlass hob sich, vorsichtig ausgedrückt, vom Boden des Grundgesetzes ab. Die DKP war eine legale Partei. Dennoch reichte ein Parteiamt aus, um als Beamter entlassen zu werden.[218] Zudem wurde der Erlass politisch ausgedehnt und als Druckmittel verwendet – bis dahin, dass eine Lehrerin als potenzielle Verfassungsfeindin vorgeladen wurde, die für die Abschaffung des Paragrafen 218 demonstriert hatte.[219]

Der Klageweg gegen diese Entlassungen erwies sich in Deutschland als steinig, denn trotz einiger Erfolge vor unteren Instanzen verfügte das Bundesverwaltungsgericht, dass die Mitgliedschaft in der DKP ausreiche, um eine »innere Überzeugung« des Bewerbers anzunehmen, die der Treuepflicht der Beamtin widerspreche.[220] Das Bundesverfassungsgericht ließ diese Deutung in seinem Urteil zum »Extremisten-Beschluss« vom 22.5.1975[221] nicht zu. Das »bloße Haben einer Überzeugung« sei nicht ausreichend, um als StaatsdienerIn ungeeignet zu sein – aber die Mitgliedschaft in den entsprechenden Parteien säe in der Tat berechtigte Zweifel an der Verfassungstreue der BewerberInnen. Eine Einzelfallprüfung sei deshalb vorzunehmen.

---

[216] Bundeszentrale für politische Bildung:Informationen zur politischen Bildung, Heft 258, Quelle: *www.bpb.de*

[217] Diese Angaben soll die Bundesregierung gegenüber der Internationalen Arbeitsorganisation (ILO) gemacht haben, vgl. *www.berufsverbote.de*; die Bundeszentrale für politischen Bildung gibt mit 428 deutlich weniger Nichteinstellungen an.

[218] Bundeszentrale für politische Bildung, a.a.O.

[219] »Willys historischer Irrtum«, Badische Zeitung, 24.1.2002

[220] Bundesverwaltungsgericht, Entscheidung vom 10.2.1975

[221] BVerfGE 39, 334

Ein Vergleich des Kopftuch-Verbots mit diesen Berufsverboten ist nicht ganz einfach. Bei den Berufsverboten ging es um politische Äußerungen, beim Tuch zunächst um eine religiöse Äußerung – zunächst, wohlgemerkt. Denn viele PolitikerInnen scheuen sich nicht, das Kopftuch zu politisieren, um es von anderen religiösen Symbolen abzugrenzen. Auch die Juristen Battis und Bultmann sind auf diesem Weg ein weites Stück gegangen. Dem Tuch wird eine verfassungsfeindliche Aussage unterstellt. Ebenso wie die Parteimitgliedschaft in der DKP allein schon den Verdacht der Verfassungsfeindlichkeit begründete. Parallel zum Berufsverbotsfall würde das Verfassungsgericht nun sagen: »Das Haben eines Kopftuchs reicht als Grund für ein Berufsverbot nicht aus.« Deshalb schlagen die beiden Juristen eine Einzelfallprüfung vor. Wie zu besten Radikalenerlasszeiten.

Diesen Vorwurf müssen sich die Bundesländer, die das Tuch so eindeutig als gefährliches Symbol bezeichnen, gefallen lassen. Doch auch das Land Berlin mit seinem Verbot aller religiösen Symbole ist nicht auf der sicheren Seite. Da es auf die politische Gefahr nicht direkt rekurrieren muss, kann dem Land auch kein Berufsverbot unterstellt werden. Doch es behandelt ungleiche Religionen gleich, weil es die Schamgrenzen der Muslimin überschreitet, während es der Christin nur das Ablegen eines Symbols abverlangt. Das ist zwar kein Berufsverbot im historischen Sinn, aber religiöse Diskriminierung.

Kapitel 4

Der Islamismus

Fereshta Ludin unter Verdacht

In der politischen Debatte wird zum »Blauäugigen« oder zur »Naiven«, wer sich an die juristische Gepflogenheit der Unschuldsvermutung hält. In der Politik herrscht die *Logik des Verdachts*. Gerade die jungen Kopftuchträgerinnen, »Neo-Muslimas« werden sie auch genannt, würden ihren konservativen Islam verbreiten wollen. Ein Islam, bei dem es keine klare Abgrenzung zwischen Religion und Staat gibt, der den Gottesstaat will, was auch immer das im Einzelnen heißen mag. Fundamentalistische Verbände rekrutieren und nutzen sie für dieses Ziel. Die erste, gegen die sich der Verdacht im Kopftuchstreit richtet, ist Fereshta Ludin. Aufs Korn genommen hat sie vor allem Alice Schwarzer in der *Emma*.

Anhand eines Porträts von Ludin, das in der *Emma* erschien, lässt sich die Logik des Verdachts veranschaulichen.[222] Als Fereshta Ludin ein Kind war, führte die traditionelle Pilgerreise ihre Familie nicht schlicht nach Mekka, sondern »in das Land, das als Haupt-Financier des weltweiten islamistischen Terrors gilt«. Ludin absolviert ihr Studium in Schwäbisch Gmünd: »Hinter der Hand wird in der schwäbischen Kleinstadt geflüstert: ›In Schwäbisch Gmünd ischt die Milli Görüs sehr stark‹«, so *Emma*. Ein Zusammenhang mit Ludins Ausbildung ist nicht ersichtlich. Es tritt eine weitere nicht genannte Zeugin auf, die Fortbildungsveranstaltungen über den Islam bei Ludin besucht hat. »Ich habe da völlig unvoreingenommen teilgenommen. Aber was die Frau Ludin da erzählt hat, das hat mir die Sprache verschlagen. Sie hat unter anderem gesagt, deutsche Frauen seien unrein, und nur muslimische seien rein. Muslimische Frauen hätten mehr Rechte als deutsche und stünden höher als die Männer. Also, da hat mich etwas angeweht, was mir regelrecht Angst gemacht hat... Ich hatte den Eindruck, da wird unterwandert. Es waren auch deutsche Mus-

[222] »Die Kopftuch-Lüge«, Emma, 1/2, Januar 1999, S. 62ff

liminnen aus Freiburg da, die Ludin unterstützt haben. Ich war so empört, dass ich mitten in der Veranstaltung rausgegangen bin.« Weitere ungenannte Zeuginnen berichten von Ludins Moscheeführungen in Schwäbisch Gmünd, bei denen Ludin erläutert habe, das Kopftuch sei »ein Schutz vor der westlichen Dekadenz« und »Ausdruck der Würde der Frauen«.

Als Schwarzer ihre Vorwürfe kurz vor dem Karlsruher Urteil des Verfassungsgerichts im *Spiegel* wiederholt,[223] dementiert Ludin eine der Aussagen. In einem offenen Brief erklärt sie, der Satz, deutsche Frauen seien unrein und muslimische rein, »hat nie meinen Vorstellungen und auch nicht meinem Sprachgebrauch«[224] entsprochen. Eine offizielle Gegendarstellung allerdings verlangt sie nicht, auch eine Unterlassungsklage wird nicht angestrengt.

Die anderen Sätze dementiert sie nicht. Sie zeichnen zwar immer noch ein merkwürdiges Bild von Ludin, aber auch ein ebenso merkwürdiges von der anonymen Zuhörerin. Es ist nicht ganz verständlich, warum man sich unterwandert fühlen sollte, wenn eine Muslimin meint, Frauen hätten im Islam mehr Rechte als im Christentum oder stünden höher als Männer. Das mag eine arg idealisierte Version von Islam sein. Doch der Versuch Ludins, eine feministische Neuinterpretation des Islam zu unternehmen, hat vielleicht mit Missionierung, aber nicht mit Unterwanderung zu tun.

Auch das Ablehnen der »westlichen Dekadenz« ist für Schwarzer empörend. Es scheint, als dürfe gerade eine Muslimin keine Kritik dieser Art üben, die westlichen Kulturpessimisten durchaus zugestanden wird. Das Reden von westlicher Dekadenz ist ein klassisches Versatzstück fundamentalistischer Propaganda – aber nicht nur. Die Sorge, man könne »verwestlichen« und damit dem Alkohol, Drogen und sexueller Freizügigkeit verfallen, ist mehr MuslimInnen eigen als nur FundamentalistInnen.

Einen Unterwanderungsverdacht hegt auch der *Spiegel*, der das dementierte Rein-unrein-Zitat später ungeniert weiterverwendet, ohne das Dementi zu erwähnen. Im Gegenteil: »Dies sind keine harmlosen Prädikate«, stellen die Autoren ohne weitere Begründung fest.[225] Wenn Ludin Religionsfreiheit fordere, fordere sie »Toleranz für Intoleranz«, folgern sie aus diesem Satz und garnieren dies mit antidemokratischen Zitaten der Extremisten Metin Kaplan und Ayatollah Khomeini. Liberale Islamwissen-

---

[223] »Die Machtprobe«, Der Spiegel, 23.6.2003

[224] »F. Ludin versus A. Schwarzer«, die tageszeitung, 4.7.2003

[225] »Das Kreuz mit dem Koran«, Der Spiegel, 29.9.2003

schaftlerInnen sahen sich daraufhin genötigt, den Text öffentlich zu kommentieren.[226]

Doch auch solche unfairen Suggestivtexte verweisen letztlich auf ein Problem, das der konservative Islam in Deutschland mit sich herumträgt. Das muslimische Leben in Deutschland, zumal das streng konservative, das in den letzten Jahren mit Forderungen nach Sonderbehandlungen für Muslime in die Öffentlichkeit drängt, ist leider von hinreichend belegter Ambivalenz: Es ist derzeit schwer, eine saubere Trennlinie zwischen orthodoxem Islam und verfassungsfeindlichen Auffassungen zu ziehen. Fereshta Ludin bewegt sich im Umfeld dieses konservativen Islam. Damit gerät sie auch in das Umfeld von Organisationen, die der Verfassungsschutz im Visier hat.

Zwei weitere Episoden aus Ludins Wirken können dies verdeutlichen. Als das Land Baden-Württemberg Ludin die Anstellung verweigert, bietet sich die Islamische Grundschule Berlin an, sie und ihren Mann, einen deutschen Konvertiten, auf je einer halben Stelle zu beschäftigen. Trägerverein der Schule ist das Islam-Kolleg e.V., das wiederum Mitglied der Islamischen Föderation Berlin (IFB) ist. Diese wehrt sich seit Jahren gegen den mittlerweile gut belegten Vorwurf, sie arbeite eng mit der fundamentalistischen Organisation Milli Görüs zusammen.[227] Gerichtlich geklärt ist, das man das Islam-Kolleg wegen der engen personellen Verflechtungen als »Tarnorganisation« von Milli Görüs bezeichnen kann. Die Föderation ist auch im Gerede, weil sie sich 2001 in Berlin das Recht erklagte, islamischen Religionsunterricht zu erteilen, was sie mittlerweile tut. Der Senat hatte die Lehrpläne abgelehnt, weil er sie für nicht verfassungskonform hielt.

Verschiedene Medien hielten Ludin nun vor, sie arbeite an einer Schule, die in Verbindung zu der islamistischen Milli Görüs stehe. Jedes Mal antwortete Ludin, von einer solchen Verbindung wisse sie nichts.[228] Dass sie sich nach der dritten Nachfrage immer noch nicht dafür interessiert, ob an diesem Vorwurf etwas dran ist, ist merkwürdig. Es kann sich um

---

[226] Katajun Amirpur bescheinigt dem Spiegel »Hetze«. Durch solche Artikel dränge man Muslime »zum Zusammenschluss mit jenen, die tatsächlich keine demokratische Gesinnung haben«, in: »Das Kreuz mit dem Spiegel«, Quantara.de, Quelle: *www.quantara.de/webcom/show_article.php?wc_c=469&wc_id=45*
Navid Kermani wirft Spiegel-Herausgeber Aust in einem offenen Brief vor, er heize »jenes Klima noch an, in dem Musliminnen auf der Strasse angespuckt oder aufgefordert werden, zu den Mullahs zurückzukehren«, in: »Feindliche Übernahme«, die tageszeitung 9.10.2003

[227] Eberhard Seidel, Claudia Dantschke, Ali Yildirim: Politik im Namen Allahs, Brüssel 2000: 38, Download: *www.aypa.net,* Die IFB bestreitet dies.

[228] u. a. »F. Ludin versus A. Schwarzer«, die tageszeitung, 4.7.2003; Report Mainz, 30.6. 2003, Download: *www.swr.de/report/archiv/sendungen/030630/03/frames.html*

eine Art Selbstschutz handeln: Eine Zeit lang sah es so aus, als blieben Ludin außer der islamischen Grundschule nicht viele Alternativen, wenn sie ihren Beruf betucht ausüben will. Wenn sie es sich mit ihrer Schule verdorben hätte, wäre das nicht klug gewesen. Dennoch beteiligt sie sich damit an der Verleugnungsstrategie der Organisation.

Die zweite Episode betrifft ihre Aktivitäten in der Muslimischen Jugend Deutschland. Diese ebenfalls sehr korantreue Jugendorganisation ist 2003 Hals über Kopf von der Förderliste des Bundesfamilienministeriums gestrichen worden, weil der Verfassungsschutz »personelle Verflechtungen« mit Muslimbrüdern behauptete. Die Muslimische Jugend tritt unter anderem bei Veranstaltungen der Islamischen Gemeinschaft Deutschlands (IGD) auf, die der Verfassungsschutz als »größte Muslimbruder-Gruppierung in Deutschland«[229] bezeichnet. Der Vorsitzende der IGD, Ibrahim El-Zayat, leitete eine Zeit lang die muslimische Jugend, heute tut dies sein Bruder. Es könnte der Verdacht entstehen, dass die Muslimische Jugend eine Vorfeldorganisation der Fundamentalisten sei. Erwiesen ist das aber nicht.

Zudem wollte der Verein sein Vermögen bei Auflösung zunächst dem Spendensammelverein Al-Aqsa e. V. vermachen. Der wiederum wurde verboten, weil er angeblich die palästinensische Terrorgemeinschaft Hamas unterstütze. Bis zu ihrer Klage gegen das Land Baden-Württemberg im Jahr 1998 saß Fereshta Ludin im Vorstand der Muslimischen Jugend, die sich laut Website die islamische Missionierung zum Ziel gesetzt hat. Das alles ist nicht illegal: Als angehende Beamtin die Funktion in einem Missionsverein niederzulegen, um Interessenkollisionen zuvermeiden, ist sogar ehrenwert. Und Al-Aqsa war ebenfalls ein legaler Verein, bis Innenminister Otto Schily sein terrorgeschärftes Auge auf ihn warf. Aber Al-Aqsa war eben auch kein Verein von Betschwestern. Das haben die jungen MuslimInnen gebilligt. Die Muslimische Jugend selbst hat sich gegen Unterstellungen, sie seien Fundamentalisten, empört verwahrt. Auch KooperationspartnerInnen wie die DGB-Jugend waren schockiert von dem plötzlichen Rauswurf der Organisation. Man habe gut zusammengearbeitet und dabei keinerlei Fundamentalismus feststellen können. Das Zwielicht ist damit nicht beseitigt.

---

[229] etwa in der Publikation: »Extremistisch-islamische Bestrebungen in der Bundesrepublik Deutschland« vom Dezember 1998, Quelle: *www.verfassungsschutz.de/publikationen/gesamt/islamber.html#aWesentliche%20islamistische*

Ambivalente Fürsprecher: Zentralrat und Islamrat

Der letzte politische Vorwurf an Fereshta Ludin lautet, sie lasse sich vom Zentralrat der Muslime (ZMD) und dem Islamrat unterstützen. Beide Organisationen sollen ihr auf dem Klageweg finanziell unter die Arme gegriffen haben. Der Islamrat ist ein Dachverband, der nach eigenen Angaben etwa 30 Organisationen vertritt. Viele von ihnen gehören wohl, nach dem Muster der Islamischen Föderation Berlin, in das weite Feld Milli Görüs (IGMG). Die Fachwelt hat sich auf die Formulierung geeinigt, »dass der Islamrat zu einem erheblichen Umfang von der IGMG dominiert wird«.[230] So ist nicht verwunderlich, dass der aktuelle Vorsitzender Ali Kizilkaya der ehemalige Generalsekretär der Milli Görüs in Deutschland ist.[231]

Der Zentralrat nennt sich zwar ebenfalls Dachverband, doch befinden sich unter seinen Mitgliedern eher kleinere Vereine, die größeren sind über verschiedene Querelen nacheinander ausgetreten. Lemmen geht davon aus, dass der ZMD etwa 200 Moscheegemeinden vertritt, »was einer Zahl von weniger als 10 Prozent der organisierten Muslime entspricht«.[232] Und wieder trifft man auf Organisationen, in denen laut Verfassungsschutz Milli Görüs und Muslimbrüder das Sagen haben: die Muslimische Studentenvereinigung MSV etwa oder die Islamische Gemeinschaft in Deutschland (IGD). Vorsitzender beider Organisationen ist Ibrahim El-Zayat.

Zudem muss sich der aus Saudi-Arabien stammende Vorsitzende des Zentralrats, Nadeem Elyas, immer wieder mit dem Vorwurf auseinandersetzen, er sei Muslimbruder, was er regelmäßig dementiert.[233] Spuler-Stegemann zufolge vertritt der ZMD aber ohnehin »eine ganze Reihe von Mitgliedsverbänden, die die strengste Auslegung der Scharia befürworten – zum Beispiel im Sinne einer wortgetreuen Übernahme der im Koran ausgeführten Körperstrafen oder des Bejahens der Polygynie –, die sie gerne auch für die hiesigen Muslime durchsetzen würden«.[234] Ob sie wegen dieses Wunsches so gefährlich sind, wie aus solchen Berichten immer herausscheint, ist eine große Frage. Der Verfassungsschutz interessiert sich für den Vorsitzenden Elyas etwa, weil »glaubwürdige Augen-

---

[230] vgl. Thomas Lemmen: Islamische Vereine und Verbände in Deutschland, Bonn 2002: 86; Ursula Spuler-Stegemann, Muslime in Deutschland, Freiburg 1998: 113

[231] vgl. Lemmen 2002: 87

[232] Lemmen 2002: 90

[233] vgl etwa: Report Mainz, Sendung vom 21. Juli 2003; dazu Elyas' Stellungnahme: »Ich war nie ein Muslimbruder«, die tageszeitung, 4.8.2003.

[234] Spuler-Stegemann 1998: 116

und Ohrenzeugen« übereinstimmend berichtet hätten, dass Elyas bei einer Veranstaltung in Hamburg erklärt habe, die deutsche Verfassung sei zu respektieren, »zumindest so lange die Muslime in der Minderheit seien«.[235] Das ist allerdings eine weit verbreitete muslimische Rechtsauffassung. Man kann diesen Satz als Erläuterung lesen oder als Drohung. Letztere allerdings verlangt die Phantasie, dass die Muslime in absehbarer Zeit die Mehrheit in Deutschland stellt. Eine beliebte Phantasie von marginalisierten Fundamentalisten und von Deutschen, die wieder Angst vor der Ausländerflut bekommen. Beides erscheint nicht sehr realistisch.

Die Muslimbruderschaft ist ein fundamentalistischer Geheimbund mit Zweigen in mehreren Ländern. Als antikoloniale Bewegung in den Zwanzigern in Ägypten entstanden sind die Muslimbrüder heute, nach Abspaltung etlicher Terrorgruppen, mehr oder weniger militant in vielen islamischen Ländern und auch in der Diaspora verbreitet. Ihre Ideologie beruht auf der »Einheit des Islam« (Tauhid). Dazu gehört, dass Staat, Gesellschaft und Religion nur nach Allahs Gesetz, der Scharia, eingerichtet sein sollen. Der Weg dahin führt über die Bekämpfung des Unglaubens – den Jihad. Ob dieser mit dem »Buch« oder dem »Schwert« oder auch eine Zeit lang gar nicht verfolgt werden sollte, wird je nach Gruppe und politischer Lage unterschiedlich beantwortet.[236] Durch die Geheimbundstruktur ist unklar, wie viel Einfluss Muslimbrüder etwa in Deutschland haben. Die Werke ihrer Vordenker wie Sayyid Qutb und Abul A'la Maududi sind in jeder gut sortierten Fundamentalistenmoschee zu finden und werden auch von Milli Görüs vertrieben.[237]

Einflüsse dieser Denkart sind in den Texten Ahmed von Denffers zu finden. Er gibt die Zeitschrift der IGD, *Al-Islam*, heraus. Als der Zentralrat im Frühjahr 2002 eine »Islamische Charta« veröffentlicht, in der beteuert wird, die Muslime bejahten das System der bundesdeutschen Demokratie, kommentiert von Denffer höhnisch: »Hier hat der Wolf aber gehörig Kreide gefressen.« Von Denffers Vorstellung vom muslimischen Leben in Deutschland: »Natürlich anerkennt jeder Mensch, der in Deutschland lebt, die Tatsache als Realität an, dass er hier in einer säkularen Demokratie lebt. Aber das bedeutet doch nicht, wie der ZMD es hier behauptet, dass damit die Tatsache und Realität als begrüßenswert oder gar erstrebenswert anerkannt wird. Im Gegenteil ist diese Einsicht für die Muslime ein Ansporn, sich nach besten Kräften dafür einzusetzen, diese Ge-

---

[235] Johannes Kandel: Lieber blauäugig als blind? Anmerkungen zum ›Dialog‹ mit dem Islam, Politische Akademie der Friedrich-Ebert-Stiftung: Islam und Gesellschaft, Nr. 2, Berlin o. J.: 13

[236] vgl. Olaf Farschid: Ideologie der Muslimbruderschaft, in: Bundesinnenministerium: Islamismus, Berlin 2003

[237] Kandel o.J.: 14f

sellschaft in eine islamgemäße umzuwandeln. (...) Es ist gelinde gesagt, zumindest unfair, die Menschen, mit denen man hierzulande zusammen lebt, darüber hinweg zu täuschen, wie das hier versucht wird.«[238] In der Tat bestünden »zwischen der islamischen Lehre und den ›Menschenrechten‹ unüberbrückbare Unterschiede, insbesondere im Hinblick auf die Frau«, erklärt von Denffer. »Wenn mit der hier erteilten ›Anerkennung‹ des deutschen Ehe-, Erb- und Prozessrechts gemeint sein soll, dass die Muslime sich auf Dauer damit zufrieden geben, dass ihre Angelegenheiten auch zukünftig nie und nimmer nach islamischem Recht geregelt werden können, so handelt es sich auch hier um eine Täuschung, und so etwas steht Muslimen nicht an.«

»Euro-Islamismus«, hat Claudia Dantschke diesen abwartenden Fundamentalismus genannt. Verfassungsfeindlich ist er allemal. Aber ob er auch gefährlich ist, ist eine ganz andere Frage.

Einen ungleich stärkeren Einfluss als die Muslimbrüder hatte bisher in Deutschland die islamistische Strömung aus der Türkei: Milli Görüs.

Milli Görüs

»Die Islamische Gemeinschaft Milli Görüs (IGMG) ist keine politische Organisation, sondern widmet sich, als islamische Religionsgemeinschaft, der umfassenden religiösen, sozialen und kulturellen Betreuung ihrer Mitglieder. Darüber hinaus setzt sich die IGMG aktiv für die rechtliche Gleichstellung und Gleichbehandlung des Islams mit anderen Religionsgemeinschaften ein. Insbesondere für die Klärung von Fragestellungen, wie z. B. zum Recht auf den Bau von Moscheen, zum islamischen Religionsunterricht oder zum Tragen islamischer Kleidung, bietet sich die IGMG als kompetenter Ansprechpartner für die Verantwortlichen in Gesellschaft und Politik an, um gemeinsam Konzepte und Maßnahmen für die erfolgreiche Integration des Islams in die europäischen Gesellschaften zu erarbeiten und umzusetzen.«[239] So die Selbstdarstellung von Milli Görüs auf ihrer Homepage.

Der Verfassungsschutz sieht es so: »Ziel von ›Milli Görüs‹ ist die Überwindung der westlichen Zivilisation und die Errichtung eines islamischen Gemeinwesens, das auf der islamischen Ethik – in der Auslegung der ›Gerechten Ordnung‹ – und einer daraus abgeleiteten islamischen Rechtsordnung basiert. Die Freiheit des Individuums einschränkende, totalitäre Elemente sind in der ›Milli-Görüs‹-Bewegung deutlich erkennbar.«[240] Wohl-

---

[238] »Kritische Anmerkungen zu »Islamische Charta«, in: Al-Islam: Zeitschrift von Muslimen in Deutschland, 2: 2002

[239] Quelle: www.igmg.de

[240] Verfassungsschutz NRW: Die islamische Gemeinschaft Milli Görüs, Quelle:

tätiger religiöser Verband oder verfassungsfeindliche Vereinigung, das sind zwei entgegengesetzte Perspektiven auf Milli Görüs, die merkwürdigerweise beide stimmen. Die Organisation ist bekannt für ihre Jugendarbeit, und sie unterstützt die Integration des Islam in Deutschland, indem sie beispielsweise Moscheebauprojekte initiiert – und damit den Islam in Deutschland beheimatet. Dennoch ist Milli Görüs eine Organisation, die nicht nur der Verfassungsschutz islamistisch nennen würde.

Zunächst zu den Fakten: Den Namen »Milli Görüs« übersetzte die Organisation früher mit »Nationale Weltsicht«. Heute gibt sie den Begriff »Monotheistische Ökumene« als Übersetzung an. Milli Görüs ist nach dem offiziellen türkischen Religionsverband DITIB die zweitgrößte muslimische Organisation Deutschlands. Die IGMG selbst gibt nur die Zahlen für ganz Europa auf ihrer Website an: 2.200 lokale Organisationen, also Moscheevereine, Jugend-, Studenten- und Frauenvereinigungen seien dabei. Die Zahl der Gemeindemitgliedern läge europaweit bei 230.000, die der offiziellen Milli Görüs-Mitglieder (meist nur der Familienvater) bei 87.000. Der Verfassungsschutz Nordrhein-Westfalen schätzt allein die Zahl der deutschen Mitglieder auf 26.500, die der »erreichten Personen« über Gruppen und die 274 Moscheevereine auf 100.000.[241]

Der Name Milli Görüs und ihre Entstehung gehen zurück auf das gleichnamige Buch des türkischen Islamistenführers Necmettin Erbakan. 1973 veröffentlichte er darin seine Strategie zur Errichtung einer islamischen Ordnung in der Türkei. 1991 legte er ein konkreteres politisches und wirtschaftliches Programm vor und propagierte nun die »Gerechte Ordnung«.

Die »Gerechte Ordnung« (Adil Düzen) sei islamisch, korangetreu und gottgefällig. Ihr wirtschaftlicher Grundgedanke ist die koranische Ablehnung von Zins und Wucher. Damit bleibt als Wirtschaftseinheit eine Art Aktiengesellschaft übrig, die Anteilsscheine vergibt. Dieser Ordnung entgegengesetzt ist eine falsche Ordnung, die im weitesten Sinne mit Unglauben, manchmal aber auch mit Judentum, USA, Kapitalismus oder Europa gleichgesetzt wird. Das Praktische an Erbakans »Gerechter Ordnung« ist, dass sie alles erlaubt, was der Koran nicht verbietet. Damit öffnet sie sich prinzipiell einem breiten WählerInnenspektrum, das irgendwie gläubig ist. Ebenso legt sie sich nicht auf eine bestimmte Staatsform fest. Zunächst ist sie damit auch für die parlamentarische Demokratie kompatibel. Doch ist eine Gesellschaft, die einen Glauben als Wahrheit nimmt, die keine andere Wahrheit neben sich duldet und darauf ihre Gesetzgebung gründet, letztlich nicht anders als autoritär und totalitär denkbar. Der Ethnologe Werner Schiffauer hält über Erbakans Pläne fest: »Man

---

www.im.nrw.de/sch/582.htm

[241] Verfassungsschutz NRW: »Die islamische Gemeinschaft Milli Görüs« Quelle: *www.im.nrw.de/sch/582.htm#*

nutzte die demokratischen Strukturen für *teblig* (Verkündung) letztendlich also in der Absicht, die Demokratie zu überwinden. Die Widersprüche, die dieses letztendlich nicht aufgelöste Verhältnis barg, wurde von Necmettin Erbakan unter Verweis auf *takkiye* beantwortet, d. h. auf das Recht des Muslim, sich in Notsituationen zu verstellen. Der Rückgriff auf den takkiye-Gedanken durch Necmettin Erbakan sollte sich in der Folgezeit noch als äußerst problematisches Erbe darstellen, weil er als Argument für den generellen Verdacht der Doppelzüngigkeit der Gemeinden in Deutschland gebraucht werden konnte.«[242]

Allerdings haben Erbakans jeweilige Parteien es zu Lebzeiten (und auch zu Regierungszeiten) nie geschafft, einen Schritt in Richtung Gottesstaat voranzukommen. Heute steht seine Saadet-Partisi als Wahlverliererin da, während die »gemäßigten Islamisten«, die europa- und demokratieorientierte Abspaltung AKP unter Tayyip Erdogan, die letzten Wahlen haushoch gewannen und die Regierungspartei stellen.

Die Islamische Gemeinschaft Milli Görüs (IGMG) sollte zunächst als Auslandsorganisation der islamistischen Parteien Erbakans fungieren, der Refah Partisi, der Fazilet Partisi und heute der Saadet Partisi. Dies allerdings nicht offiziell, denn das türkische Parteiengesetz verbietet Auslandsorganisationen. Aber die Verbindung ist so offensichtlich, dass man sie in allen Publikationen über die Organisation nachlesen kann – außer in ihren eigenen, versteht sich.[243]

Die Tageszeitung *Milli Gazete* ist das Sprachrohr der weltweiten Milli Görüs-Bewegung Erbakans. Sie wird vom Zentrum für Türkeistudien als »durchaus integrationsablehnend« bezeichnet, unter anderem weil Hetze gegen Juden und Christen zu ihrem Standardrepertoire gehöre.[244] Aus ihr zitiert der Verfassungsschutz einen Teil der antisemitischen, antieuropäischen und antidemokratischen Hetzartikel, mit denen er die Verfassungsfeindlichkeit der Organisation belegen will.

Familie Erbakan scheint das Netzwerk Milli Görüs bis heute zu dominieren. Erbakans in Deutschland aufgewachsener Neffe Mehmet Sabri Erbakan war bis 2002 Vorsitzender der IGMG. Die Familie ist in weiteren Schlüsselfunktionen des inoffiziellen Geflechts zu finden: Mehmet Sabri Erbakans Mutter Amina Erbakan, die Schwester Necmettin Erbakans, leitet die Deutschsprachige Islamische Frauengemeinschaft (DIF) in Köln. Deren Tochter Sabiha El-Zayat vertritt das dort angesiedelte Zentrum für islamische Frauenforschung (ZIF). Sabiha El-Zayats Ehemann ist Ibrahim El-Zayat, der Multifunktionär von der Islamischen Gemeinschaft Deutsch-

---

[242] Werner Schiffauer: Die islamische Gemeinschaft Milli Görüs, noch unveröffentlichtes Manuskript für Klaus J. Bade et al. »Migrationsreport 2004«, Frankfurt/Main 2004: 6

[243] vgl. etwa Lemmen 2002: 45

[244] Spuler-Stegemann1999: 77

land. Er ist zudem Vorsitzender der Muslimischen Studentenvereinigung (MSV), Generalsekretär der Muslimischen Jugend in Europa und Vorstandsmitglied der Gesellschaft Muslimischer Sozial- und Geisteswissenschaftler (GSMG). El-Zayat wäre, wenn man den Angaben des Verfassungsschutzes glaubt, ein Bindeglied zwischen Milli Görüs und den Muslimbrüdern, die die IGD dominieren sollen. Dies nur als Ausschnitt: Es gibt eine Fülle von Hilfswerken, Studienzentren und Vereinen, die entweder personell, örtlich (Sitz im selben Haus) oder durch die finanzielle Begünstigung im Erlöschensfall mit der IGMG in Verbindung stehen. »Das Labyrinth« wie man die Verflechtungen des IGMG-Umfeldes schon genannt hat, wird vollends unübersichtlich, wenn man die wirtschaftlichen Verbindungen – auch ins muslimische Ausland – berücksichtigt. Ob diese Verflechtungen bedeuten, dass die gesamte Organisation zentral und autoritär gelenkt wird, ist umstritten.[245] Die Familienbande müssen deshalb auch nicht bedeuten, dass die ganze Familie Erbakan den Ansichten des Patriarchen in der Türkei heute noch folgt. Doch die Texte in der *Milli Gazete*, die in Milli Görüs-Moscheen verteilt wird, sprechen noch immer seine Sprache.

Da preist zum Beispiel im Januar 2002 der Chefkommentator anläßlich des nigerianischen Steinigungsurteils für eine angebliche Ehebrecherin die Vorzüge der Scharia: Dem Westen, so fasst der Verfassungsschutz Baden-Württemberg zusammen, »wirft er Doppelmoral vor, da man einerseits gegen die Todesstrafe sei, aber andererseits unschuldige Zivilisten in islamischen Ländern umbringe. Während sich im Westen Mütter mit Söhnen und Väter mit Töchtern straffrei ›paaren‹ könnten, lege die islamische Welt Wert auf die Ehe. So sei Ehebruch für die Frau strafbar und eine Legalisierung der Prostitution verstoße gegen die islamische Religion. Deswegen fordert er die (allgemeine) Einführung der Scharia als besseres Modell, wobei er deren Körperstrafen in teilweise zynischer Wiese verharmlost. So sei das so genannte Recm-Urteil (Steinigung) ›nicht so oft vollstreckt worden, in 1.400 Jahren nur 20-30 mal‹«.[246]

Die Funktionäre von Milli Görüs weisen einerseits zurück, dass *Milli Gazete* ihr »Sprachrohr« sei, andererseits bestätigen sie es indirekt auch wieder. Seidel berichtet, dass der damalige Vorsitzende des Islamrats, Hasan Özdogan, auf Vorhaltungen hin erklärt habe, »Milli Görüs hätte Fehler gemacht und in Milli Gazete tatsächlich antisemitische Texte veröffentlicht. Heute würde man allerdings darauf verzichten: ›Wir haben

---

[245] Sowohl Seidel/Dantschke/Yildirim 2000 als auch Becker 2002 beziehen sich auf interne Papiere, die dies bestätigen sollen, Schiffauer geht eher von einer zunehmenden Abkopplung der IGMG von der türkischen Mutterpartei aus.

[246] Verfassungsschutz Baden-Württemberg: Download vom 8.1.2004: Quelle: *www.baden-wuerttemberg.de/verfassungsschutz/fset.php?uid=84,*

gemerkt, dass antisemitische Äußerungen, die in der Türkei üblich sind, in Deutschland verboten sind.‹«[247]

An solche Äußerungen schließt die erste von zwei möglichen Einschätzungen der Organisation an. Eine Reihe von Beobachtern identifiziert hier ein taktisches Verhältnis der IGMG zur deutschen Öffentlichkeit. Seidel, Dantschke und Yildirim etwa gehen von folgendem Szenario aus: Der IGMG sei klar, dass die muslimische Minderheit in Europa in absehbarer Zeit keine Aussicht auf eine islamische Umgestaltung der Gesellschaft hat. »In Europa verfolgt Milli Görüs das Ziel, den Muslimen eine ›islamische Identität‹ zu ermöglichen. Vor allem geht es darum, ihnen ein neues Selbstwert- und Überlegenheitsgefühl gegenüber dem als dekadent empfundenen Westen zu vermitteln. Seit Jahrzehnten suggeriert Milli Görüs den Einwanderern aus der Türkei, dass sie in Europa in einem feindlichen Umfeld leben.«[248] Die Organisation beschreite eine Doppelstrategie: nach außen dialogbereit, nach innen Feindbilder schürend. Dieses Konzept versuche sie zu verschleiern. JournalistInnen, die über die Intransparenz, die Verflechtungen und fragwürdige Aktivitäten von Milli Görüs schreiben, werden mit Unterlassungsklagen überzogen (denen selten Erfolg beschieden ist[249]). Die Vertreter der »Gefahr«-These glauben, dass Milli Görüs versucht, islamische Inseln in der deutschen Gesellschaft zu bilden, die nach innen autoritär und nach außen feindselig agieren.

Die zweite Interpretation vertritt am prominentesten der Ethnologe Werner Schiffauer, unterstützt vom Leiter des deutschen Orient-Instituts Udo Steinbach oder dem Publizisten Thomas Hartmann. Sie bestreiten die Anschuldigungen gegen die Organisation nicht. Doch sieht Schiffauer die Organisation eher aus einer dynamischen Perspektive. Bei Milli Görüs vollziehe sich ein Generationswechsel. *Milli Gazete* bediene die älteren türkeiorientierten Erbakan-Anhänger. Die Jüngeren, wie Erbakans Neffe Mehmet Sabri Erbakan, würden sich nicht mehr zur Türkei hin orientieren, sondern nach Deutschland. Die *Milli Gazete* spräche sie gar nicht mehr an. »Es gibt viele, die (Mehmet Sabri) Erbakan für den Wolf im Schafspelz halten. Aber interessant scheint mir etwas anderes: Was passiert denn, wenn der Führer einer ehemals islamistischen Gruppe sagt: Wir wollen hier ankommen? Das ist doch eine Chance für diese Gesellschaft, den Islamismus von unten her zu überwinden. (...) Wer Parallelgesellschaften überwinden will, muss diese Situation nutzen.«[250] Schiffauer vergleicht die Ideologie der Islamisten mit dem Maoismus der siebziger Jahre. Dieser

---

[247] »Gesichter des Antisemitismus«, die tageszeitung, 9.12.2000

[248] Seidel, Dantschke, Yildirim 2000: 30

[249] vgl.»Schleichende Auszehrung der Neugier«, Neue Züricher Zeitung, 16.5.2002; und Dantschke 2003: 116ff

[250] »Im Problem das Potenzial sehen«, die tageszeitung, 1.2.2002

habe selbstverständlich auch eine andere Gesellschaftsordnung angestrebt. Ebenso wie der Maoismus könne sich auch der Islamismus quasi totlaufen.

Auch Günter Seufert vom Institut der Deutschen Morgenländischen Gesellschaft in Istanbul hat die IGMG eingehender beäugt und stellt zweierlei fest: In der Ideologie wird ein scharfer Dualismus gepflegt: »Der Westen und Europa verkörpern genau das Gegenteil all dessen, wofür der Islam steht. Der Westen und der Islam stehen sich unversöhnlich gegenüber, und dieser Widerspruch lässt sich nur auflösen, indem das Licht (der Islam) früher oder später die Finsternis (der Westen) besiegt. (...) Kann die politische Praxis einer Organisation, die einen solchen Diskurs pflegt, auf anderes zielen, als auf die Etablierung von Inseln muslimischen Lebens, die klar von der mehr oder weniger feindlichen Aufnahmegesellschaft getrennt bestehen?« Genau diese Praxis aber, so Seuferts Beobachtung, habe durchaus integrative Effekte: Wenn die IGMG etwa eigene Kindergärten eröffnen wolle, erfordere dies die Kooperation mit den Stadtverwaltungen, verschiedenen Trägern und Ministerien. »Darüber hinaus muss sich jede Argumentation diesen Stellen gegenüber auf die grundlegenden Wertvorstellungen berufen, die in den europäischen Aufnahmeländern die alleingültigen sind: Schutz vor Diskriminierung, Recht auf Entfaltung der eigenen Persönlichkeit und Glaubensfreiheit, Demokratie und Chancengleichheit.« Das seien aber nicht gerade die Werte, die Islamisten hochhielten. »Aktivität in europäischen Gesellschaften verlangt deshalb eine zumindest verbale Übernahme ihrer grundsätzlichen Werthaltungen, die damit, weil niemand in getrennten Welten leben kann – zur bestimmenden Werthaltung der Akteure selbst werden muss, je länger diese Aktivität dauert, umso mehr«, folgert Seufert.[251]

Dass diese Organisationen dann ultrakonservative Ansichten vertreten, muss in einer pluralistischen Gesellschaft erlaubt sein, so Seuferts Plädoyer. Dantschkes Befürchtung dagegen ist, dass die autoritäre Haltung der Islamisten Parallelgesellschaften erzeugt, in denen die Freiheiten der Einzelnen eingeschränkt sind. Und die Angst des Verfassungsschutzes schließlich ist: Einige könnten auf die Idee kommen, diesen Prozess des Wartens auf die wahre islamische Gesellschaft mit Gewalt abzukürzen. Es bleibt die Frage, wie die Gesellschaft mit diesem Konglomerat umgehen soll.

---

[251] Günter Seufert: Die Milli Görüs-Bewegung zwischen Integration und Isolation, in: ders./Jacques Waardenburg: Turkish Islam and Europe. Türkischer Islam und Europa, Stuttgart 1999: 308

Dialog mit dem Monolog

Der Dialog mit dem fundamentalistischen Islam ist ähnlich unerquicklich wie mit allen anderen Fundamentalisten auch. Sie haben die Wahrheit gepachtet und sind deshalb an Austausch und Diskussion nur zu missionarischen Zwecken interessiert. Zu einem solchen Ergebnis kommt auch der Dialogprofi Johannes Kandel von der Friedrich-Ebert-Stiftung.

> »Erster Schritt: Der muslimische Referent lässt seine nicht-muslimischen Zuhörer fühlen, dass sie vom Islam überhaupt nichts verstehen. (...) Rezitationen von Koransuren im arabischen Original verstärken diesen Effekt. Zweiter Schritt: Der muslimische Referent begibt sich in die Opferrolle: Die chronique scandaleuse des Christentums (Kreuzzüge, Inquisition, ideologische Unterstützung des Kolonialismus etc.) und des Atheismus (Kommunismus, Stalinismus, Faschismus) wird ausgebreitet. Die nicht zu bestreitenden Versäumnisse staatlicher Integrationspolitik und mannigfache Formen offener und versteckter Diskriminierung von Muslimen dürfen nicht fehlen. Spätestens jetzt sind die Schuldgefühle der gläubigen und ungläubigen Zuhörer so stark, dass keiner eine kritische Nachfrage wagen würde. Dritter Schritt: Der muslimische Referent verweist auf die Gemeinsamkeiten der Religionen (...). Vielfach treffen wir islamische Multifunktionäre, die grundsätzlich verneinen, dass der Islam ›Aufklärung‹ nötig habe. (...) Diese Meinung vertrat z. B. Ibrahim El-Zayat, Präsident der Islamischen Gemeinschaft in Deutschland, bei einer Veranstaltung in der katholischen Akademie Berlin im Oktober 2002. Menschenrechte, Demokratie und Pluralismus seien dem Islam inhärent. (...) Es ist schwer, hier eine Dialogabsicht zu erkennen. Es geht eher um den selbstgerechten Aufruf zur ›Bekehrung‹ zum Islam.«[252]

Kandel stellte nun Bedingungen für den interreligiösen Dialog auf: Dazu gehöre seiner Ansicht nach, dass die Dialogpartner rechtstreu zum Grundgesetz sind und zwar im Sinne einer »mit Ewigkeitsgarantie« nach Art. 79,3 GG versehenen Anerkennung der Grundrechte und der grundlegenden Anerkennung der Trennung von Staat und Religion.[253] Da das bisher noch keiner der Verbände garantiert hat, wäre nach seinem Dafürhalten der Dialog erst einmal stillgelegt, bis diese Gruppen auf die Idee kommen, den säkularen Staat anzuerkennen. Dafür gibt es eine Menge Modelle, sowohl von islamisch geprägten Staaten als auch von Reformtheologen. Der Politologe Bassam Tibi klagt seit langem die Entwicklung eines Euro-Islam ein, mit dem schönen Slogan: »Euro-Islam

---

[252] Johannes Kandel: »Lieber blauäugig als blind?« Anmerkungen zum »Dialog mit dem Islam«. Berlin o. J.: 2

[253] Kandel o. J.:19

statt Taliban!«[254] Allein, für die Fundamentalisten ist Tibi nichts weiter als ein Feind des Islam.

Es werden noch zwei weitere Strategien im Umgang mit diesen Fundis propagiert: Die »Gefahr«-VertreterInnen plädieren dafür, mit Fundamentalisten wie mit Rechtsextremen zu verfahren: den Funktionären kein Podium bieten, sondern um die Basis werben.[255] Die »Dynamik«-VertreterInnen meinen dagegen, dass die »Entlarvungsstrategie« die gerade aufgetauten Euroislamisten verschrecke und sie wieder in die Abschottung treibe: Demokratiekompatible Funktionäre sollte man stärken, egal ob sie heimliche Hintergedanken haben, so ihr Postulat.[256]

DAS FRAUENBILD DES FUNDAMENTALISMUS

In der öffentlichen Debatte um das Kopftuch mischen die orthodoxen und fundamentalistischen Verbände ganz vorne mit. Hier liegt eine der vielen Vertracktheiten des Kopftuch-Streits. Denn der orthodoxe Islam, wie ihn zumindest seine offiziellen männlichen Vertreter in Deutschland propagieren, unterscheidet sich nicht wesentlich von dem, was man aus der internationalen Menschenrechtsdebatte kennt: Besonders eingeschränkt sind darin die Frauenrechte. Die Islamische Gemeinschaft Deutschland (IGD), Gründungsmitglied des Zentralrats der Muslime, hat etwa »25 Fragen zur Frau im Islam« auf ihrer Homepage erläutert.[257]

Als gäbe es keinerlei Debatten über die Rechte der Frauen im Islam reproduzieren sie die traditionelle Koranauslegung, der kaum ein muslimisches Land mehr folgt. »Vor Gott sind beide gleich. Aber in ihrer Beziehung zueinander sind die jeweiligen Rechte des einzelnen unterschiedlich, wie ja auch Mann und Frau von Natur aus unterschiedlich sind. (...) Daher hat Gott Mann und Frau bestimmte Rechte und Pflichten zugewiesen, die ihrer jeweiligen Natur gerecht werden. Wenn sie sich jedoch von ihrer Natur entfernen, kommt dies einer Gleichmachung nahe. (...) Dem Mann obliegt es, die Familie zu versorgen (Koran 4,34). Er ist vor Gott verantwortlich für das Wohlergehen seiner Familie. Eine Familie

---

[254] vgl. Bassam Tibi: Islamische Zuwanderung, Stuttgart/München 2002: 293

[255] so Seidel/Dantschke/Yildirim: 36

[256] Thomas Hartmann: Beschwerter Dialog, in: Hartmann, Margret Krannich: Muslime im säkularen Rechtsstaat, Frankfurt a. M./Berlin 2001: 109, in diesem Band ist eine längere Auseinandersetzung zum Thema dokumentiert.

[257] »25 Fragen zur Frau im Islam«, Quelle: *www.i-g-d.com*

braucht Führung, so wie es auch in jedem Team jemanden geben muß, der letztendlich Entscheidungen fällt.«

In diesem Stil wird vom ungleichen Erbrecht über die Polygamie bis zur Rechtfertigung von Gewalt gegen Frauen alles gerechtfertigt, worum in der muslimischen Gemeinde weltweit gerungen wird. Das Kopftuch ist selbstverständlich mit dabei. Die Islamische Gemeinschaft versucht, diese Regelungen nachvollziehbar zu machen – und verharmlost sie dabei. Das Schlagen von Frauen sei nur unter so spezifischen Bedingungen erlaubt, dass es schon fast verboten sei, werben sie.

Das stimmt. Vor alle körperlichen Strafen hat der Koran jeweils hohe Hürden gelegt. Mit diesen kann man aber auch begründen, dass man solche Strafen gar nicht mehr anwendet. Diesen letzten Schritt mag die IGD nicht gehen.

Sie ignoriert damit alle Bemühungen, das Familien- und Erbrecht gerecht zu gestalten, Frauen ein besseres Scheidungsrecht einzuräumen, ihnen die Berufstätigkeit und das Reisen zu erleichtern. Ebenso wird nicht auf Koraninterpretationen Bezug genommen, die zu alternativen Auslegungen kommen. Man muss nicht feministische Koranlektüren heranziehen, um die Bekleidungsverse diskutabel zu finden oder den Vers, der das Schlagen zu legitimieren scheint, anders zu übersetzen.[258] Auch sind Reformbemühungen gerade von Seiten muslimischer Frauen unübersehbar (siehe auch nächstes Kapitel). Wer also »die Frau im Islam« darzustellen beansprucht, könnte leicht auf diese Diskussionen Bezug nehmen, um ein repräsentatives Bild »des Islam« zu entwerfen. Stattdessen präsentiert die IGD einen Phantasie-Islam, den es fast nirgends auf der Welt so gibt.

Da die Darstellungen »der Frau im Islam« in Deutschland so stark von dieser Ideologie geprägt sind, hat auch die Mehrheitsgesellschaft ein verzerrtes Bild. Angereichert wird es mit Schreckensnachrichten über Steinigungen oder Autofahrverbote für Frauen in fundamentalistischen Ländern. Daraus ergibt sich schließlich die Vorstellung, der Islam sei in Sachen Frauenrechte ein hoffnungsloser Fall. Damit werden nun die Kopftuch-Trägerinnen in Verbindung gebracht, denn die Fundamentalisten unterstützen sie. Aber unterstützen die Kopftuch-Trägerinnen auch die Fundamentalisten? Von Frauenrechten haben viele eine dezidiert andere Vorstellung, wie das nächste Kapitel zeigen wird.

---

[258] »Es gibt (...) Theologen, die den einschlägigen Koranbegriff ›schlagen‹ lieber mit ›bestrafen‹ übersetzen – oder als ›berühren mit dem Taschentuch‹«, erklärt etwa Spuler-Stegemann: »Scharia als Fessel und Chance«, die tageszeitung, 8.3.2002

Kapitel 5
Die Frauen

Die Kopftuch-Trägerinnen in schwieriger Mission

Eine der Auffälligkeiten der gesellschaftlichen Debatte über das Kopftuch ist, dass die Frauen, die es tragen, nur schemenhaft ins Blickfeld kommen. Selbst in der Zeit nach dem Urteil des Bundesverfassungsgerichts, in der sich die Demonstrationen für das Kopftuch häuften, blieb unklar, wofür die Frauen sich da genau einsetzen. »Mein Kopf gehört mir!«, so einer ihrer Slogans, der als Argument seine Wirkung nicht verfehlt. Aber schon das nächste Argument, dass sie sich nicht »unterdrückt« fühlen, wird ihnen nur noch halb geglaubt. Das dritte aber, dass das Kopftuch ein positives Symbol für Frauen sein kann, das nimmt ihnen kaum jemand mehr ab. Im besten Fall hält ihnen etwa Alice Schwarzer entgegen, dass iranische und algerische Frauen auch schon der Ansicht waren, sie könnten sich mit Tuch befreien. Wohin das geführt habe, sei bekannt. Dabei übersieht nicht nur die *Emma*-Chefin, dass die Situation in Deutschland sich von der im Iran unterscheidet.

Diese spezifische Szenerie in der deutschen Diaspora ist aber entscheidend für ein Verständnis dessen, was das Tuch laut Trägerin sagen soll. Dabei gibt es zwei gravierende Probleme: Musliminnen sind einerseits innerhalb der muslimischen Community marginalisiert, andererseits in einer komplizierten Zwischenposition zwischen konservativem Islam und der Mehrheitsgesellschaft.

Zum einen ist also eine Selbstverortung der Frauen den öffentlichen Stellungnahmen muslimischer Verbände kaum zu entnehmen, denn die Rolle der Frauen dort ist eher marginal: Nur der Zentralrat der Muslime hat überhaupt eine Sprecherin für die Belange der Frauen. Die vertritt zwar für sich eine feministische Koranexegese, doch beeinflusst diese die Stellungnahmen des Zentralrats bisher kaum. Ähnlich wie die Christinnen machen sich auch die Musliminnen zunächst in eigenen Strukturen auf den Weg zu einer neuen Hermeneutik ihrer Quellen: Bei der

Deutschsprachigen Islamischen Frauengemeinschaft (DIF) etwa, dem Zentrum für Islamische Frauenforschung und Frauenförderung (ZIF), beide personell mit Milli Görüs verbunden. Oder im Netzwerk Huda, das auf die internationale muslimisch-feministische Debatte Bezug nimmt und unabhängig ist.

Und ebenso, wie die christlichen Kirchen die feministischen Interpretationen und Forderungen lange ignorierten (und dies teilweise bis heute durchhalten), sichern auch muslimische Männerbünde ihre Privilegien. Sie unterstützen die Frauen da, wo es in ihr eigenes konservatives Weltbild passt: Wenn es also darum geht, die Töchter von Sportunterricht, Sexualkunde oder Klassenfahrten fernzuhalten, oder ganz besonders gern, wenn es ums Kopftuchtragen geht. Andere frauenpolitische Anliegen aber werden in nebulösen Stellungnahmen abgehandelt, in denen die Aussage »Missstände, die dem Koran nicht entsprechen« nie fehlt. Einige Frauen mit Kopftuch distanzieren sich immer wieder laut davon. Andere kümmert es nicht, ob auf ihren Kopftuchdemonstrationen Männer mitlaufen, die mit Sicherheit mit anderen Anliegen dieser Frauen wenig solidarisch sind. So entsteht das Bild, dass viele Kopftuchfrauen mit diesem konservativen Islam restlos einverstanden seien. In einer Minderheitensituation kann man sich aber seine Bündnispartner manchmal nicht so sorgfältig aussuchen. Viel Auswahl gibt es nämlich nicht.

Das zweite Problem ist, dass praktizierende Musliminnen in einer Zwickmühle stecken: Sie wollen sowohl muslimisch als auch emanzipiert sein. Den Muslimen, auf deren Unterstützung sie setzen, müssen sie versichern, dass sie nicht »verwestlicht« sind, der Mehrheitsgesellschaft dagegen, dass sie dennoch selbstbestimmt leben wollen. Diese Gratwanderung ist kaum zu vermitteln. Diese Frauen probieren etwas Neues, das mit keiner fundamentalistischen Bewegung in einem islamischen Land zu vergleichen ist: Sie wollen als praktizierende Muslima selbstbestimmt in einer Diaspora-Situation leben. Doch das einzige Rollenmodell, das ihnen hierzulande dafür bisher zur Verfügung steht, ist das der unterdrückten Muslimin. Dieses Bild müssen sie sprengen.

Die sozialwissenschaftliche Forschung über diese Spezies »Neo-Muslima« ist noch jung. Sie ist ausschließlich qualitativ. Es wurde also eine geringe Zahl von Frauen oder Jugendlichen ausführlich interviewt, was nicht zu repräsentativen Ergebnissen führt, sondern eher zu Einblicken und Hypothesen darüber, wie diese Frauen denken. Es gibt zwar auch größere Befragungen jugendlicher MigrantInnen. Die allerdings sind nicht konsequent nach Geschlechtern aufgeschlüsselt und haben meist einen anderen inhaltlichen Fokus: Die Vertreter der »Gefahr«-Hypothese wollen überprüfen, wie gefährlich diese Jugend denn nun ist. Um Geschlechterbilder kümmern sie sich eher wenig. Dennoch sind auch diese Studien aufschlussreich, weil sie versuchen, die Anziehungskraft des politischen Islam auf die Jugendlichen zu ergründen.

Beide Forschungszweige haben im Moment noch erhebliche Defizite: Die quantitative Forschung fragt eher grob politische Einstellungsmuster ab, die man sehr unterschiedlich interpretieren kann, wie sich zeigen wird. Die qualitativen Studien dagegen setzen nur auf Mikropolitiken. Hier werden vor allem persönliche Entwicklungen beleuchtet und Fragen nach politisch verfänglichen Themen wie der Haltung zur Gewalt, dem erwünschten Gesellschaftsmodell oder den muslimischen Akteuren auf der politischen Ebene oft gar nicht erst gestellt. Dennoch lässt sich aus beiden Zweigen ein erstes Bild der Neo-Muslima zusammensetzen.

Die muslimische Jugend und der verlockende Fundamentalismus

Zur nachhaltigen Verwirrung darüber, was die junge Generation der Einwandererkinder und -enkel in politischer Hinsicht will, hat eine berühmt gewordene Studie des Bielefelder Jugendforschers Wilhelm Heitmeyer mit dem vielsagenden Titel »Verlockender Fundamentalismus«[259] beigetragen.

In dieser ersten groß angelegten empirischen Untersuchung mit 1.200 türkischen Jugendlichen meinten die Forscher, Alarmierendes erhoben zu haben: Ein großer Teil sei antidemokratisch eingestellt und hege ein Faible für Gewalt. Jeweils um die 50 Prozent der Jugendlichen hielten den Islam für die »einzig rechtgläubige Religion« und alle anderen für »Ungläubige«, lehnten eine »Modernisierung des Glaubens« ab, wollten lieber »für eine göttliche Ordnung eintreten« und sich »nicht zu stark an die westliche Lebensweise anpassen«. 30 Prozent fanden, der Islam müsse in allen Ländern an die Macht kommen. Diese Einstellungen nennt Heitmeyer »islamzentrierte Überlegenheitsansprüche«,[260] aus denen sich Fundamentalismus entwickeln könne.

Als »gewaltbereit« titulierten die Forscher die 35 Prozent der Jugendlichen, die sich »mit körperlicher Gewalt gegen Ungläubige durchsetzen« würden, wenn »es der islamischen Gemeinschaft dient«, auf jeden Fall

[259] Wilhelm Heitmeyer, Joachim Müller, Helmut Schröder: Verlockender Fundamentalismus, Frankfurt a. M. 1997

[260] Heitmeyer 1997: 128

aber die gut 28 Prozent, die dem Satz: »Gewalt ist gerechtfertigt, wenn es um die Durchsetzung des islamischen Glaubens geht«, zustimmten.

Schließlich wurde noch die Nähe zu extremistischen Organisationen wie Milli Görüs abgefragt: Es fühlten sich 16 Prozent »gut« und 17,4 Prozent »teilweise« durch Milli Görüs vertreten. Aus all dem, so meinen die Forscher, müsse zwar kein Fundamentalismus entstehen, aber die Gefahr sei dennoch gegeben.

Die Forscher betonen, dass diese Einstellungen auch in »Integration durch Segregation« münden können.[261] Eine Gegenidentität würde in so einem günstigen Fall also die Persönlichkeit in einer schwierigen Phase stützen, bis sie sich etwa in den Arbeitsmarkt integriert hat und die Gegenidentität aufgeben kann. Doch herrscht ein warnender Tonfall vor: Es handle sich keinesfalls nur um eine jugendkulturelle Mode, so die Autoren, sondern vielmehr um ein »dauerhaftes Phänomen, (...) dessen Schärfe in den nächsten Jahren unseres Erachtens noch deutlicher hervortreten wird«.[262]

Das publizistische Echo auf die Studie war riesig: Etliche Medien bedienten das immer leicht zu weckende Gefühl der Deutschen, die Ausländer wollten sie überfluten und ihnen etwas antun. Hier kamen die Zahlen zum Klischee: Die Angst sei berechtigt, die Armee Allahs schon unter uns. Doch ebenso heftig ist die Studie kritisiert worden und war Anlass einiger Folgepublikationen und -forschungen.[263]

Um es gleich klarzustellen: Derart extreme Zahlen hat weder vorher noch nachher jemand gemessen. Die Vermutung lautet, dass dies sowohl an der Stichprobe wie auch am Zeitpunkt der Befragung liegt. Es waren zu 75 Prozent junge SchülerInnen im Alter von 14 bis 17 Jahren darunter. Das Massaker an bosnischen Muslimen lag nicht lange zurück, ebenso die tödlichen Brandanschläge auf Häuser von Migrantinnen in Mölln und Solingen. Mit anderen Worten: Man befragte sehr junge Menschen in einer sehr aufgeheizten Situation. Zudem hat das Heitmeyer-Team aus relativ allgemeinen Fragen äußerst konkrete Schlüsse gezogen. Einen Überlegenheitsanspruch würde wohl jeder religiöse Mensch für seine Religion anmelden. Dass man seine muslimische Gemeinschaft in einer Diaspora-Situation, in der man zudem diskriminiert und sogar gewalttätig angegriffen wird, verteidigen würde, erscheint auch nicht ungewöhnlich. Schiffauer weist zudem darauf hin, dass das abstrakte Plädoyer für Gewalt in der Regel nicht zum Ausüben derselben führe: Es werden, »die

[261] Heitmeyer 1997: 189

[262] Heitmeyer 1997: 186

[263] etwa Irmgard Pinn: Verlockende Moderne, Duisburg 1999; der Sammelband von Wolf Dietrich Bukow, Markus Ottersbach: Der Fundamentalismus-Verdacht, Opladen 1999; Hans-Ludwig Frese: Den Islam ausleben, Bielefeld 2002

eigentlich relevanten Fragen, nämlich nach der Konsequenz für die Praxis, nicht gestellt. Statt dessen wird mit kühnen, aber völlig unbewiesenen Unterstellungen gearbeitet.«[264] Schließlich wird kritisiert, dass das Forschungsdesign, das die »Jugendlichen türkischer Herkunft« derart isoliere, an sich schon »kulturrassistisch«[265] sei. Etliche ähnlich undemokratische und unfriedliche Einstellungen hätte zu diesem Zeitpunkt vielleicht auch bei nichtmuslimischen Jugendlichen abgefragt werden können. Zudem hätten die Forscher systematisch die Ergebnisse vernachlässigt, die gegen ihre These vom Rückzug und der daran anschließenden Feindbildentwicklung sprächen. Etwa die Tatsache, dass 90 Prozent der Jugendlichen angeben, mit ihrem Leben zwischen den Kulturen gut zurechtzukommen.[266]

Auch die Tatsache, dass jugendliche Orientierungsprozesse oft mäandernd durch verschiedene extreme Phasen verlaufen, hat das Heitmeyer-Team nicht berücksichtigt. Nur als Beispiel die Einschätzung eines türkischstämmigen Jugendlichen zur Wirkung von Milli Görüs in Deutschland: »Die können eine Zeitlang Jugendliche motivieren. Dann aber haben die keinen Bock mehr, und es ist wieder vorbei.«[267]

Was kann man aus dieser Studie über die muslimischen Mädchen lernen?

Die Autoren gehen davon aus, dass die Mädchen vor allem zur traditionellen Frauenrolle erzogen werden. Doch bemerken sie auch, dass die Mädchen zu einem hohen Prozentsatz mit dieser Erziehung nicht einverstanden sind.[268] Ganz im Gegensatz zu den angenommenen strengen Vorstellungen von Geschlechtersegregation verbringen Mädchen sogar mehr Zeit in gemischtgeschlechtlichen Gruppen als Jungen.[269] Und sie wollen keine traditionelle Rollenverteilung. Nur 13 Prozent meinen, für die Kindererziehung sei in erster Linie die Frau zuständig. Die Jungen dagegen plädieren in stärkerem Maße für eine traditionelle Rollenverteilung. Dieser Befund, so merken die Autoren nüchtern an, »ist jedoch nicht typisch ›türkisch‹, sondern findet sich gleichfalls (...) auch heute noch in erheblichem Ausmaß bei deutschen Jugendlichen«.[270] Von der Religion scheinen ebenfalls die Jungen stärker angetan zu sein. Es wird erwähnt, dass Mädchen weniger lang und weniger gern die Koranschule besuchen

---

[264] Schiffauer in: Buckow/Ottersbach 1999: 112

[265] Wolf D. Bukow, Erol Yildiz: »Marktschreierisches«, die tageszeitung, 29.4. 1997

[266] Birgit Rommelspacher: »Bild der Radikalisierung«, die tageszeitung, 29.4.1997

[267] »Was Innensenator Borttscheller macht, finde ich gefährlich«, die tageszeitung, 30. 3.1998

[268] Heitmeyer 1997: 96

[269] Heitmeyer 1997: 90

[270] Heitmeyer 1997: 100

und dass ihnen religiöse Werte in der Kindererziehung weniger wichtig sind als den Jungen.[271]

Aus den Folgestudien ergibt sich ein etwas entspannteres Bild vom muslimischen Jugendlichen. So wurden die erstaunlich hohen Werte an »Gewaltbereitschaft« und »islambezogenen Überlegenheitsansprüchen« in keiner der Nachfolgestudien je wieder erreicht.[272] Generell kommt die Reislamisierung, die man auf den Strassen zu sehen meint, nicht in den Moscheen an: Die Zahlen der MoscheebesucherInnen und -sympathisantInnen sinken in den jüngeren Altersgruppen kontinuierlich ab.[273] Bei Milli Görüs sei der Einbruch sogar besonders stark. Eine Telefonumfrage des Zentrums für Türkeistudien ergab, dass sich die allermeisten Jugendlichen gar nicht in Moscheevereinen engagieren. Nur 11 Prozent hatten überhaupt Interesse daran, und lediglich 3 Prozent bekannten sich zu Milli Görüs.

Schließlich wurde im Nachgang zu Heitmeyers Studie ebenfalls untersucht, inwiefern sich muslimische Jugendliche eigentlich von anderen Jugendlichen mit Migrantenhintergrund unterscheiden. Heraus kam, dass die muslimischen Jugendlichen zu einem sehr geringen Prozentsatz weniger gut integriert waren. Das maßen die Autoren etwa daran, dass sie etwas weniger gute Bildungsabschlüsse machten als andere Migrantenkinder. Sie hatten auch insgesamt etwas konservativere Ansichten, etwa darüber, ob man auch ohne Trauschein zusammen leben solle. Die Diskriminierungserfahrungen, von denen man annimmt, dass sie zu feindseligen Gefühlen führen, waren bei muslimischen und nichtmuslimischen Migrantenkindern etwa gleich hoch – mit einem signifikanten Unterschied: Auf dem Arbeitsmarkt hatten es die muslimischen Frauen mit Abstand am schwersten. Der Grund: das Kopftuch.

Ansonsten fühlen sich die MuslimInnen etwas mehr »anders als die Deutschen« im Vergleich zu anderen Migrantenjugendlichen (78 Prozent zu 68 Prozent). Sie sind aber wie die anderen im Prinzip sehr zufrieden mit ihrem Leben, wieder mit einer leichten Abweichung nach unten. Ebenso wie alle anderen haben sie keine Lust auf Vereine irgendeiner Art, mit Ausnahme von Sportvereinen. Politische oder ideologische Vereine sind ihrer aller Sache nicht, so dass die AutorInnen »mit großer Wahrscheinlichkeit« meinen sagen zu können, »dass unter gegenwärtigen Bedingungen isla-

[271] Heitmeyer 1997: 118

[272] Überblick in: Susanne Worbs/Friedrich Heckmann: »Islam in Deutschland« in: Bundesministerium des Innern: Islamismus 2003: 135ff

[273] Kurt Salentin/Frank Wilkening: »Die Basis einer islamistischen Bewegung: Wer sind die Milli Görüs-Anhänger in der Bundesrepublik?« Arbeitspapier SW 1/2002 des DFG-Projektes »Bedingungen und Folgen ethnischer Koloniebildungen«, Bielefeld 2002

mistische Organisationen für die große Mehrheit der Muslime zweiter Generation keine bedeutsame Anziehungskraft besitzen«.[274]

Und wieder ein erstaunliches Ergebnis für die jungen Mädchen, von denen man meint, das Kopftuch hemme ihre Integration: Es gibt in den Integrationsmerkmalen wie Zugehörigkeitsgefühl oder Bildungsabschluss keinen Unterschied zwischen den Geschlechtern.

Als Zwischenfazit der empirischen Studien lässt sich festhalten, dass es mit dem Fundamentalismus der muslimischen Jugend in Deutschland zumindest gegenwärtig nicht besorgniserregend weit her ist. Aus Heitmeyers Studie könnte man mitnehmen, dass Größenphantasien und Gewaltbereitschaft zunehmen, je stärker man sich (durch Krieg und Gewalt) bedroht sieht. Dann steigt auch die Zustimmung zu Gruppen wie Milli Görüs. Abgesehen von solchen politischen Stresszeiten scheinen die Jugendlichen nicht so leicht politisierbar, ergaben die Folgestudien. Wahrscheinlich ist also, dass unter den relativ vielen Kopftüchern, die in den Straßen muslimisch geprägter Viertel zu sehen sind, nicht die islamische Revolution lauert. Vielmehr gibt es Anzeichen für das Gegenteil: Die Mädchen finden die rigide Erziehung ihrer Eltern nicht gut, sie bewegen sich nicht in geschlechtergetrennten Sphären, sie sind besser ausgebildet als die Jungen und sehr berufsorientiert. Als Ausnahme wird erwähnt, dass sie wegen des Kopftuchs diskriminiert werden. Davon abgesehen machen sie von dieser Datenlage her weder einen besonders islamistischen noch einen besonders benachteiligten Eindruck. Erinnert sei an die Interpretation des Tuches durch Islamwissenschaftlerin Spielhaus: Das Tuch sei auch eine Mode, die gerade weltweit in islamischen Ländern en vogue ist. Da hätte viel zu tun, wer überall unter den Tüchern Fundamentalistinnen witterte.

Die Töchter der Gastarbeiter und ihr Kopftuch

Es gibt mittlerweile einige qualitative Studien von SozialforscherInnen, die sich mit »Kopftuch-Studentinnen«, den »Töchtern der Gastarbeiter« oder »modernen Formen islamischer Lebensführung« in Deutschland auseinandergesetzt haben.[275] Ihr Herangehen ist vom bisher üblichen deutschen

[274] Worbs/Friedrich 2003: 136

[275] Beispiele, auf die in diesem Kapitel Bezug genommen wird, sind: Gritt Klinkhammer: Moderne Formen islamischer Lebensführung, Marburg 2000; Yasemin Karakasoglu: Muslimische Religiosität und Erziehungsvorstellungen, Frankfurt 2000; Sigrid Nökel: Die Töchter der Gastarbeiter und der Islam, Bielefeld 2002; Necla Kelek: Islam im

Soziologinnen-Blick geprägt. Der schaute nicht, wie politisch gefährlich die jungen Damen sind, sondern eher, wie unterdrückt sie sind und welche Emanzipationsperspektiven sie haben. Das heißt, dass man eine Antwort auf die politische Frage nur indirekt oder vielleicht sogar gar nicht bekommt.

Vorweg zu stellen ist zudem, dass es sich bei all diesen Forschungsarbeiten um Fallstudien handelt, die nicht repräsentativ sind. Karakasoglu untersuchte erklärtermaßen nur Studentinnen. Kelek hat SchülerInnen einer Gesamtschule befragt, die sich freiwillig für Interviews meldeten. Klinkhammer und Nökel haben vor allem in Moscheevereinen und muslimischen Frauennetzwerken wie Huda oder einem muslimischen Studentinnenverband gesucht. Es waren also durchgehend junge Frauen, die gerne über sich und ihren Glauben reden wollten – und durchaus auch mit VertreterInnen der »Mehrheitsgesellschaft« oder ihrer Institution Universität. Man kann sich leicht vorstellen, dass etwa Mädchen, die sich in einem starken Konflikt befinden, was das Einhalten islamischer Regeln angeht, an diesen Interviews nicht teilgenommen haben. Ebenso werden diejenigen, die sich nicht gut integriert fühlen, weniger bereitwillig gegenüber ForscherInnen Auskunft geben. Man muss also berücksichtigen, dass hier tendenziell reflektierte MuslimInnen versammelt sind, die mit der Mehrheitsgesellschaft so wenig Probleme haben, dass sie gerne kooperieren.[276] Andererseits muss man nach den Ergebnissen der quantitativen Studien nicht befürchten, dass alle anderen viel konservativer oder gar fundamentalistischer denken.

Übereinstimmend halten die Studien fest, dass die jungen Frauen das Kopftuch nicht aus traditionellen Gründen tragen, sondern es neu entdeckt und für sich mit Sinn gefüllt haben. »Eine ›ungebrochene‹ Übernahme der Elterntradition sei nirgends zu beobachten«, berichtet Klinkhammer.[277] Es gibt einige junge Frauen, deren Eltern wollten, dass sie das Tuch tragen, andere mussten es eher gegen die kemalistisch beeinflussten Eltern durchsetzen, die dem Tuch ablehnend gegenüberstehen. Von einigen heißt es, ihre Eltern seien so lax religiös, dass sie über den Islam zunächst gar nicht viel wussten. Oft gab die Schule den Anstoß, sich damit näher zu beschäftigen, weil Lehrer wollten, dass man etwas »über den Islam« erzähle.

Alltag, Münster 2002; Hans-Ludwig Frese: Den Islam ausleben, Bielefeld 2002.

[276] Dazu passt, dass etwa Milli Görüs reserviert auf Klinkhammers Anfrage reagierte: »Meine Anfrage bei Milli Görüs, an Frauengruppen teilnehmen zu dürfen und Frauen zu befragen, wurde (...) nicht gewährt. Zwar hatte man grundsätzlich ein Interesse an einer solchen Untersuchung, wollte aber vermeiden, dass Falsches über Milli Görüs geschrieben werde, und lieber eine eigene Untersuchung anstrengen.« Klinkhammer 2000: 114f

[277] Klinkhammer 2000: 266

Auch diejenigen, deren Eltern auf das Tuch bestanden, verbinden eine persönliche Entwicklung damit: »Das Kopftuch und damit der Übergang in die Islamisierung wird übernommen und zur eigenen Sache gemacht. Die Mädchen übernehmen die Initiative und vertreten es in ihren sozialen Kontexten als Angelegenheit des Selbst und binden sich somit als Muslima neu ein«, beschreibt Nökel den Prozess.[278] Eine der Befragten, deren religiöse Familie von ihr erwartete, dass sie das Tuch trägt, schildert den prekären Übergang zum Kopftuchtragen in der sechsten Klasse so:

> »Natürlich waren alle erst mal erstaunt. (...) Dann hieß es natürlich, du arme, deine Eltern. Ja, dann wird man erst mal bemitleidet, als ob das ein Zwang wär, dann tu ich denen leid. Dass meine Eltern mich gezwungen haben, denken die Leute. Das ist immer dieses Vorurteil, das die meisten haben. Ja am Anfang, das war wie ne Bombe, weil man von allen Leuten so auf einmal gefragt wird und bemitleidet wird. Da bin ich auf einmal nur in Tränen ausgebrochen. (...) Aber am zweiten, dritten Tag, da habe ich denen alles erklärt, warum ich das Kopftuch trage, aus religiösen Gründen, weil ich möchte, dass man auf meine inneren Werte achtet, und nicht auf mein Äußeres. (...) Und dann habe ich denen erklärt, dass ich das natürlich aus freien Stücken tue, weil ich davon überzeugt bin. Und dann war das für die Leute kein Problem. ›Ob du jetzt ein Tuch aufhast oder nicht, solang du die alte bleibst, ist das kein Problem.‹«[279]

Die Reaktion der Umgebung auf das Kopftuch erscheint hier als größeres Problem als das Tuch selbst. Für das Mädchen scheint klar zu sein, dass sie »die Alte« bleibt. Der zweite Fall, das selbstentdeckte Kopftuch, findet sich bei einer Marokkanerin, die in der zwölften Klasse »mal zum Spaß« in eine Moschee geht. Sie trifft dort auf eine aktive Jugendgruppe, die ihr als Nichtpraktizierende offen gegenüber steht und sie integriert. Dort beginnt sie, sich schließlich ohne Kopftuch »unwohl« zu fühlen, obwohl ihr niemand nahe legt, eines zu tragen. Eines anzuziehen schließt sie trotzdem lange Zeit aus. Parallel setzt sie sich mit dem atheistischen Philosophielehrer auseinander, der ihr zu beweisen versuchte, dass es keinen Gott gebe – vergeblich. »Ich habe gemerkt, ich habe eine tolle Religion eigentlich«, erklärt sie. Das Kopftuch als Zeichen dieser Religion zu tragen, »war für mich wirklich eine Befreiung«. Es war der Versuch, »etwas islamischer zu sein«, der vor allem dadurch motiviert war, dass sie an den Tod denken musste und daran, dass sie dann Rechenschaft ablegen müsse. Das Tuch verweise sie auf ihre »Verantwortung«. Die Eltern sind in diesem Fall entsetzt: Der Vater weigert sich, mit der verhüllten Tochter auf die Strasse zu gehen. Er hat Angst um ihre Karriere.

---

[278] Nökel 2002: 109
[279] Nökel 2002: 105f

Die Neuaneignung des Islam geht mit einer kritischen Revision der islamischen Traditionen einher, stellen alle AutorInnen fest. Das Kopftuch allerdings bleibt dabei als Markenzeichen der islamischen Frau verschont, obwohl es nach vielen Kommentatoren keine zwingende Vorschrift ist. Das könnte darauf verweisen, dass es selbst auch mit einem neuen Sinn versehen wird.

Das Tuch und der Körper

Es wird in vielen dieser Interviews deutlich, dass die Mädchen das Tuch als Symbol für eine Initiation begreifen. Sie tragen es ab Beginn der Pubertät. Es zeigt, sie sind Frauen, und zwar ernsthafte, die nicht mit ihren äußeren Reizen spielen, sondern sich ihrer religiösen Verantwortung bewusst sind. Nökel interpretiert das Tuchtragen deshalb als einen »Akt der Selbstschätzung«. Auch Karakasoglu meint, der »Türban« »soll eine innere Einstellung zur Religion nach außen sichtbar machen«.[280] Sie hat vor allem Lehramtsstudentinnen mit Kopftuch befragt.

Alle verwiesen auf die Ernsthaftigkeit ihres Glaubens: »Das Kopftuch ist für mich ein Befehl Gottes, die Frau soll ihre Körperformen verhüllen. Ich sehe es auch als Mittel, wodurch Frauen, wenn sie mit Männern sprechen, nicht durch ihre Weiblichkeit wirken. Ihre Persönlichkeit kommt zum Vorschein, und ich glaube, das ist auch einer der Gründe, warum Gott das befohlen hat«, zitiert Karakasoglu eine 23-jährige Lehramtsstudentin.[281] Die Mädchen geben an, dass ihnen das Tuch Wertschätzung innerhalb der muslimischen Gemeinschaft einbringt. Das Bedecken ihrer »weiblichen Reize« wird als Moment der Askese gedeutet, der zeitweiligen Absage an körperliche Bedürfnisse.

Der Aspekt der Geschlechterungleichheit, der dadurch entsteht, dass nur die Mädchen diesen asketischen Schritt gehen, wird von ihnen umgedreht: Sie haben – im Gegensatz zu den Männern – eine solche Ausstrahlung, dass sie diese hinter einem Tuch verbergen müssen. »Eine Frau, die Schleier trägt, muss respektvoll aussehen. Wie zum Beispiel in königlichen Familien«, erklärt eine. »Das ist genauso wie in alten Gesellschaften, auch so wie hier in Europa, ein Gentleman zu sein oder eine richtige Lady.«[282] Hier schimmert die uralte Bedeutung des Schleiers als Privileg der Aristokratin wieder durch. Auf eine verschlungene Weise vollziehen sie die Selbstsexualisierung ihrer nichtmuslimischen Kameradinnen durchaus mit: Unter diesem Tuch steckt eine Frau, die ist so sexy,

---

[280] Yasemin Karakasoglu: Wer definiert die Grenzen der Toleranz? Eigendruck Johann Wolfgang Goethe Universität, Frankfurt/Main 1999:15

[281] Karakasoglu 1999: 27

[282] Nökel 2002: 96

dass sie sich verbirgt. So geht sie verantwortungsvoll mit ihrer Sexualität um, soll das Tuch signalisieren. »Das Kopftuch gibt mir meine Identität wieder als muslimische Frau. Ich fühle mich darunter sehr wohl. Nicht, wie einige sagen, irgendwie eingeengt. Es steigert mein Gefühl, eine Frau zu sein, erinnert mich daran, dass ich eine Frau bin, und daran, dass ich eine Bindung an etwas habe, dass ich einen festen Bezug habe«, erklärt eine Studentin Karakasoglu.

Was hat sie, was ich nicht habe? Das fragen verwunderte Frauenforscherinnen angesichts der Unerschütterlichkeit, mit der MuslimInnen behaupten, »ihre« Frauen besäßen eine sexuelle Ausstrahlung, der Männer nicht widerstehen könnten. »Muslimischen Männer können sich nicht kontrollieren«, ist der weniger schmeichelhafte komplementäre Verdacht. Die – idealisierende – Antwort könnte lauten: Beide haben ihre Sexualität nicht verdrängt wie die Christen. Die auch von der die Aufklärung mitvollzogene Trennung von Körper und Geist hat immer dem Geist die Herrschaft über den Körper abverlangt. Die Abhängigkeit vom Körper wird geleugnet, durch die bequeme Abspaltung der Frau als Körper schlechthin, die dem Geistwesen Mann gegenübergesetzt ist. Mit der Emanzipationsbewegung ging (ungewollt) einher, dass Frauen, die mit Männern gleichziehen wollten, ihren Körper tendenziell ausblendeten: Bloß nicht »auf den Körper reduziert werden«!

Das islamische Geschlechterbild, so behauptet etwa die Soziologin Ursula Mihciyazgan, kreuzt diese Vorstellung: Die Trennung findet nicht zwischen Geist und Körper statt. Männer und Frauen dürfen jeweils ganz bleiben – um den Preis der Geschlechtertrennung. Statt der inneren Teilung zwischen Körper und Geist gebe es die äußere zwischen Mann und Frau. Weil beide als Sexualwesen präsent sind, müssen Grenzen geschaffen werden, die die Ansprüche des Körpers einhegen. Deshalb werden die Geschlechter getrennt. Mihciyazgan nennt dies eine vertikale statt der westlichen horizontalen Trennung.[283] Sie betont, dass die eine Trennung so fiktiv sei wie die andere. Ihr Plädoyer lautet lediglich, dass man die tiefe Prägung der MuslimInnen durch dieses Konzept berücksichtigen möge, um zu verstehen, warum sie die Segregation an sich und damit auch das Kopftuch weniger stark als reine Frauen-Unterdrückungsinstrumente betrachten als Nichtmuslime.

Dass die Geschlechtertrennung zu Lasten der Frauen geht, ist jedoch nicht unbedingt Bestandteil dieses Konzepts: Männer sollen ebenso wie Frauen die Brust bedecken. Sie sollen weite Hosen tragen. Sie sollen ihre Blicke zu Boden schlagen, wenn sie mit Frauen zusammen sind. Auch Jungen sollen nicht am gemischtgeschlechtlichem Sportunterricht teil-

---

[283] Ursula Mihciyazgan: Geschlechtertrennung im Multikulturellen Klassenzimmer, in: Pädagogik 9/94b: 32ff

nehmen. All diese Regeln sind weitgehend unbekannt. Für Mihciyazgan sind das Zeichen für eine patriarchale Überformung des Segregationsgedankens. Die Annahme, dass Frauen den größeren Reiz von beiden ausüben und deshalb besonders sorgfältig zu verhüllen sind, lässt letztlich dem männlichen Begehren den Vortritt. Wenn Frauen dies als Überhöhung ihrer Sexualität werten, ist das schön, bringt aber durch die damit verbundenen Einschränkungen trotzdem Nachteile mit sich. Festzuhalten ist dennoch, dass MuslimInnen eventuell die Segregation unabhängig von einer Hierarchie der Geschlechter betrachten könnten – wenn auch nur im idealen Islam. Das könnte ein Schlüssel zum Verständnis der Ansicht von Kopftuchträgerinnen sein, dass das Tuch sie keineswegs unterdrücke.

Das Kopftuch, so interpretiert eine Reihe von Sozialforscherinnen, ist das Zeichen der Frau dafür, dass sie ihre sexuelle Anziehungskraft anerkennt, ja, sogar zu schätzen weiß. Das Kopftuch in der Öffentlichkeit aber soll gleichzeitig signalisieren, dass sie sich trotz dieser Anziehungskraft nicht auf den Privatraum zurückziehen, sondern in der öffentlichen Sphäre mitmischen werden. Ihre Interpretation wäre: Die westliche Frau muss ihre Sexualität entweder zu Markte tragen oder sie verleugnen, wenn sie ernstgenommen werden will. Die Muslimin verleugnet sie nicht und trägt sie nicht vor sich her, sie verbirgt sie nur.

Das Islam-Verständnis der Neo-Muslimas

Der Bruch, den die Neo-Muslimas mit der vorherigen Generation vollziehen, ist ein doppelter: Zum einen stellen sie fest, dass die Elterngeneration schlecht integriert ist. Insofern können diese Eltern kein Vorbild für eine Positionierung in der Gesellschaft sein. Zum anderen haben die Eltern ihre Religion oft marginalisiert. Die Hinterhofmoschee ist das Symbol für die untergeordnete Rolle des Islam, der in all seiner sichtbaren Differenz als rückständig und deshalb als Integrationshemmnis gilt. Viele Eltern reden mit ihren Kindern nicht viel über Religion und halten lediglich die wichtigsten Regeln halbwegs ein. Das mit dem Islam verbundene Wertesystem dagegen ist, insbesondere in seinen kontrollierenden Funktionen, wichtiger geworden, weil man es gegen die vermeintliche westliche Dekadenz in Stellung bringen muss. Die Religion tritt den Kindern so als autoritäre Tradition gegenüber, die nicht hinterfragt werden darf, aber für ihr Leben in Deutschland oft unpraktische Einschränkungen bedeutet.

Die identitätshungrigen Töchter und Söhne testen nun beides neu: Inwieweit wollen und können sie sich an die deutsche Identität anpassen und inwieweit bietet ihnen ihre Religion eine eigene Identität? Dabei erfährt der Islam eine Reformulierung: Nicht, was der Hodscha aus der

Türkei ihnen in der Moschee erzählt, ist relevant. Der habe zu oft keine Ahnung von den Problemen, die ihr spezieller Alltag ihnen bereite. Stattdessen werden sie AutodidaktInnen. Das wichtigste dabei ist der subjektive Glaube an Allah. Wer lediglich einige Regeln einhält oder das Kopftuch nur aus Traditionsgründen trägt, wird kritisiert. Der Koran bildet dabei den Leitfaden, aber die Quellen werden mittels einer neuen Hermeneutik befragt.

Die religiösen Pflichten – wie Gebete, das Fasten und die Pilgerreise, das Alkoholverbot, Essvorschriften oder die Tradition der Segregation – werden nun überprüft und individualisiert. Was einem selbst gut tut, wird beibehalten, anderes hinterfragt. Dabei entwickelt diese Generation sehr unterschiedliche Formen: Klinkhammer berichtet von Mädchen, die lieber meditieren als beten, andere lehnen das Alkoholverbot ab, schließlich schadeten sie ja niemandem außer sich selbst, wenn sie tränken. Wieder andere würden zwar das Kopftuch gerne tragen, tun es aber nicht, weil sie finden, dass damit die Kommunikation mit den Nichtmuslimen eingeschränkt ist, die sich an dem auffälligen Symbol stoßen. Was offensichtlich nicht in ihr Leben passt, wird auch nicht praktiziert. »Islam wird zur ›Sorge um das Selbst‹ im Hier und Jetzt. Maßstab zur Beurteilung der Richtigkeit der islamischen Praxis ist der Mensch«, resümiert Klinkhammer.[284] In den Moscheen finden sich hoch gläubige Musliminnen, die keine Gummibärchen mehr essen, weil in der Gelatine unreine Tierbestandteile enthalten sein könnten – aber sie tragen kein Kopftuch. Andere tragen ein Tuch und gehen dennoch gern mit ihren männlichen Schulkameraden Billard spielen. Nökel spricht von einer doppelten Übersetzung: Zum einen übersetzen die Frauen den Islam von einer stigmatisierten in eine idealisierbare, geradezu aristokratische Identitätsform: von der Gastarbeiterreligion in einen individualisierten Hochislam. Zum anderen machen sie diesen Hochislam wieder anschlussfähig an das Leben in der säkularisierten nichtmuslimischen Gesellschaft.

Das Kopftuch, nach Art des türkischen Türban getragen, wird so vom Symbol des Traditionalismus zum Symbol des reflektierten Islam: »Selbst, wenn durch ›islamische Kleidung‹ eine besonders intensive Religiosität ausgedrückt werden soll, geht dies offenbar nicht automatisch mit einer konservativen oder dogmatischen Weltsicht einher«,[285] stellt Karakasoglu fest. Im Gegenteil, meint Klinkhammer, das Tragen des Kopftuchs wird sogar zur Abwehr traditioneller Anforderungen an ihre weibliche Rolle genutzt. Mit der Verhüllung erwerben die Frauen »eine gewisse Unabhängigkeit gegenüber den traditionellen bzw. islamistischen Männern; man

---

[284] Klinkhammer 2000: 268

[285] Yasemin Karakasoglu: Islam und Moderne, Bildung und Integration, in: Mechthild Rumpf et al.: Facetten islamischer Welten, Bielefeld 2003: 277

könnte sagen: durch die Einsetzung einer ›höheren‹ Autorität – der des Islam bzw. der persönlichen Beziehung zu Allah (...) – verschaffen sie sich eine Instanz zum Schutz vor einer vermeintlichen Autorität muslimischer Männer.«[286]

Damit haben die jungen Musliminnen sich noch einen zweiten Vorteil erspielt: Mit ihrer Islamauslegung können sie die Restriktionen der Eltern oder Ehemänner kontern. Ein schönes Beispiel dafür ist das Tragen einer Hose. Mit dem Verweis darauf, dass Mohammed es nicht guthieß, wenn Männer Frauenkleidung und Frauen Männerkleidung trügen, lehnen traditionelle Muslime ab, dass Frauen Hosen tragen. Wer aber als Neo-Muslima nicht immer im Rock und damit irgendwie altbacken daher kommen will, muss nun die Eltern mit Eltern-kompatiblen Argumenten überzeugen. Nökel zitiert einen Bericht von den entsprechenden Einwänden eines Vaters nach dem Kauf der ersten Jeans: »Frauen dürfen das nicht, das ist Männerkleidung. Hab ich gesagt: Wo steht das? (...) Zeig mir, wo das steht, und ich werd das nicht anziehn. Er konnte mir das natürlich nicht zeigen, weil das nirgendwo steht. Es steht nur, Frauen sollen nicht Männerkleidung tragen. Das ist wahr, aber, wer sagt denn, dass Hose Männerbekleidung ist? (...) Wie will man das definieren? (...) Und er konnte nicht mehr. Da kann er ja nicht mithalten.«[287] Eine effektive Strategie: Man kann die Eltern oder den Ehemann mit den eigenen Mitteln Schachmatt setzen und sich so einen Freiraum schaffen.

Man könnte also begründeterweise zu dem Schluss kommen, dass die zweite Generation der MuslimInnen in Deutschland die oft geforderte Säkularisierung des Islam vollzogen hat: Sie konzipieren ihn als individuellen Glauben und persönliche Ethik, womit ihr Glaube integrationskompatibel wird. Damit haben sie die beiden Defizite, die sie an der Elterngeneration als problematisch erleben, beseitigt. Zumindest aus ihrer eigenen Sicht, denn ein Problem haben sie dabei übersehen: Im Reform-Islam, wie ihn die deutsche Gesellschaft gern haben will, kommt ein Kopftuch nicht vor.

Das Kopftuch als Identitätsmarker

»Wenn ich alles mitmache, habe ich keine Persönlichkeit mehr als Muslimin«, so das klare Bekenntnis zur Differenz einer Muslimin bei Nökel.[288] Dass einige der jungen Musliminnen das Tuch so entschieden tragen, ist für Nökel gerade Ausdruck ihrer doppelten Transformation: Sie

[286] Gritt Klinkhammer: Zur Bedeutung des Kopftuchs für das Selbstverständnis von Musliminnen im innerislamischen Geschlechterverhältnis, in: Ingrid Lukatis et al.: Religion und Geschlechterverhältnisse, Opladen 2000: 278

[287] Nökel 2002: 89

[288] Nökel 2002: 80

setzen sich ab vom Gastarbeiter-Islam als exakt verhüllte, hochislamisierte Damen. Und sie setzen sich ab vom westlichen Anspruch auf Sichtbarkeit, Enthüllung, Konsumdenken und der extremen Selbstsexualisierung, der ihre nichtmuslimischen Schulkameradinnen in diesem Alter gern verfallen. Schiffauer charakterisiert das Tuchtragen so:

> »Mit der Kleidung wird Opposition nicht nur im Privatraum gelebt, sondern auch öffentlich zur Schau getragen. Sie lässt sich als Form des islamischen ›outings‹ begreifen. Als ›outing‹ wird nun die von vielen diskriminierten Minderheiten gewählte Strategie bezeichnet, das irritierende Attribut nicht mehr zu verstecken (und sich damit den Regeln der Mehrheitsgesellschaft letztendlich zu unterwerfen), sondern es offensiv nach außen zu tragen und damit sein Recht auf Anerkennung und Differenz auch öffentlich zu machen. Dazu gehört, dass man dabei auch vermeidet, Kompromisse einzugehen, d.h. die Differenz in einer Weise zu präsentieren, wie sie der Öffentlichkeit gefällig ist.«

Schiffauer zitiert dazu eine weitere Studienteilnehmerin mit Kopftuch: »Das ist mir auch sehr wichtig, dass die Leute sehen, dass ich ein Moslem bin, weil früher hat man das nicht gesehen, man hat gar nicht bemerkt, was für 'ne Religion ich bin«, erzählt eine 19-jährigen Fachabiturientin.[289]

Nökel interpretiert diesen Prozess so: Als Gastarbeiter-Tochter ist das muslimische Mädchen stigmatisiert. Als Mittel der Entstigmatisierung bietet ihr die »Integrationsmaschine« Schule die Leistung an, die von den Eltern meist gefördert wird: Wer gute Noten und eine Ausbildung hat, kann dem Unterschichtendasein der ersten Generation entkommen. Zur Anerkennung im gesellschaftlichen Tauschgeschäft braucht man jedoch noch einige weitere Pfunde: soziales Kapital etwa oder kulturelles. Die Gesellschaft schreibt ihr in dieser Hinsicht keinerlei Kompetenzen zu. Ihr Leistungskapital wirkt daher nur eingeschränkt: Die junge Muslimin bleibt der Gruppe der Ausländer zugeordnet, egal wie sie sich anstrengt. »Hier wird der Islam, zusammen mit dem Bildungskapital, (...) bedeutsam als kulturelles und symbolisches Kapital«, meint Nökel. »Er repräsentiert die eigene Vision von der Welt, die mehr und wertvoller, authentischer ist, als sich, alltagssprachlich formuliert, bloß den Deutschen anzupassen, die einen aber doch nie als gleichwertig anerkennen, (...) weil die eigene Genealogie die Abstammung aus einer muslimischen Arbeiterfamilie untilgbar enthält.«[290]

Das Kopftuch als Merkmal ist in dieser Hinsicht das Zeichen einer »Gegen-Identität« in einer Gesellschaft, in der man durch reine Anpass-

---

[289] Werner Schiffauer: Migration und kulturelle Differenz, Studie für das Büro der Ausländerbeauftragten des Senats von Berlin, November 2002: 27

[290] Nökel 2002: 269

ung keinen Erfolg hat. »Den anderen«, so zitiert Nökel eine Befragte, »kann man es sowieso nicht recht machen.« Wer sich in den herrschenden Diskursen nicht wiederfindet, tendiert dazu, eine Gegenidentität zu entwickeln, mit der er sich kritisch vom herrschenden Diskurs absetzt, lautet ein Theorem der amerikanischen Feministin Donna Haraway.[291] Ihr neuer Islam hat für die jungen Musliminnen exakt diese Funktion. Damit er als Gegendiskurs funktioniert, muss er als »ebenbürtig« konstruiert werden. Das passiert, indem man ihn als dem Christentum vergleichbare Religion konstituiert, als individuelles ethisches System statt als traditionellen autoritären Volksislam. Einen »universalisierten Hyperislam«, der kompatibel ist mit den westlichen säkularisierten Identitätskonzepten, ihnen aber zugleich als Betonung der Differenz gegenübergestellt werden kann, so hat man ihn schon genannt.[292]

Diesen Gegendiskurs führen die Frauen mangels anderer politischer Repräsentation über Körperpolitik. Das modernisierte Kopftuch, der Türban, ist ihr Statement. Es auszuziehen würde den Rückfall in die Sprachlosigkeit bedeuten.

Die Geschlechter im Blick der Neo-Muslimas

Teil der Neuaneignung des Islam ist eine Reformulierung des Geschlechterkonzepts. Als Referenz an die islamische Geschlechtersegregation, mit der das imaginierte gesellschaftliche Chaos verhindert werden soll, halten die Mädchen verschiedene Einschränkungen aufrecht. Die Jungfräulichkeit vor der Ehe gehört oft dazu, das Kopftuch als Zeichen der sexuellen Verantwortung ebenfalls. Die Geschlechter sind in ihrer Konzeption eben doch unterschiedlich und verhalten sich auch unterschiedlich. Dennoch ist in ihrem Konzept von der vielzitierten »Gleichwertigkeit« der Geschlechter im Islam auch eine Gleichberechtigung enthalten. Sie suchen danach in feministischen Koranlektüren und richten ihren Islam danach aus. Die gläubigen Muslimas, die vor der Ehe »sauber bleiben« wollen, verlangen dies auch von ihrem Mann, wie eine der von Nökel Befragten klarstellt: »Die haben so eine doppelte Moral, die Jugendlichen heutzutage in Deutschland. (...) Die sind mit deutschen Frauen zusammen, erst mal, um sich selber zu befriedigen und um Sex zu haben und so. Danach heißt es, die wollen ein sauberes Mädchen. Das kommt bei mir nicht in die Tüte. Wenn ich sauber bin, dann habe ich ein Recht, auch einen sauberen Mann zu haben. (...) Das ist mein gutes

---

[291] Helma Lutz: Kopftuch-Debatten in den Niederlanden, in: Ruth Klein-Hessling et al.: Der neue Islam der Frauen, Bielefeld 1999: 39

[292] Klein-Hessling 1999: 20

Recht.«[293] An der Empörung über die Ungleichbehandlung, etwa darüber, dass manche Eltern die Jungen in Schwimmbäder lassen, die Mädchen aber nicht, zeigt sich zugleich, dass die jungen Frauenrechtlerinnen mit ihren Forderungen nach Gleichbehandlung noch nicht durchdringen.

Was dem Postulat der gleichen Rechte widerspricht, wird auf unislamische Traditionen zurückgeführt: »Tradition und Islam sind total verschiedene Sachen«, bescheidet eine Muslimin marokkanischer Herkunft die Forscherin. Im Islam sei es so: »Was die Frau nicht darf, darf der Mann auch nicht.« Die Frau dürfe nicht mit fremden Männern Beziehungen eingehen, ebenso wenig wie der Mann. In der Tat versuchen sie also, die Segregation der Geschlechter wieder von der Hierarchisierung zu trennen. In den muslimischen Frauengruppen wird gern auf die Rechte, die der Koran den Frauen einräumt, verwiesen, die durch Traditionen verdeckt wurden: So etwa, dass eine junge Frau selbstverständlich das Recht hat, einen für sie ausgesuchten Ehepartner abzulehnen oder sich selbst einen zu suchen. Ebenso verweisen sie darauf, dass der Mann eigentlich dafür zuständig sei, dass die Hausarbeit erledigt würde. Er dürfe seine Frau laut Koran auch zu nichts zwingen. Er habe seiner Frau den Lebensstandard zu bieten, den sie vor der Ehe gepflegt habe. Aus diesem Recht folgern die Mädchen, dass er ihr die außerhäusige Arbeit und das Geldverdienen nicht verbieten könne.

Dieses Konzept stößt allerdings nicht nur in der Praxis an Grenzen, wenn die Ehemänner eine tradtitionelle Interpretation dieser Regeln bevorzugen. Es scheitert auch da, wo der Koran dem Mann relativ eindeutig Vorrechte einräumt. Da die Musliminnen den authentischen Koran zu ihrem Kronzeugen gemacht haben, verlieren sie unter Umständen an Glaubwürdigkeit, wenn sie nun einzelne Passagen historisieren. Hier tauchen Widersprüche im Selbst- und Islamverständnis der Musliminnen auf: Allah habe die Männer vor den Frauen ausgezeichnet, so begründet eine berühmte Koranstelle, warum die Männer die Verantwortung in der Familie haben. Dieses Machtungleichgewicht ist schwer wegzuinterpretieren.

Ausgewichen wird nun dahin, dass das Ehepaar zu einem idealisierten »hohen Paar« stilisiert wird. Dessen gegenseitige Ergänzung und Liebe verhindere selbstverständlich, dass der Mann seine Vormachtstellung ausnutze. Wer dies tue, sei kein guter Muslim mehr, erklären sie unter Hinzuziehung weiterer Koranstellen, die diese Verbindlichkeit des Paares hervorheben. Unter dieser Prämisse werden Textstellen, die die Polygamie des Mannes erlauben oder ihm ein Züchtigungsrecht einräumen, so interpretiert, dass ein »guter Muslim« von diesen Rechten ohnehin keinen Gebrauch machen würde.

[293] Nökel 2002: 243

Angesichts der Praxis, in der einige Männer diese Rechte dennoch betonen, verwundern diese vorsichtigen Umdeutungen. Sie erinnern an Zeiten in Europa, in denen das Patriarchat ebenfalls durch männliche Vorrechte abgesichert war und Frauen nur hoffen konnten, einen »guten Mann« zu erwischen. Nökel interpretiert dieses Verwischen der ungleichen Rechte so: Der Islam ist als frisch gefundene Währung im Anerkennungskampf so wichtig, dass man ihn selbst nicht kritisieren, also schwächen darf. »Der Schwerpunkt liegt eindeutig auf der Verteidigung des Islam einerseits und auf dem Aufbau der islamischen Persönlichkeit in der Diaspora andererseits. (...) Angesichts dieses großen Projekts erscheint der Aspekt der Geschlechterhierarchie als kleines Opfer, das bis auf weiteres erbracht werden muss.«[294]

Ein zweiter Grund für die Akzeptanz der Abhängigkeiten im Islam ist ein emotionaler: Die reziproke Beziehung der gegenseitigen Unterstützung und des Schutzes bedeutet, dass Mann und Frau einander brauchen. Das deutsche Konzept der parallelen Rechte und Pflichten dagegen bedeutet, dass jeder im Prinzip autonom ist. Das heißt auch, dass beide jederzeit »aussteigen« können. Viele Musliminnen erleben dies als »unverbindlich« und »kalt«. Der Kontrollaspekt des »Einander-Brauchens« wird in Kauf genommen, weil man sich gleichzeitig in einem sicheren sozialen Netz weiß.

Die jungen Musliminnen achten nun sehr genau darauf, dass sie als eigenen Lebenspartner einen »guten Muslim« finden. Und das in einem Umfeld, in dem sich ihre Vorstellung von Geschlechtergerechtigkeit noch nicht vollständig durchgesetzt hat. Dieses Unterfangen ist unter anderem deshalb so schwierig, weil auch die jungen Männer bemerkt haben, dass reiner Patriarchalismus mittlerweile schlecht ankommt. Zu vermeiden gilt es den Typus des »islamischen Taktikers«, der so beschrieben wird: »Ich kenn viele Typen, die sind echt daneben. In der Schule benehmen die sich so toll. Und wenn man die zu Hause beobachtet! (...) Wie die ihre Eltern behandeln, wie sie ihre Mutter verkloppen und so. Was man da alles hört. Und dann kommt man in die Schule, oh, ganz nett zu den Mädels und so, ne, richtig als ob die zustimmen würden für mehr Frauenrechte. (...) Deswegen vertrau ich denen nicht.«[295]

Viele solcher Beispiele verdeutlichen, dass es im Moment unter den gläubigen MuslimInnen kein gefestigtes Geschlechterarrangement gibt: Was folgt aus der Verantwortung der Frau für die Kinder? Dass sie abends nicht ausgehen darf? Was folgt aus der Geschlechtersegregation? Dass sie nicht mit anderen Männern sprechen darf? Bedeutet ihr

---

[294] Nökel 2002: 248
[295] Nökel 2002: 235

Hausfrauendasein, dass sie immer kochen muss? All diese Aspekte werden von den Musliminnen umgewälzt.

Mit anderen Worten: Die Geschlechterordnung ist in Bewegung, die Ehe für diese Frauen immer ein Vabanque-Spiel. Allerdings spielen sie es im Rahmen des deutschen Familienrechts, das ihnen eine Exit-Option offen lässt: Vor der Zwangsheirat können Mädchen abhauen. Wer den falschen Ehemann erwischt hat, kann sich scheiden lassen. Notwendig sind dafür aber unter Umständen Institutionen, die bei einem Ausstieg behilflich sind.

Neo-Muslimas und ihre muslimische Umgebung

Mit ihrem schlauen Islam und dem wackeligen Geschlechterkonzept agieren die Neo-Muslimas in schwierigem Gelände. Einerseits müssen sie sich damit innerhalb ihrer MigrantInnen-Community behaupten, andererseits müssen sie ihren selbsterfundenen Gegendiskurs nun auch gegen die Mehrheitsgesellschaft führen. Das sind komplizierte Konfliktfelder.

Gegen ihre Eltern haben die Neo-Muslimas oft keinen allzu schlechten Stand, wie das Beispiel »Hose« zeigte. Sie haben oft durch ihre stärkere Integration in die deutsche Gesellschaft eine ÜbersetzerInnenfunktion, die sie tendenziell den Eltern überlegen macht. Deshalb können sie sich ab einem gewissen Alter mit etwas Chuzpe über deren Vorstellungen leichter hinwegsetzen. Den Ehemann wählen sie so sorgfältig wie möglich aus. Dies trifft sicherlich vor allem für die privilegierte Gruppe zutrifft, die im deutschen Bildungssystem einigermaßen erfolgreich war. Doch sogar sie kommen in der Gruppe der religiösen MuslimInnen noch nicht besonders weit. Insbesondere in der Szene der Fundamentalisten bricht die Spannung immer wieder auf, denn die Islamisten betreiben eine gespaltene Geschlechterpolitik: Den Frauen präsentieren sie einen Ideal-Islam, in dem die Geschlechterhierarchie aufgehoben ist. Den Männern dagegen suggerieren sie, dass sie die durch den Modernisierungssprung in der Diaspora verlorene Kontrolle über die Frauen endlich wiedergewinnen. Bei uns, so die unausgesprochene Verheißung für die Männer, sind die Frauen dennoch unter der ideellen Gesamtkontrolle der islamistischen Bewegung.[296] In diesem neuen Kontrollregime treffen sich der traditionelle Patriarchalismus und der fundamentalistische Islam wieder. Dieses Konzept der Fundamentalisten ging in den Ländern, in denen sie die Macht errangen, jedes Mal auf. In Ägypten, im Iran, in Algerien, über-

[296] Renate Kreile entwickelt diesen Gedanken am Beispiel der Islamisten im Vorderen Orient: Politischer Islam, Geschlechterverhältnisse und Staat im Vorderen Orient, Feministische Studien, 2, 2003: 204

all waren Frauengruppen an den islamischen Revolutionen beteiligt und überall wurden ihre Rechte danach massiv eingeschränkt. Nun müssen sie jedes einzelne langsam und zäh zurückerobern. Doch in der Diaspora Deutschland, in der ein Regime der Fundamentalisten vorerst nicht denkbar ist, sieht die Situation anders aus.

Zunächst zeigt sich auch hier, dass »der neue Islam der Frauen« kaum in der muslimischen Öffentlichkeit angekommen ist: Ein Beispiel sind die Moscheen. Moscheen sind in erster Linie Männerorte. Der Hauptgebetsraum ist den Männern vorbehalten, das Café wird von ihnen genutzt. Frauen beten auf einer Empore oder hinter einem Vorhang. Ihr Aufenthaltsraum ist der »Frauenraum«, so vorhanden. In den meisten islamischen Vereinigungen ist es nicht denkbar, dass Frauen Imam werden. Bei DITIB etwa, dem größten Moscheeverband in Deutschland, können sie zwar eine entsprechende Ausbildung absolvieren, sind danach aber nur Hodschas (Prediger) – und zwar nur für Frauen.[297] Die Geschlechtersegregation wird hier zu Ungunsten der Frauen gelebt. Bei gemeinsamen Veranstaltungen gilt zwar eine unsichtbare Trennlinie zwischen den Geschlechtern, doch wird diese von Männern selbstverständlich übertreten oder auch schlicht in Richtung Verantwortung der Frauen verschoben, während Frauen die Grenze immer wahren.[298]

Die jungen Frauen fügen sich in der Regel diesen Bedingungen, so Nökels Beobachtung. Dennoch sind die Mädchentreffs und -gruppen die wichtigste islamische Sozialisationsinstanz überhaupt: Hier eignen sich die Neo-Muslimas ihren eigenen Islam an, ihre eigene Koranlektüre, ihr Geschlechterverständnis. Die Moschee wird dabei nur funktional genutzt: Hier kann man Gleichgesinnte treffen. Die Neuaneignung eines weiblichen Islam geschieht aber autonom. Der Nachteil ist, dass sie diese Neuaneignung nicht in ihrer Gesamtgemeinschaft wirken lassen können: »Auffällig ist der Kontrast zwischen der durchaus nach außen demonstrierten Affirmation als selbstbewusste eigenverantwortliche islamische Frau und der Scheu, sich in offene Auseinandersetzung mit traditionellen muslimischen Männern, die auf dezente Hinweise nicht reagieren, zu begeben«, bemerkt Nökel und folgert: »Die jungen Frauen (...) verfügen in diesem Raum über keine strategischen Potenziale.« Das sei ihnen auch bewusst: »Die einzige konsequente Lösung, die sie sehen, liegt in der Abkoppelung.«[299] So erklärt sich, dass manche eigene Frauenzentren

---

[297] vgl. Gerdien Jonker: Religiosität und Partizipation der zweiten Generation – Frauen in Berliner Moscheen, in: Klein-Hessling et al. 1999: 116. Ausnahmen sind aber durchaus vorhanden, Frauen spielen bei Ahmadiyya und Aleviten eine größeren Rolle, der Verein islamischer Kulturzentren (VIKZ) unterhält sogar eine Frauenmoschee in Berlin.

[298] Nökel 2002: 41f

[299] Nökel 2002: 50

gründen, andere ihre Mädchengruppen nach Hause verlagern. Im größeren Rahmen gedacht wird damit auch deutlich, warum etwa die Deutschsprachige Islamische Frauengemeinschaft (DIF) und das Zentrum für islamische Frauen- und Geschlechterforschung (ZIF) abgekoppelt von Milli Görüs oder den Milli Görüs nahestehenden Verbänden existieren.

Muslimischer Feminismus in Deutschland

Er ist nicht ganz leicht zu finden, der muslimische Feminismus. Die Organisationen sind nicht sehr bekannt, ihre Öffentlichkeitsarbeit ist minimal. Sucht man bei den Gruppierungen, die sich explizit politisch äußern wie Milli Görüs oder dem Zentralrat, braucht man etwas Geduld. Auf der Homepage des Zentrums für islamische Frauenforschung ZIF etwa finden sich ein allgemein gehaltener Einführungstext und eine Telefonnummer, weiter nichts. Welche Forschung da betrieben wird, ob und was publiziert wird, liegt im Dunkeln. Auch der Zentralrat der Muslime, der seit längerem schon eine Frauenbeauftragte beschäftigt, gibt außer einem sehr allgemeinen Tätigkeitsbericht keine Informationen zur Situation der Frauen in seinen Reihen preis. Man muss schon etwas tiefer graben, um eine Ahnung davon zu bekommen, was die Frauen im politischen Islam sich vorstellen.

Von Milli Görüs etwa berichtet der Ethnologe Werner Schiffauer eine Szene, die sogar für ihn ein »Aha-Erlebnis« bedeutete:

> »Im Frühjahr 2002 war ich zu einer internen Veranstaltung der Leitungsgremien der Islamischen Gemeinschaft Milli Görüs nach Nassogne eingeladen. Eines der Themen war die Stellung der Frau zwischen Tradition und Offenbarung. (...) Die Referentinnen – alle drei mit Kopftuch und langem Mantel bekleidet – begaben sich nacheinander nach vorne und hielten Vorträge, die mit großem Nachdruck feministische Positionen vertraten. Sie begannen massiv, gegen Gewalt in der Ehe, gegen arrangierte Heiraten, für das Engagement von Frauen in der Öffentlichkeit Stellung zu beziehen und – um dies zu ermöglichen – für die Beteiligung der Männer an der Hausarbeit zu plädieren. Dabei wurde immer wieder Bezug auf die Offenbarung, auf den authentischen Islam der Frühzeit, genommen, und von ihm her die Tradition kritisiert. Muhammed sei immer für die Gleichheit der Geschlechter bei gleichzeitiger Komplementarität der Aufgaben eingetreten. Während der Vorträge kam Unruhe unter den Männern auf, wie sie häufig anzutreffen ist, wenn Männer mit feministischen Positionen konfrontiert sind. Auch aus den Kommentaren danach wurde deutlich, dass sie sich in Frage gestellt, wenn nicht sogar angegriffen fühlten.«

Die jungen Frauen, so Schiffauers Interpretation, haben durch ihre Kleidung und die Bezugnahme auf die Offenbarung ihren Standpunkt auf der Seite des Islam klargemacht und sich von der Mehrheitsgesellschaft abgegrenzt: »Man hat den grundlegenden Punkt der Loyalität geklärt – und kann nun umso nachdrücklicher zur Sache kommen.«[300]

Eine weitere Episode zeigt, dass die feministischen Interventionen Folgen haben: Als der Ex-Milli-Görüs-Chef Ali Yüksel, der zeitweise die Kölner Milli-Görüs-Dependance leitete, seine dritte Frau heiratete, platzte den rheinländischen Milli-Görüs-Frauen offenbar der Kragen: Sie sollen ihn zum Rücktritt gezwungen haben.[301] Innerhalb der Organisation wird die Diskussion also zumindest begonnen, nach außen dringt wenig. Das könnte daran liegen, dass man sich als Minderheit nicht auch noch gespalten präsentieren möchte. Und so viel Einfluss, als dass ihre Interpretationen des islamischen Geschlechterverhältnisses im offiziellen Diskurs auftauchen, haben die Frauen offensichtlich nicht. Im Gegenteil, man stößt manchmal auf eine gewisse Klandestinität. Ihre Ideen haben die Frauen des Zentrums für islamische Frauenforschung nicht auf ihrer Homepage veröffentlicht, sondern in der christlich-feministischen Zeitschrift *Schlangenbrut* näher erläutert, in einigen Texten sogar anonym. Der Inhalt lässt dafür keine Fragen offen: Deutlich erläutern sie, dass sie ihre muslimische Identität in Deutschland nur über eine neue Art, den Koran zu lesen, finden konnten:

> »Muslimische Frauen begegnen vielen Hürden: Einerseits die patriarchal dominierte Tradition, andererseits der Anspruch der Gesellschaft, so ganz anderen Normen zu gehorchen. Auch hier gab es ein Tabuthema: Religion? Wie rückständig! Was konnte ich tun? Die tradierte Frauenrolle einnehmen, bohrende Fragen verdrängen? Mit Familie und Tradition gänzlich brechen, um anerkannt, angepasst und ›in‹ zu sein? Der Gedanke an diese Optionen machte mich nicht glücklich. Ich wollte Muslima sein, aber nicht so, wie unsere Vätergeneration es forderte, ich wollte Teil dieser Gesellschaft sein, aber nicht so wie die Gesellschaft aggressiv und fordernd mein Leben reglementieren wollte.«

Das schreibt Fatima Az-Zahra Sagir,[302] die am Zentrum ein Selbstbehauptungstraining absolvierte und darüber eine Gruppe fand, mit der sie eine neue Lektüre des Koran erprobte. Ihre Hermeneutik erweist sich als machtvolles Instrument: Denn »dieser Ansatz widerspricht der Vorstellung, dass der Text nur eine einzige Aussage, die richtige und wahre, enthalte«. Die Wahrheit Allahs sei viel größer als das kleine Buch, der Koran, das stehe im Text selbst. Kein menschliches Wesen könne diese Wahrheit erfassen, keiner kann daher den Koran mit Wahrheitsanspruch auslegen, so muss also um Interpretationen gerungen werden, keine ist sakrosankt. Als Beispiele folgen die familienrechtlichen Minderstellungen

---

[300] Schiffauer 2002: 24

[301] Seidel, Dantschke,Yildirim 2000: 42

[302] Fatima Az-Zahra Sagir: »Jenseits des Zeigefingers«, in: Schlangenbrut, 77, Mai 2002: 11

der Frau, die als historische Fortschritte für die Zeit Mohammeds gewürdigt werden. Die Frau sei zum ersten Mal als Rechtssubjekt überhaupt in Erscheinung getreten. Im Lichte der vom Koran grundsätzlich vertretenen gleichen Würde von Mann und Frau müssten diese Regeln selbstverständlich mit dem Fortschreiten des Rechts angepasst werden: Es gehe doch, etwa beim Erben, nicht um Prozentzahlen, sondern um »eine sozialverträgliche gerechte Lösung aufgrund der vorliegenden Bedingungen«, so schließen sie. Die Hermeneutikerinnen gehen so weit, dass sie den Gottesnamen Ar-rahman mit »die Gottheit ist der Mutterschoß, in der der Mensch geborgen ist« übersetzen: Allah ist eine Frau.

Auch die Marginalisierung der feministischen Theologie wird kritisiert: »Das Überhören der Frauenstimmen (...) bedeutet, dass die patriarchal besetzte Theologie nicht zu brauchbaren Ergebnissen führen kann. Was kann der eindimensionale Blick auf die Welt an Brauchbarem für beide Geschlechter und die Schöpfung als Ganzes erbringen?«[303]

Offensiver und international verbunden tritt das Netzwerk Huda auf, das Auszüge seiner Zeitschrift auch im Internet veröffentlicht. Der Unterschied etwa zum offiziösen Tätigkeitsbericht der Zentralrats-Frauenbeauftragten ist frappierend: Letztere schreibt, es »rufen Frauen mit ganz persönlichen Problemen in Ehe und Familie an. Über diese Probleme spreche ich selbstverständlich nicht, da habe ich mir eine Schweigepflicht auferlegt.« Sie deutet nur an, dass die Probleme im unislamischen Verhalten der Männer lägen.[304]

Huda dagegen veröffentlicht den langen Bericht eines muslimischen Psychotherapeuten, der, ebenfalls unter Wahrung der Anonymität seiner KlientInnen, Klartext redet: Über die Angst traditioneller Männer, die Kontrolle über ihre Frau zu verlieren, die sich in Gewalt, Eifersucht und im Einsperren äußert. Über den Masochismus muslimischer Frauen, die meinen, Allah würde ihnen ihre Duldsamkeit schon lohnen, und die vielleicht noch stolz darauf sind, dass ihr Mann so »stark« ist. Über das Problem der Konvertitinnen, die ihren Freundeskreis durch die Konversion verloren haben, und nun jede Tyrannei des Ehemannes mitmachen, aus Angst, mit ihm ihren letzten Halt zu verlieren. Der Autor ermutigt sogar, auch einen nichtmuslimischen Therapeuten aufzusuchen, wenn sich kein muslimischer finden lässt.[305]

Langen Erörterungen über Islam und Gewalt folgen bei Huda Auseinandersetzungen darüber, ob die muslimische Frau nun am öffentlichen

---

[303] Hermeneutischer Arbeitskreis des ZIF: Vielfältiges Verstehen, in: Schlangenbrut, 77, Mai 2002: 13-16

[304] vgl. Tätigkeitsbericht der Frauenbeauftragten des Zentralrats der Muslime, im Internet unter: *www.islam.de*

[305] Quelle: *www.huda.de/frauenthemen/500645940e0bea401.html*

Leben teilnehmen soll oder nicht, oder theologische Gutachten über Fragen von Scheidungsrecht und Unterhaltspflichten.

Dies sind zwei Beispiele für feministischen Islam in Deutschland, wer sucht, findet noch einige mehr. So veröffentlicht etwa die Deutsche Muslimliga Bonn eine »frauenfreundliche« Übersetzung der einschlägigen Koransuren über das Geschlechterverhältnis und hat einen geschlechterparitätisch besetzten Vorstand. Allen diesen Organisationen ist zwar gemeinsam, dass sie klein sind. Doch merkt man ihnen ebenso an, dass der Feminismus hier frisch und angriffslustig ist.

Die Politik der Neo-Muslimas

Das vorrangigen Politikfeld der Neo-Musliminnen ist nach dem, was die Befragungen zu Tage gefördert haben, die Identitätspolitik. Aus den empirischen Erhebungen ist eine generelle Anziehungskraft der Fundamentalisten auf Jugendliche und damit auch auf Mädchen mit Tüchern nicht festzustellen. Die qualitativen Studien haben recht deutlich gezeigt warum: Der Männerort Moschee macht den Frauen kein befriedigendes Angebot. Ihren Islam müssen sie sich selbst zusammenbauen. Die Fundamentalisten versuchen, ein Geschlechterbild zu zementieren, das die Frauen bereits aufgelöst haben. Deren Identitätsangebot können sie nur kritisieren, was sie auch tun.

Die unauflösbare Schwierigkeit ihrer Position liegt darin, dass sie in dieser Gesellschaft keinen Ort für ihre Identität haben. Als praktizierende Musliminnen werden sie massiv diskriminiert, wie ihre oft vergebliche Arbeitsplatzsuche zeigt. Den säkularen TürkInnen sind sie ohnehin suspekt, denn das Tuch ist für Kemalistinnen ein Symbol, das ihre persönliche Entwicklung dementiert. Sie können nicht fassen, dass jemand es freiwillig trägt, und kämpfen dagegen. Nur die orthodoxen und fundamentalistischen Muslime sind auf der Seite der Tuchträgerinnen. Mit ihnen sind sich die jungen Damen darin einig, dass man die Religion Islam wichtiger nehmen will. Damit ist für sie aber keinesfalls die Einschränkung ihrer Freiheiten im Namen des Islam gemeint, die manche Fundamentalisten propagieren. Ausnahmen bestätigen die Regel: Eine Zeitung hat vor einiger Zeit unter den Lehrerinnen mit Kopftuch eine Konvertitin gefunden, die im Gespräch mit dem Reporter Steinigungen verteidigte.[306] Eine einzige, wohlgemerkt. *Emma* erklärt dies zum Skandal.[307] In der nordrhein-westfälischen Landesregierung scheint es dazu geführt zu haben, dass

---

306 »Im Schutz des Tuches – Ein Besuch in der mitunter merkwürdigen Welt deutscher Kopftuchlehrerinnen.« Die Zeit, 11.12.2003

307 »Skandal! Kopftuchlehrerinnen in NRW für Scharia und Steinigung.« Emma online, Quelle *www.emma.de/632073625690156.html*

man Lehrerinnen mit Tuch nun genauer ansehen will, bevor man sie einstellt. Angesichts der Forschungsergebnisse scheint dies allemal angemessener.

Sogar bei den tendenziell fundamentalistischen Organisationen wie Milli Görüs ist die weibliche Opposition gegen die frauenfeindlichen Praktiken institutionalisiert und, soweit man es von außen erkennen kann, auch in einigen Fällen erfolgreich. Die jüngere Generation hat die feministische Kritik am Islam längst verarbeitet: Die Muslimische Jugend etwa achtet nicht nur streng auf die Geschlechtersegregation, sondern auch auf Geschlechterparität bei ihren Unternehmungen. In der Frage »Integration oder Ghetto?« haben sie längst entschieden. Alles, was die Kopftuch-Frauen von sich geben, weist in Richtung »Integration«. Nur die Gesellschaft, in die sie sich integrieren wollen, die macht dabei nicht mit. Diese Frauen seien zu schwach und könnten sich gegen die Macht der traditionalistischen Männer ohnehin nicht durchsetzen. Dies aber könnte eine von vielen Fehleinschätzungen sein. Sogar der hypersensible Verfassungsschutz rechnet nur ein Prozent der hier lebenden Muslime zu den Fundamentalisten. Sollte dieses eine Prozent so viele junge Frauen derart dominieren? Oder wird hier vielleicht an der Legende von der Macht der Fundamentalisten in Deutschland mitgestrickt? Wenn dagegen gemeint sein sollte, die jungen Frauen könnten sich gegen traditionelle Machos nicht durchsetzen – dann wäre es höchste Zeit, ihnen dabei behilflich zu sein.

Der Islam der Neo-Musliminnen ist mit dem der Fundamentalisten nicht vereinbar: Vielmehr sieht ihr Islam aus, wie die Europäer ihn gerne hätten: reflektiert, aufgeklärt, individualisiert, mit den Bedingungen der Säkularität versöhnt. Nur die Sichtbarkeit ihres Glaubens wollen sie sich nicht nehmen lassen. Übrig bleibt allein ein Symbol. Ein Quadratmeter Islam.

Kapitel 6

Die Mehrheitsgesellschaft

Die neue islamische Identität von Neo-Musliminnen in ihrer emanzipatorischen Funktion wird von der Mehrheitsgesellschaft kaum gesehen, geschweige denn anerkannt. Und dieses Missverständnis manifestiert sich am Kopftuch: Für die jungen Frauen, die interviewt wurden, ist es geradezu Ausdruck eines neuen, subjektivierten Islam. Es ist das Signal für eine reflexive Religion, die anschlussfähig ist an die säkulare Mehrheitsgesellschaft. Gleichzeitig signalisiert es die Zugehörigkeit zur Gruppe der Muslime. Es ist der Nachweis ihrer Fähigkeit zur Selbstdisziplin und Ernsthaftigkeit. »Ich trage das Tuch nur für mich«, rufen sie der Gesellschaft entgegen. Aber die echot pausenlos: »Du trägst das Symbol deiner Unterdrückung.« Wie kommt es dazu? Es gibt zwei Argumente, die aus Sicht der Kopftuchgegnerinnen schlagend dafür sprechen, dass das Tuch auf ewig diskreditiert sei. Das eine ist der Kopftuchzwang. Das andere ist die mit dem Tuch verbundene Unterdrückung, der die Mädchen ihrer Vorstellung nach nicht entgehen können.

Das Kopftuch, so wird argumentiert, sei dem patriarchalen Zwang zur Verhüllung geschuldet. Verwiesen wird dann etwa auf die Zwangsverschleierung im Iran und in Algerien. Es sei das Instrument der patriarchalen Fundamentalisten, die Frauen, die von der westlichen Gleichheit profitierten, wieder unter Kontrolle zu bekommen, so etwa Elisabeth Badinter.[308] Nicht verwiesen wird auf die Kolonialmächte, die die muslimischen Frauen »zivilisierten«, indem man sie zunächst zwangs*ent*schleierte.

Wie viel die kolonialen Entschleierungsaktionen übrigens mit Rassismus und wie wenig sie mit Frauenrechten zu tun hatten, zeigt das Beispiel des britischen Generalkonsuls in Ägypten, Lord Cromer, der vehement die Befreiung der ägyptischen Frau durch Entschleierung forderte, während er zugleich in England eine Kampagne gegen das Frauenwahl-

---

[308] Elisabeth Badinter: Der verschleierte Verstand, in: Schwarzer 2002: 142

recht lancierte.[309] »Er wollte also nicht die Befreiung der ägyptischen Frau, sondern ihre Anpassung an das Modell der englischen Hausfrau und Mutter«, bemerkt dazu die Soziologin Birgit Rommelspacher.

Die Franzosen entschleierten beherzt die Algerierin und rekrutierten sie gleich darauf für ihre Bordelle.[310] Schah Reza Pahlevi zwangsentschleierte die Frauen im Iran mit Hilfe der Polizei. Die deutsch-iranische Wissenschaftlerin Katajun Amirpur zitiert den Bericht eines Mannes, der zu dieser Zeit acht Jahre alt war: »Meine Tante ist 15 Jahre nicht mehr aus dem Haus gegangen. Sie wollte eben ihr Kopftuch nicht abnehmen und sie wollte gegen die Zwangesentschleierung protestieren. Eine andere Tante ging immer nur nachts, heimlich mit dem Kopftuch aus dem Haus.«[311] Als »kolonialen Feminismus« bezeichnet Rommelspacher diese vom Westen beeinflusste Vorstellung, wie eine moderne Frau auszusehen habe. Die Frau, die sieht, aber nicht gesehen wird, frustriert den Kolonisator, interpretiert sie Frantz Fanon und zitiert: »Es gibt keine Gegenseitigkeit. Sie ergibt sich ihm nicht und bietet sich nicht an.«[312] In fast allen islamisch geprägten Ländern hat sich der Fundamentalismus als antikoloniale Bewegung entwickelt, der der Zwangsentschleierung wieder eine Verschleierung entgegensetzte. Dieses symbolische Spiel setzen diejenigen fort, die nun wieder die Entschleierung fordern.

Selbstverständlich haben Frauen von der sie fördernden Politik, die mit der Entschleierung einher ging, immer wieder profitiert. Nur hätte man die Frauen auch fördern können, ohne gewaltsam in ihr Erscheinungsbild einzugreifen. Eine schlichte Aufhebung des Schleierzwangs hätte es auch getan. Es gab daher auch in den Frauenbewegungen der islamischen Welt immer eine Ambivalenz gegenüber der symbolischen Schleierpolitik: In Ägypten legte Huda Sharawi 1923 öffentlich den Schleier ab und begründete damit eine ägyptische Frauenbewegung. Kurze Zeit später aber antwortete die Frauenrechtlerin Malak Nassef einem Mädchen in einem offenen Brief in einer Kairoer Zeitung auf die Frage, ob sie denn nun ebenfalls den Schleier ablegen solle oder nicht: »Wir werden durch das Unrecht der Männer unterdrückt. Wenn sie sagen: Verschleiere dich, dann verschleiern wir uns, wenn sie sagen, entschleiere dich, dann legen wir den Schleier ab... Ihre Worte müssen sorgfältig abgewogen werden, denn sie sind genauso despotisch, wenn sie uns befreien, wie sie despotisch sind, wenn sie uns unterdrücken.«[313] Das Ablegen des Schleiers

---

[309] vgl. Birgit Rommelspacher: Anerkennung und Ausgrenzung, Frankfurt/M. 2002: 114

[310] Irmgard Pinn, Marlies Wehner: EuroPhantasien. Die islamische Frau aus westlicher Sicht. Duisburg 1995: 115

[311] Katajun Amirpur: Emanzipation trotz Kopftuch, in: Feministische Studien, 2, 2003: 214

[312] Rommelspacher 2002: 115

[313] zitiert nach Rommelspacher 2002: 118

stand derart in einem kolonialen Kontext, dass einige Frauenrechtlerinnen zu dem Schluss kamen, anstatt auf die symbolische müsse man eher auf die reale Politik den Frauen gegenüber einwirken. Symbolische und reale Politik zu entflechten, kann hier ein lohnenswerter Ansatz sein.

Dennoch wirke ein Kopftuch unterdrückend – sogar wenn es freiwillig getragen würde, so das zweite Hauptargument der Kopftuchgegnerinnen. Die psychische Wirkung eines Kopftuches kann unter bestimmten Umständen stark sein, wie das Beispiel der iranischstämmigen Schriftstellerin Chahdortt Djavann zeigt, die es als Kind im Iran tragen mußte: »Es ist eben kein Kleidungsstück. Wenn man ein Mädchen verschleiert, sagt man ihm: Du bleibst zu Hause, du hast nicht dieselben Rechte wie dein Bruder. Das hinterlässt unauslöschbare Spuren in der Psyche, der Sexualität und der sozialen Identität.«[314] Doch ist es das Tuch, das diese Zwänge ausübt? Andere Frauen aus muslimisch geprägten Ländern reagieren verhaltener, wenn nicht sogar etwas ungehalten, wenn sich Diskussionen vor allem um ihr Tuch drehen. Das Kopftuch ist ein starkes Symbol, aber im Alltag behindern nicht Tücher die Frauen, sondern ihre mangelnden Rechte. Aus der internationalen frauenpolitischen Debatte berichtet Ann E. Mayer, dass »westlich« geprägte Frauen oft auf die Praktiken fixiert sind, die sie am schockierendsten finden, weil sie am weitesten von ihren Vorstellungen entfernt sind. »Die Prioritäten von Frauen, die in muslimischen Ländern leben, können ganz andere sein, als die Themen, die ein westliches Publikum beschäftigen, das die Bestätigung von Stereotypen über orientalische Barbarei wünscht«,[315] meint Mayer. So seien Frauen in islamisch geprägten Ländern viel stärker als mit dem Schleier mit den Folgen des ungleichen Scheidungsrechts befasst – und zwar unabhängig davon, ob es in diesem Land üblich, unüblich oder zwingend ist, ein Kopftuch zu tragen.

Amirpur zitiert die Herausgeberin der Frauenzeitschrift *Zanan* im Iran, Shala Sherkat, die betont, sie wünsche, Frauen könnten über ihre Kleider selbst entscheiden. Aber: »Die iranischen Frauen und auch die anderer Länder haben mit Sicherheit wichtigere Probleme als ihre Kleidung. Aber wieso sprechen die Westler immer nur diesen Punkt an?«[316] Amirpur beschreibt, dass das Kopftuch die Frauen im Iran heute nicht mehr an der Teilnahme am öffentlichen Leben hindert: »Iranische Frauen werden heutzutage Abgeordnete, Ärztinnen, Lehrerinnen, Präsidentenberaterinnen und Bürgermeisterinnen. (...) Im Jahr 2002 gab es zum vierten Mal mehr weibliche (63 Prozent) als männliche Studienanfänger. (...) Als unterwürfige

[314] »Kopftuch ist wie gelber Stern«, die tageszeitung, 24.1.2004
[315] Mayer 2003: 288
[316] Amirpur 2003: 215

Dienerin der Ayatollahs verstehen sich die iranischen Frauen jedenfalls nicht, im Gegenteil. Selbst Fatima Mernissi, die zu den entschiedensten Gegnern des Kopftuches gehört, (...) kann dem Kopftuch einen strategischen Wert für die Emanzipationsbewegung abgewinnen. Sie nennt Iran als positives Beispiel dafür, dass es bei der Frauenfrage nicht in erster Linie darum geht, ob Frauen verschleiert sind oder nicht.«[317]

Das Kopftuch kann ein Unterdrückungsinstrument sein, wenn es aufgezwungen wird und andere Rechte der Frauen eingeschränkt sind. Aber es ist eben doch auch »nur« ein Kleidungsstück. Warum hat ersteres für viele so selbstverständlich Vorrang, dass sie nicht glauben mögen, dass Musliminnen es uminterpretieren können?

Das Tuch im Auge der Betrachterin

Das Kopftuch ist offensichtlich ein so starkes Symbol, dass unbetuchten Betrachterinnen oft entgeht, was darunter stattfindet. Zu diesem Ergebnis kommt eine Studie des Duisburger Instituts für Sprach- und Sozialforschung, das deutsche Publikationen auf ihr Bild der muslimischen Frau hin untersuchte und neben den gängigen Rassismen den untrennbaren Konnex der Kopftuchs mit der unterdrückten Frau fand: Das Tuch ist ein »Fremdzeichen« par exellence. Anhand dieser Zeichen, zu denen sich etwa die Moscheeminarette, die arabische Schrift und die Gebetshaltung gesellen, wird der Islam als das ganz Andere konstruiert. Mit Vorliebe fließt dann Blut: aus geschächteten Hammeln etwa.[318] Denn der Islam wird mit Gewalt assoziiert. Irritierend eigentlich, weil die Welt ja voller Gewalt und Kriege ist – unabhängig von Religionszugehörigkeiten. Diese einseitige Identifizierung legt einen Verdacht nahe: Hier muss kräftig abgewertet werden, damit man sich und seine eigene Kultur aufwerten kann.

Der Schleier wird dabei oft mit dem Tod verbunden: »Totenvögel« heißen Verschleierte in der *Emma*, »Schleier und Schwert« titelt das *Zeitmagazin* 1990, die *Kommune* warnt vor der »explosiven Wirkung« des Tschadors. Im *Stern* steht unter Bildern neutral dreinblickender verschleierter iranischer Frauen »Gequälte Schwestern«.[319]

In Deutschland wird das Tuch mit Türkinnen gekoppelt, die von ihren Männern unterdrückt werden. Aber werden Türkinnen tatsächlich flächendeckend von ihren Männern unterdrückt? Bedeutet eine traditionelle

---

[317] Amirpur 2003: 219
[318] zuletzt wieder in: Der Spiegel, 29.9.2003
[319] Pinn/Wehner 1995: 194

Rollenverteilung Not und Elend für die Frau? In muslimischen Familien kommt Gewalt häufiger vor als in Nichtmuslimischen, das sagt die Sozialforschung. Aber die Gewalttäter sind auch unter muslimischen Männern eine Minderheit. Zu ihren Schlägen führt eine komplexe Mischnung aus Diskriminierungserfahrungen, Marginalisierungsängsten und daraus folgendem Kontrollzwang. Man nimmt das Fremdzeichen »islamisches Tuch« und hängt das gesamte Konglomerat von Problemen an dieses schön sichtbare Symbol. Diese Wahrnehmung führt die Interpretinnen dann zu dem logischen Schluss, den Pinn und Wehner so zusammenfassen: »Die Botschaft, die in Kinderbüchern, wissenschaftlichen Abhandlungen, Romanen oder feministischen Reportagen vermittelt wird, ist stets dieselbe: ›Sie wollen so sein wie wir. Sie beneiden uns. Ließe man sie nur, sie würden auf der Stelle Kopftuch und Mantel von sich werfen.‹«[320] Das führt uns zu einem ebenfalls schon seit längerer Zeit erforschten Problemfeld: wie die Muslimin wahrgenommen wird. Im Kopftuchkonflikt feiert ein lange und erfolglos bekämpftes Klischee einen neuen Triumph.

Das muslimische Mädchen in der Opferrolle

Das muslimische Mädchen sei ein problematischer Fall, so der gesellschaftliche Konsens: Zu Hause unter traditionellem Kontrollregime, in der Schule mit ganz anderen kulturellen Anforderungen konfrontiert. Der pädagogische Mainstream formuliert das so: »Der Druck der heimatlichen Moralbegriffe und der Wunsch, sich davon zu lösen und damit am Alltagsleben der deutschen Umwelt aktiver teilzunehmen, bringt diese Mädchen in schwere Konflikte, wobei kein Mensch und keine Institution in der Lage ist, ihnen Orientierungshilfe zu geben.« Das formulierte die Pädagogin Saliha Scheinhardt schon 1980, und 1995 findet die Sonderpädagogin Birgit Warzecha, dass dies »noch immer gilt«.[321] Die Schule wird als »Freiraum« konzipiert gegenüber der islamischen Segregation, deren Postulat der Jungfräulichkeit als Festhalten an der »traditionellen Mädchenklausur« gedeutet wird. Stutzig müsste schon machen, dass sich die Leistungsagentur Schule hier zum Freiraum stilisiert. Dahinter steht das noch tiefere Klischee, dass das muslimische Mädchen unterdrückt ist.

Überspitzt könnte man das Klischee so formulieren:

> Es wird zu Hause mit sieben kleinen Geschwistern eingesperrt, überwacht von eifersüchtigen Brüdern und einer dicken Mutter, die vom tyrannischen Vater geschlagen wird und kein Deutsch spricht. In die Schule kommt es

[320] Pinn/Wehner 1995: 210

[321] Birgit Warzecha: Befreit, aber auf jeden Fall Jungfrau, in: PädExtra, Januar 1995: 40

> mit einem Kopftuch, das ihm zusätzlich noch den Mund versiegelt, denn das muslimische Mädchen ist schüchtern und schweigsam. Es darf nicht in den Sport- oder Schwimmunterricht, nicht auf Klassenfahrten und wird später mal zwangsverheiratet. Nun steckt es in dem Dauerkonflikt zwischen der verheißungsvollen westlichen Freiheit und dem Gehorsam gegenüber dem, was seine bisherige soziale und psychische Sicherheit bedeutet hat: der Familie.

Die gute alte Kulturkonfliktthese durchzieht die Forschung über Migrantenjugendliche wie ein roter Faden. Die Macht dieses Bildes ist so groß, dass eine erhebliche Anzahl von Untersuchungen, die dafür keine Bestätigung liefert, nicht dagegen ankommt. Nur ein Beispiel sei erwähnt: Karakasoglu hat das Selbstbild türkisch-deutscher und deutscher Mädchen verglichen: Die Türkinnen waren zu einem erheblich höheren Prozentsatz »sehr selbstbewusst« als die Deutschen. Aber auch unter den unterdurchschnittlich Selbstbewussten waren mehr Türkinnen als Deutsche. Dreimal so viele türkische wie deutsche Mädchen stimmen der Aussage »Ich finde meinen Körper schön« voll zu. Und doppelt so viele Türkinnen wie Deutsche stimmen diesem Satz »gar nicht« zu.[322] Offensichtlich ist die Stimmungslage außerordentlich heterogen: Es gibt die unterdrückten schüchternen Mädchen, aber es gibt mindestens genauso viele, die ziemlich obenauf sind. Insgesamt, so Karakasoglu, würde immer wieder eine außerordentlich hohe Lebenszufriedenheit gemessen. Dazu trage bei, dass die Mädchen sich als Bildungsaufsteigerinnen verstehen, die das Klischee der putzenden Türkin hinter sich gelassen haben.

Die Sozialwissenschaftlerin Martina Weber stellt ähnliches fest: »In den Ergebnissen neuerer und solider Forschungen konnte gezeigt werden, dass die Lebensrealitäten und die Wertorientierungen von Migrantinnen in der Bundesrepublik Deutschland selbstverständlich ausgesprochen vielfältig sind.«[323] Doch das unterdrückte muslimische Mädchen ist als Aschenputtel der Bundesrepublik ein festgefügtes Motiv, das seine Bestätigung immer wieder in den Medien findet. Wenn über junge Türkinnen berichtet wird, dann garantiert über eine Zwangsverheiratung und die dramatische Flucht ins Krisenzentrum. Diese Fälle kommen vor und gehören angeprangert. Doch weisen Beraterinnen auch darauf hin, dass die meisten dieser Konflikte auf Missverständnissen zwischen Eltern und Kindern beruhen, die sich schließlich gütlich regeln lassen.[324] Der Nebeneffekt der Dramatisierung dagegen ist, dass das Gesamtbild verzerrt

---

[322] Yasemin Karakasoglu: Arm dran oder gut drauf, in: Betrifft, 3/2003: 7

[323] Martina Weber: Zuschreibungen gegenüber Mädchen aus eingewanderten türkischen Familien in der gymnasialen Oberstufe, in: Heide Gieseke/Katharina Kuhs: Frauen und Mädchen in der Migration, Frankfurt a. M. 1999: 53

[324] »Sanela wurde nicht gefragt«, die tageszeitung, 26.11.2002

wird. Dieses Bild aber findet sich auch in LehrerInnenköpfen. Welche Auswirkungen das haben kann, soll im Folgenden betrachtet werden.

Das Opfer macht Schule

Das Klischee ist mehr als ein Bild. Wer es im Kopf hat, handelt auch danach. Dass die Eltern die Mädchen zu Hause einsperren und möglichst bald verheiraten wollen, hörten etwa die türkischstämmigen Schülerinnen in Webers Studie oft genug: aber nicht von den Eltern, sondern von den Lehrern. Als eine erklärt, sie könne das Geld für eine Klassenfahrt nicht aufbringen, heißt es nur: »Du darfst bestimmt nicht!« Eine andere erzählt dem Lehrer von ihren Studienplänen, und der antwortet: »Dass du das zu Hause durchkriegst!« Dabei sind, so berichten alle Schülerinnen übereinstimmend, die meisten migrierten Eltern geradezu fixiert darauf, dass auch ihre Töchter ein besseres Leben haben als sie selbst und sich entsprechend qualifizieren.

Die Schülerinnen nutzen diese Klischees auch aus: Wenn sie die Hausaufgaben nicht gemacht haben, erzählen sie, sie hätten auf ihre Geschwisterschar aufpassen müssen, auch wenn das nicht stimmt. Eine schreibt in einen Aufsatz zu Effi Briest, sie kenne als Türkin das Problem des Verheiratetwerdens nur zu gut. Weber, die das Mädchen schon eine Weile kannte, wunderte sich. Die Erklärung war: »Laß mal, meine Lehrerin steht auf so was. Dafür kriege ich immer bessere Noten, als wenn ich meine wirkliche Meinung schreibe.«[325]

Die Markierung der migrierten Schülerinnen hat nicht nur so kuriose Seiten. In Webers Studie stellt eine Oberstufen-Schülerin dar, was sie zu »stillen türkischen Mädchen« machte:

> »Es habe ein Schlüsselerlebnis im Chemieunterricht gegeben, das sie fortan auch in anderen Fächern zum Schweigen gebracht habe. Immerhin vier Jahre später schmerzte sie die Erinnerung so sehr, dass sie folgendes weinend erzählte: Der Lehrer führte einen Versuch vor. Auf eine spektakuläre Weise hatte die Flüssigkeit in einem Reagenzglas mit einer anderen reagiert, sodass dieses vorher gefüllte Glas nun leer war. Beeindruckt von dieser Vorführung hatte die Schülerin begeistert ausgerufen: ›Das ist ja voll leer!‹ Man ahnt, was passierte: Die Schülerin musste sich von dem Lehrer anhören, dass die Adjektive voll und leer einen Gegensatz ausdrücken und ihre Ausdrucksweise demzufolge inakzeptabel sei, darauf folgten Spott und Auslachen der übrigen Klasse.«[326]

---

[325] Weber 1999: 60
[326] Weber 1999: 54

Demütigungen dieser Art tauchen in Webers Befragung regelmäßig auf:

> »Mein Lehrer sagt fast jeden Tag, dass wir nicht genug Deutsch können für die 9. Klasse.« – »Immer, wenn wir uns gemeldet haben und einen grammatikalisch unkorrekten Satz ausgesprochen hatten, fing mein Physiklehrer an, sich darüber aufzuregen. Wir trauten uns kaum, etwas zu sagen. (...) Was mir auffiel, war, dass die deutschen Schüler genauso viele Fehler beim Sprechen machten. Doch dieses schien unserem Lehrer gar nicht aufzufallen.« Schülerinnen, folgert Weber, »entwickeln Angst zu fragen, wenn sie etwas nicht verstanden haben. Sie ziehen sich lieber zurück, als das Risiko einzugehen, ihre Note zu gefährden.«[327]

Die Schule, so ihre Theorie, hat das schüchterne türkische Mädchen mit produziert. Wenn dieses Mädchen nun aber auch noch mit einem Kopftuch in der Schule erscheint, dann ist das Bild für die LehrerInnen komplett: Das Mädchen mit Kopftuch darf sich nun noch nicht mal integrieren. Oder sie ist bockig und will sich nicht integrieren. Beides lehnen die LehrerInnen ab. Das Tuch rangiert hier entweder als Unterdrückungs- oder als Kampfemblem. Dass es getragen werden könnte, um ein »ehrbares Mädchen« zu markieren, das sich dann umso unbeschwerter in alle Aktivitäten integrieren kann, scheint nicht denkbar.

»Andere Bilder erhalten keine Repräsentanz« in der Wahrnehmung, ist auch das Resümee der Sozialwissenschaftlerin Ursula Boos-Nünning. Sie hat untersucht, warum Mädchen türkischer Herkunft seltener eine Berufsausbildung machen als türkische Jungen, obwohl sie weitaus bessere Schulabschlüsse haben. »Die äußeren Widerstände (der Betriebe, der Lehrer und Lehrerinnen, der Berufsberater und Berufsberaterinnen) sind meistens größer und schwieriger zu überwinden als die Restriktionen in den Familien«,[328] beobachtete Boos-Nünning. Weit verbreitet sei die Auffassung, die Mädchen würden bald verheiratet und stünden dann nicht mehr zur Verfügung. Deshalb stelle man sie lieber gar nicht erst ein. »In verstärktem Maß gilt dies für Mädchen türkischer Herkunft, die ein Kopftuch tragen. Für diese ist eine Vermittlung in Ausbildungsstellen nur unter besonderen Bedingungen möglich«,[329] meint Boos-Nünning.

Eine Fülle von Diskriminierungsfällen listet auch eine Broschüre der Deutschsprachigen Islamischen Frauengemeinschaft (DIF) mit dem Titel »SchleierHaft« auf.[330]

---

[327] Weber 1999: 55

[328] Ursula Boos-Nünning: Mädchen türkischer Herkunft: Chancen in der multikulturellen Gesellschaft? in Heide Giesecke, Katharina Kuhs: Frauen und Mädchen in der Migration, Frankfurt/Main 1999: 24

[329] Boos-Nünning 1999: 36

[330] Die Studie ist allerdings wenig wissenschaftlich, es werden weder die Fragen noch die Verbreitungsart der Fragebögen erläutert. Deutschsprachige Islamische Frauengemeinschaft (DIF): SchleierHaft, Köln 1996

So wird ein Mädchen mit Kopftuch etwa aufgefordert, dieses auszuziehen, »das sei unhygienisch. Da habe ich ihm gesagt, die Nonnen ziehen ihr Kopftuch auch nicht aus. ›Das ist etwas anders.‹ Da habe ich gefragt: Wieso ist der Kopf einer Nonne hygienischer als meiner? Die verstehen gar nichts. (...) Wer hat denn das Hamam erfunden?«[331] Hier ist auch der Widerstand sichtbar, den diese Haltung der Lehrer produziert.

Lehrer berichten oft voll Stolz, dass sie geschafft haben, ihre Schule »kopftuchfrei«[332] zu halten, so hat Karakasoglu es einmal beschrieben. Die Mittel allerdings werden nicht ganz so laut hinausposaunt: »Kopftuch runter, oder du kannst dir eine andere Schule suchen«, zitiert die Frauengemeinschaft einen Lehrer. Ein Schuldirektor soll dem kopftuchtragenden Mädchen jeden Morgen mit den Worten »Emine, zieh dein Kopftuch aus!« in den Weg getreten sein. Sie wollte irgendwann nicht mehr zur Schule gehen und wurde daraufhin in die Türkei zur Ausbildung geschickt. Eine andere kommt nach den Sommerferien mit einem Kopftuch zurück zu ihrer bisherigen Lieblingslehrerin. Die kann es einfach nicht fassen und versucht, das Kind umzustimmen. Schließlich sagte sie: »Ich habe gedacht, aus dir könnte ich mal etwas machen, aber jetzt habe ich jedes Interesse an dir verloren.«[333] Andere hören, sie seien »so hässlich« mit dem Tuch oder »Ich würde dich am liebsten rausschmeißen« oder »Geh doch in die Koranschule«. Pfiffige Schulleiter versuchen es mit einer Hausordnung, in der es heißt, »in geschlossenen Räumen sei das Tragen von Kopfbedeckungen untersagt«.[334]

Das Paradoxe dieser Situationen ist, dass die Eltern dieser Kinder oft wollen, dass die Kinder in das deutsche Bildungssystem integriert sind. Die LehrerInnen aber nehmen das Tuch als Zeichen der Abwendung und reagieren hilflos oder sogar beleidigt. Interessant in diesem Zusammenhang ist auch, dass keine Rede davon ist, das vermeintlich so unterdrückte Kind nun besonders fördern zu wollen. Es wird schlicht abgelehnt.

Es hat manchmal den Anschein, als wären die Probleme eines Kindes von traditionell eingestellten, besonders strengen oder sonstwie problematischen Eltern gelöst, wenn es nur das Tuch in der Schule nicht mehr umbinde. Das erscheint absurd. Wahrscheinlicher ist, dass LehrerInnen mit einem Kopftuchverbot gerade erst einen Konflikt im Kind hervorrufen: Es wird von einer Autorität aufgefordert, den Eltern nicht zu gehorchen. Die Eltern sind aber selbstverständlich auch Autoritäten. LehrerInnen, so berichtet Karakasoglu, begründen dieses Verbot oft damit, dass die

---

[331] DIF 1996: 41

[332] Karakasoglu 1999:13

[333] DIF 1996: 59

[334] DIF 1996: 65

Schülerin nicht in eine Außenseiterposition gedrängt werden soll. Die haben sie aber zuvor selbst als solche definiert. »In diesem Kontext werten Lehrer und Schulleiter jedes abgenommene Kopftuch als Integrationserfolg, ohne zu hinterfragen, inwiefern sich diese ›Integration‹ in der inneren Einstellung der einzelnen niederschlägt.«[335]

Ein ungünstiges Licht werfen solche Verhaltensweisen auf Lehrerinnen, wenn man sie im Lichte der Bildungsziele betrachtet, die die Kultusministerkonferenz zum Thema »Interkulturelle Bildung und Erziehung in der Schule« bereits 1996 herausgegeben hat. Darin heißt es unter anderem:

> »Zur interkulturellen Erziehung müssen Lehrerinnen und Lehrer befähigt werden, damit sie in ihrer pädagogischen Arbeit Raum für unterschiedliche Sichtweisen und Sichtwechsel geben können. Dies ist um so wichtiger, als die Unterrichtenden zum größten Teil der Mehrheitsgesellschaft angehören und aufgrund ihrer Sozialisation und Ausbildung in der Gefahr stehen, ihre Sichtweisen als die normalen, selbstverständlichen weiterzugeben. (...) Emotionalen Erlebnissen und Erfahrungen kommt bei der Ausprägung von Einstellungen und Umgangsformen eine grundlegende Bedeutung zu. Insofern kann sich interkulturelle Kompetenz nur in einem Schulklima entwickeln, das von Sozialbeziehungen und Denkhaltungen gegenseitigen Respekts geprägt ist. Die Lehrerinnen und Lehrer haben auch beim Umgang mit dem Fremdem und den Fremden im unterrichtlichen wie außerunterrichtlichen Geschehen eine Vorbildfunktion. Insbesondere müssen ausländische und deutsche Schülerinnen und Schüler in gleicher Weise Wertschätzung, Vertrauen und Zuwendung erleben.«[336]

All diese schönen Ziele gelten nicht, sobald auf dem Haupt das »Fremdzeichen« Kopftuch auftaucht, so scheint es. Es ist einfach zu fremd. Eine weitere Volte nimmt diese Wahrnehmung nun, wenn junge Frauen in der Arbeitswelt mit dem Tuch auftreten, etwa als Lehrerinnen.

Beruf ohne Kopftuch – Kopftuch ohne Beruf

Hier im Berufsleben steht das Kopftuch unverrückbar auf der Seite des »bösen Islam«, der sich nicht integriert und die Demokratie unterwandern will. »Ich bin doch integriert«,[337] halten die Befragten Nökel entgegen und verweisen auf die erfolgreich abgeschlossene Schule, die Ausbildung, das Studium. Sie sehen durchaus die Gefahr der Ausgren-

[335] Karakasoglu 1999: 18

[336] Kultusministerkonferenz, Beschluss vom 25.10.1996: »Interkulturelle Bildung und Erziehung in der Schule«, Quelle: *www.bebis.cidsnet.de/faecher/feld/interkultur/rechtindex.html*

[337] Nökel 2002: 20

zung, wenn sie mit Kopftuch auftreten. Aber es ist nicht ihre Selbstausgrenzung, sondern die seitens der Mehrheitsgesellschaft:

> »Ich mache Bewerbungen, die auffallen. (...) Und das gefällt denen. Das merke ich. Und sie merken, aha, das ist eine, die was bewegen kann. Und am Telefon sind sie so nett zu mir, die sind so nett, die sagen sogar, wir freuen uns auf sie... Und wenn sie mich dann sehen, dann sinkt das dermaßen ab, dass dann Bemerkungen kommen wie: Dürfen sie denn arbeiten? Die vergessen dann meine Bewerbung, meine Art, meine Zeugnisse. Ich hab damals als Schulbeste abgeschlossen. Die vergessen alles. Die sehen nur noch das hier. Und dann sagen sie: Muss das sein, warum hängen sie sich an einen Quadratmeter Stoff? Wer hängt sich da? Ich komme mit allem entgegen. Und das ist mein Stück persönliche Freiheit, die ich nicht aufgeben will. Aber die sehen dann immer: ich will mich nicht integrieren. (...) Dann habe ich zu ihm gesagt: Bin ich nicht integriert? Ich kann alles sein. Aber solange ich dieses Kopftuch habe, bin ich nicht integriert, bin ich nicht fortschrittlich, bin ich unmodern, hab ich alle negativen Vorzeichen.«[338]

Pinn und Wehner schließen aus solchen Fällen, dass der Multikulturalismus, den das deutsche Grundgesetz durch seine Meinungs- und Religionsfreiheit festlegt, in der deutschen Wirklichkeit nicht angekommen sei:

> »Was als ›kulturelle Identität‹ bewahrt werden darf, wird (...) nicht den Migrantinnen überlassen oder gemeinsam ausgehandelt, sondern von *uns* festgelegt. Kopftücher gehören nicht dazu. Für ›Kopftuchtürkinnen‹ reicht nicht einmal eine in Deutschland erfolgreich abgeschlossene Ausbildung als Integrationsbeweis.«[339]

Insbesondere auf dem Kopf von Lehrerinnen mutiert das Kopftuch nun endgültig zum roten Tuch. Ein Vorbild sei diese Darstellung von Weiblichkeit nun wahrlich nicht, heißt es. Was für ein Frauenbild wird diese Frau den Kindern präsentieren? Und was für moralische Vorstellungen wird sie den Kindern beibringen?

Die einzige Untersuchung, die explizit nach den Erziehungsvorstellungen von Lehramtsstudentinnen mit Kopftuch fragte, ist die von Karakasoglu. In ihrer Einstellung zum Lehrberuf meint Karakasoglu eine klare Trennung zwischen Religion und Profession zu erkennen. »Ich will gerne so akzeptiert werden, wie ich denke, (...) dass ich vielleicht nicht Christin bin, dass ich Muslimin bin. Aber ich denke kaum, dass das in der Schule so großen Einfluss haben wird. Ich meine, Mathe und Türkisch unterrichte ich eigentlich nicht als islamische Theologin«, erklärt eine. »Die Interviews enthielten keine – weder offenen noch versteckten – Hinweise auf etwaige missionarische Absichten«, meint Karakasoglu.

---

[338] Nökel 2002: 200
[339] Pinn/Wehner 1995: 123

Dass sie weniger an religiöser als an interkultureller Pädagogik interessiert sind, zeigt sich auch daran, dass ein großer Teil der Befragten den Studienschwerpunkt »Interkulturelle Pädagogik« gewählt hat. Sie sehen sich in der Tat als Vorbilder, aber nicht für die Unterdrückung der muslimischen Frau, sondern dafür, dass auch muslimische Mädchen erfolgreich sein können. Sie verstehen sich als interkulturelle Expertinnen, in denen die muslimischen SchülerInnen eine Ansprechpartnerin haben.[340] Eigentlich könnten sie genau das sein, was die deutsche Schule gesucht hat.

In den schon erwähnten Empfehlungen für die »Interkulturelle Bildung und Erziehung in der Schule« sind unter anderem folgende zwei Anregungen enthalten: »Erleichterung der Beschäftigung nichtdeutscher Lehrkräfte in allen Unterrichtsfächern und Intensivierung der Zusammenarbeit der Lehrerinnen und Lehrer des muttersprachlichen Unterrichts mit den übrigen Lehrkräften.« Und weiter heißt es: »Zulassung bzw. Genehmigung von Schulbüchern unter dem Gesichtspunkt, dass Gesellschaften und Kulturen weder marginalisiert noch abgewertet werden. In Text und Bild sollten auch nichtdeutschen Schülerinnen und Schülern Identifikationsmöglichkeiten gegeben werden.«[341]

Ist es tatsächlich ausgeschlossen, dass eine solche Identifikationsfigur auch mal ein Kopftuch trägt? »Wer hängt sich da?«, fragte die junge begabte Bewerberin, der man nahe legte, das Tuch abzulegen. In der Tat, wer hängt sich da?

Mutmassungen über die Mehrheitsgesellschaft

Wenn die symbolische Politik des »Senders« vom »Empfänger« verkannt wird – wer ist dann schuld? In der Kommunikationsforschung wird in solchen Situationen zu weiterer Kommunikation und der Aufklärung des Missverständnisses geraten. Doch die Empfänger beharren im Fall des Kopftuchs auf ihrer Decodierung der Botschaft. Wenn der Sender sagt: So war das nicht gemeint, dann lautet die Antwort: Du lügst. In dieser Konstellation liegt es nahe, dass man nachsieht, warum der Empfänger so sehr auf seiner Interpretation besteht. Die Sozialpsychologin Birgit Rommelspacher hat sich darüber Gedanken gemacht. Sie wundert sich zum einen, warum die Signale der Verfassungstreue, die etwa Ludin auszusenden bemüht war, nicht wahrgenommen werden. Und zum anderen

[340] Karakasoglu 2000: 437
[341] Kultusministerkonferenz 1996

darüber, dass man sich so auffallend um die emanzipatorische Einstellung dieser Lehrerin sorgt, während die antiemanzipatorischen Einstellungen zahlloser männlicher Kollegen oder fundamentalistischer Christen noch in keinem Fall zu Gerichtsverfahren geführt hätten. »Es scheint hier also eher um die Frage kultureller Dominanz als um die Befreiung der Frau zu gehen«, folgert sie.

Das Geschlechterverhältnis sei immer schon Teil der symbolischen Auseinandersetzung mit der islamischen Welt gewesen. In der Tradition des »kolonialen Feminismus« allerdings habe das westliche Emanzipationskonzept auch immer schon als koloniales Repressionsinstrument herhalten müssen. »Deshalb liegt eine wesentliche Schwierigkeit für die Mehrheitsgesellschaft darin, zu sehen, dass Widerstand gegen ihre Emanzipationsvorstellungen selbst emanzipatorisch sein kann, da wiederum ihr Konzept von Emanzipation im Sinne eines assimilatorischen Egalitarismus selbst repressiv sein kann. Repressiv wird das westliche Emanzipationskonzept dann, wenn es unabhängig von Lebenslage und kulturellen Traditionen seine Vorstellung den anderen überstülpen möchte und so im Namen von Gleichheit und Freiheit Unterwerfung einfordert.«[342]

Eine psychologische Ursache dieses Dominanzbedürfnisses sieht Rommelspacher in der Entlastungsfunktion, die die »unterdrückte Muslimin« für die »westliche« Frau hat. Neben dem Schatten der unemanzipierten Muslimin strahlt das Licht der emanzipierten westlichen Frau umso heller: Sie kann sich freier, schöner und besser fühlen. So emanzipiert kann sie sich fühlen, wie sie vielleicht in Wirklichkeit gar nicht ist. Strebt sie nicht genauso die schwierige Verbindung von Familie und Beruf an wie die Muslimin? Und hat ihr ach so frauenfreundliches Land ihr dies schon ermöglicht?

Westliche Feministinnen können an der muslimischen Frau hervorragend eigene Konflikte abarbeiten, lautet Rommelspachers These. So besteht auch in westlichen Gesellschaften die Geschlechtersegregation, etwa auf dem Arbeitsmarkt, weiter fort, entgegen allen Gleichheitsbeschwörungen im politischen Ritual. Ebenso machen Frauen im Westen überwiegend die Hausarbeit. Es besteht also – entgegen der Gleichheitsforderung – eine praktische Differenz. Zugleich haben auch Feministinnen Differenzbetontes Handeln eingefordert, indem sie die Koedukation in Frage stellten und Frauenstudiengänge und Frauenuniversitäten fordern.

Eine Muslimin, die die Geschlechterdifferenz nun betont und für richtig hält, stellt eine einzige Provokation dar, so Rommelspacher: »Die Feministinnen werden provoziert, weil ihre Politik widersprüchlich ist, wenn sie auf der einen Seite Gleichheit einfordern und zugleich die Differenz betonen. Die Mehrheit von Männern und Frauen wird provoziert, weil die mei-

---

[342] Rommelspacher 2002: 124

sten gerne von Partnerschaftlichkeit und Gleichberechtigung sprechen, sich in ihrem Privatleben aber kaum danach richten. Je größer die Kluft zwischen Anspruch und Wirklichkeit, desto größer das Bedürfnis, über eine forcierte Emanzipationsrhetorik die eigene Fortschrittlichkeit unter Beweis zu stellen.«[343]

Eine weitere Provokation stelle das Kopftuch als Zeichen deshalb dar, weil es zwar den männlichen Blick antizipiere, sich ihm aber andererseits entziehe. Es betont die sexuelle Nichtverfügbarkeit der Frau, begrenzt damit aber auch ihren Spielraum für Erfahrungen. Das westliche Modell ist allerdings nicht weniger prekär: Die sexuelle Selbstbestimmung dank sexueller Revolution hat den Körper auch zur Ware degradiert, die man feilbietet, um Anerkennung zu erhalten oder auch Geld zu verdienen.

> »Das bedeutet, dass über das Kopftuch Themen angesprochen werden, die in der westlichen Kultur bestenfalls umstritten sind, in der Regel aber gar nicht thematisiert, sondern als ungelöste Konflikte unterschwellig mitlaufen oder direkt tabuisiert sind. (...) Auf alle Fälle wird eine einfache Entgegensetzung zwischen der emanzipierten westlichen Frau und der unterdrückten Muslimin den Ambivalenzen in beiden Formen des Patriarchats nicht gerecht«, so ihr Schluss.[344]

Die Tatsache, dass Frauen sich ihr Leben auf eine andere Art einrichten wollen als im Sinne des Gleichheitskonstrukts der westlichen Welt, ist auch in der internationalen Debatte ein umstrittenes Thema. Das westliche Modell der Egalität bei paralleler Arbeitsmarktintegration und betreuten Kindern setzt, wenn man es genauer betrachtet, entweder einen voll funktionsfähigen Sozialstaat voraus – oder ein reiches Paar. Die Kinderbetreuung wird dann vom Staat oder der Zugehfrau übernommen, den Haushalt erledigt die Haushaltshilfe (die gerne eine Migrantin sein darf). Wo ein Sozialstaat nicht vorhanden ist und die Jobs knapp sind, von Geld für die Kinderbetreuung ganz zu schweigen, ist die Großfamilie alles und das Individuum nichts. Viele Frauen aus diesen Zusammenhängen können mit dem extrem individualistischen Konzept des westlichen Mittelstandsfeminismus deshalb nicht viel anfangen. Es bedarf sehr spezifischer Voraussetzungen, um dieses Konzept leben zu können. Es ist dennoch ein verlockendes Konzept, weil Freiheit von allen als schöner wahrgenommen wird als Zwang. Auf diese Verlockung, so meinen die Kritikerinnen der Feministinnen, könne frau durchaus vertrauen – ohne Zwang.

Die Kopftuchträgerin und die Mehrheitsgesellschaft – ein verzwicktes Verhältnis. Die Kopftuchträgerin hat sich eine muslimische Identität gebaut,

---

[343] Rommelspacher 2002: 126f
[344] Rommelspacher 2002: 128

die von der Gesellschaft als Bedrohung ihres Frauenbildes wahrgenommen wird. Dabei findet die Gesellschaft insbesondere verdächtig, dass Fundamentalisten die Frauen unterstützen. Geht man nun aber davon aus, dass die Sozialwissenschaft nicht gänzlich auf dem Holzweg ist, dann lassen sich folgende Feststellungen machen: Die Neo-Muslimin ist interessiert an einer freiheitlichen Lebensweise mit tendenziell säkularisiertem Islam, ganz so wie die Gesellschaft es eigentlich wünscht. Sie besteht aber auch auf Abgrenzung mit ihrem Outing-Symbol Kopftuch, und sie hat unter Umständen ein traditionelleres Geschlechterkonzept, als es hierzulande propagiert wird. Das Gleichheitspostulat des westlichen Feminismus vollzieht sie nur eingeschränkt mit. Dass diese Abgrenzung zur Negierung der Grundwerte der Republik führt, ist höchst unwahrscheinlich. Das Bild der ausgegrenzten und unterdrückten Muslimin, das in der Mehrheitsgesellschaft vorherrscht, wäre stark zu differenzieren: Es gibt Entsprechungen in der Realität, aber sehr viel weniger, als das Klischee suggeriert. Das Bild ist unter Umständen mit Emotionen von Frauen aufgeladen, die sich durch das Tuch in ihrer Identität angegriffen fühlen.

Wer das Identitätskonzept der Kopftuchstudentinnen ernst nimmt, muss zugeben, dass es sehr wahrscheinlich nicht diese Frauen sind, die zur weiteren Unterdrückung einzelner Mädchen beitragen. Im Gegenteil: Musliminnen mit Kopftüchern haben bei der Organisation Huda Sorgentelefone für muslimische Mädchen eingerichtet. Musliminnen mit Kopftüchern bieten beim Zentrum für islamische Frauenforschung und Frauenförderung Selbstbehauptungskurse für Frauen an. Hier stellt sich die Frage, wem genau eigentlich unterdrückte Mädchen mit Tuch am Herzen liegen – den Frauen mit oder ohne Kopftuch? Wer die Studien über Schwierigkeiten von Migrantenkindern in der Schule ernst nimmt, der kann auf die Idee kommen, dass da etwas zu tun ist, ob mit oder ohne Tuch. Man könnte sogar auf die Idee kommen, dass ein Rollenmodell diesen Mädchen gut tun könnte. Ein Vorbild, das zeigt: Man kann eine ritualtreue Muslimin sein und trotzdem etwas werden. Im öffentlichen Dienst, zum Beispiel.

Die Stigmatisierung als Unterdrückungsinstrument politisiert das Kopftuch immens. Mit dieser Politisierung aber spielt man in die Hände derjenigen, die allein das Tuch aus den Schulen verbannen wollen und alle anderen religiösen Symbole beibehalten möchten. Das können sie nämlich nur, wenn sie das Tuch politisch definieren und damit von anderen religiösen Symbolen abgrenzen. Damit stigmatisiert man nun auch alle Frauen, die es schon lange umgedeutet haben und es nur noch als religiöses Symbol tragen. Ihnen verwehrt man die Integration.

Würde man es bei der religiösen Definition belassen, müsste man in Schulen alle Religionen gleich behandeln. Bei einem Verbot religiöser

Symbole würden die Musliminnen dann unter Umständen indirekt diskriminiert. Das wäre das Modell Frankreich. Viele andere Länder mischen sich in diese Symbolfragen gar nicht erst ein, wie der Überblick im nächsten Kapitel zeigen wird. Nur deutsche Bundesländer haben es geschafft, allein die Bekleidung der Musliminnen zu verbieten. Das ist keine indirekte, sondern direkte Diskriminierung. Ein Sonderweg.

Kapitel 7
Europa

Multireligiosität oder Laizität: Wie es die anderen machen

Integration ist ein Rätsel. Wer als »Fremder« in einer Gesellschaft »ankommen« will, muss sich irgendwie einpassen, so die Anforderung. Die Gesellschaft muss ihm dazu Platz und Gelegenheit bieten, das ist die Kehrseite dieser Bedingung. Aber was bedeutet das? Reicht es aus, eine Wohnung und einen Arbeitsplatz zu haben, wie viele Gastarbeiter in den sechziger Jahren in Deutschland? Die genau so viel Deutsch sprachen, dass sie Jobs erledigen konnten, bei denen keine großen Worte gemacht werden? Offenbar nicht, wenn sich eine längere Perspektive entwickelt. Nun aber gilt es Kriterien zu entwickeln, die die MigrantInnen und die Aufnahmegesellschaft zu erfüllen haben. Es haben sich in Ländern mit längerer Einwanderertradition zwei Idealtypen herausgebildet, die beide, wie sich mittlerweile zeigt, so ideal nicht sind. Das eine ist das der Assimilation, das zumindest in der Theorie in Frankreich stärker ausgeprägt ist. Das andere ist das des Pluralismus, multikulturelles oder kommunitaristisches Modell nennt man es auch. Letzteres hat die Politik Großbritanniens und der Niederlande besonders geprägt.

Das Assimilationsmodell versucht, die Gruppenidentitäten der Ankommenden weitgehend zu ignorieren, und setzt auf ihre Integration als Individuen. Diese haben das Recht, französische Citoyens zu sein – aber dafür bekommen sie keinerlei Extrawürste gebraten. In Großbritannien und den Niederlanden versucht man dagegen eher, die Gruppen als Ganze zu integrieren: Sie können ihren Glauben öffentlich unterstützt leben, führen eigene Schulen und Sozialeinrichtungen und haben als Gruppe in der Öffentlichkeit ein Mitspracherecht.

In der Realität haben sich sowohl in Frankreich als auch in Großbritannien und den Niederlanden nur Teilerfolge gezeigt. So gibt es in all diesen

Ländern Ballungsgebiete, in denen sozial schlecht integrierte ethnische Gruppen wohnen und in denen Arbeitslosigkeit ebenso wie Kriminalität grassieren. In Frankreich musste man eingestehen, dass die Muslime nicht einfach zu assimilieren sind. Zu sehr greift der Islam in den Alltag ein, als dass man ihn aus dem öffentlichen Leben einfach ausschalten könnte. Das Ergebnis ist, dass Muslime nun doch eine eigene öffentliche Vertretung in einem nationalen Rat der Muslime haben. Ebenso haben sie eigene Schulen gegründet.

In Großbritannien dagegen radikalisierten sich einzelne Gruppen in ihrer ethnischen Community. Kurzzeitig bildeten sie in Bradford sogar ein muslimisches Parlament mit dem Ziel, eine innere Sezession vom britischen Staat zu vollziehen: das Gegenteil von Integration. Auch die Niederlande haben mit ihrem »Säulen-Modell« weniger gute Erfahrungen gemacht. Aus der Integration in den Arbeitsmarkt wurde zunehmend eine Integration in die Sozialhilfe, weil mangels Sprachkenntnissen die Qualifikationen fehlten. All diese Phänomene sind allerdings auch darauf zurückzuführen, dass die Aufnahmegesellschaften ebenfalls nicht »integrativ« waren: Diskriminerungen von Zugewanderten sind überall gang und gäbe. Man lässt gerade eben zu, dass sie das unterste Segment des Arbeitsmarktes bedienen – ohne der Mittelschicht gefährlich zu werden.

Beide Modelle gelten also mittlerweile als so problematisch, dass sich viele Länder in einer Suchbewegung zwischen diesen Polen befinden: Was soll gefordert werden? Was gefördert? Wer hat welche Anpassungsleistungen zu bringen? Ein Indikator für diese Suchbewegung ist auch der jeweilige Umgang mit dem islamischen Kopftuch im öffentlichen Raum. Da es hier nicht nur um »Kultur« im weiteren Sinne geht, der ein kommunikativer Aspekt immer schon innewohnt, sondern um Religion mit ihren besonderen normativen und auch exklusiven Ansprüchen, verschärft sich der Streit um die Multikultur hier in besonderem Maße. Wo endet die Religionsfreiheit, wo beginnt Diskriminierung? Es fällt auf, dass Staaten, die bereits ein Antidiskriminierungsgesetz haben, wie die skandinavischen Länder, die Niederlande und Großbritannien, tendenziell vorsichtiger mit Kopftuch-Verboten sind. Frankreich, das ebenfalls ein solches Gesetz hat, nimmt dagegen eine eigenwillige Auslegung vor. Im folgenden sollen einige Länder vorgestellt werden, die als Protagonisten in dieser Auseinandersetzung gelten können. Ein kurzer Überblick wird dann die Praxis weiterer europäischen Länder beschreiben.

Frankreich

Frankreich ist ein herausragendes Beispiel für die eher assimilatorische Seite des Spektrums von Minderheitenpolitiken. Das Land hat einen Vorbehalt eingelegt, als es die Menschenrechtskonvention über politische und zivile Rechte unterzeichnete. In Artikel 27 der Konvention ist unter anderem das Recht von Minderheiten festgehalten, ihre Sprache, ihre Religion und ihre Kultur zu pflegen. Dieser Artikel sei in Fragen, die die Republik betreffen, nicht anzuwenden, heißt es in dem Vorbehalt. Und die Begründung war im nächsten Menschenrechtsbericht nachzulesen: »Frankreich ist ein Land, in dem es keine Minderheiten gibt...«[345]

Der Jakobinismus der Französischen Revolution, aus dem dieser emphatische Gleichheitsgedanke entspringt, steht auch Pate bei der zweiten Besonderheit, die in Sachen Kopftuch eine Rolle spielt: dem Laizismus. Frankreich hat zwar noch weitere hundert Jahre des Kampfes gegen die katholische Kirche gebraucht, aber mit dem Trennungsgesetz von 1905 war die Kirche nachhaltiger aus dem öffentlichen Leben und damit auch aus der staatlichen Schule vertrieben als in anderen Ländern. Die Kirchen wurden nicht mehr öffentlich unterstützt. Sie waren nun als Vereine organisiert, und in den staatlichen Schulen herrschten Aufklärung und Humanismus statt Gottes Wort. Der Republikanismus entwickelte eine Art Zivilreligion: den Glauben an die Republik der Vernünftigen.

Dieses Modell beinhaltet auch die Religionsfreiheit und ein Diskriminierungsverbot. Auf dieser Grundlage operieren nun sowohl die katholische Kirche wie auch andere religiöse Gruppen wie Juden oder Muslime. Obwohl die Schule die vernunftgeleitete Nation zusammenschmieden sollte, wurde in Frankreich de facto ein duales System aus staatlichen und staatlich unterstützten kirchlichen Schulen (sowie einige Privatschulen anderer Konfessionen oder Waldorfschulen) aufrecht erhalten. Auch hatte man kirchliche Feiertage beibehalten und sogar einen Wochentag mit kürzerer Unterrichtszeit für die religiöse Bildung reserviert. Die Katholiken verhinderten 1984 durch Massendemonstrationen den einzigen ernsthaften Versuch einer Regierung, die Privatschulen ins staatliche System zu überführen.

Religiös gekleidete SchülerInnen, die vom Unterricht an staatlichen Schulen ausgeschlossen wurden, tauchten von Zeit zu Zeit in den Medien auf, ohne dass sich eine größere Debatte entzündete. Es war nicht zufällig 1989, als einer dieser Kopftuch-Fälle plötzlich die gesamte Nation ergriff und spaltete. Das war das Jahr, in dem Algerien sich seine demokratische Verfassung gab und in dem sich die Islamisten als FIS, als Heilspartei, konstituierten, um ihren Siegeszug anzutreten. Und es war das Jahr der Rushdie-Affäre, in dem der iranische Ayatollah Khomeini zum Mord an dem Autor aufrief. Auch in Frankreich ging die Angst vor dem Islamismus um. Gleichzeitig warnten Antirassisten vor der Pauschalverurteilung der Muslime, die etwa der rechtsgerichtete Front National

---

[345] vgl. Sebastian Poulter: Muslim Headscarves in School, in: Oxford Journal of Legal Studies, Vol 17, No 1: 53

seit einiger Zeit betrieb: Der Stoff für den Kopftuch-Konflikt war geliefert.

Drei muslimische Schülerinnen im Pariser Vorort Creil trifft es. Seit einiger Zeit sollen sie mit Kopftüchern in die Schule gekommen sein. Am 4. Oktober 1989 wird an ihnen ein Exempel statuiert: Sie werden der Schule verwiesen. Diesmal springt SOS-Racisme auf den Fall an und skandalisiert ihn. Die sozialistische Regierung ist erschrocken: Bildungsminister Lionel Jospin etwa meint beschwichtigend, bei aller Laizität sei die Schule »nicht da, um auszuschließen, sondern um aufzunehmen«. Doch da macht eine Gruppe von Intellektuellen schon mobil: Fünf namhafte PhilosophInnen verfassen einen Offenen Brief, der die Laizität nicht nur vom Staat, sondern von jedem einzelnen Bürger in der Öffentlichkeit fordert.[346] Hier entfaltete die Vernunft aufs Prächtigste ihren Ausschließlichkeitsanspruch, als Regis Debray etwa erklärte, in Frankreich sei »Gott liquidiert, indem wir den König geköpft haben und aus der Vernunft, dem Wissen, unsere einigende Transzendenz gegen den Glauben gemacht haben«.[347] Alain Finkielkraut erklärte prosaischer, man solle, wenn man ausgehe, doch »seine Ursprünge im Schrank lassen«.[348] Was sie fürchteten, war etwas, das sie die »kommunitaristische Pest« nannten: der Einfall des muslimisch-fundamentalistischen Partikularismus (»integrisme« genannt) in die universalistische Republik.[349] Einige sozialdemokratische Linke um Alain Touraine antworteten in einem Gegenmanifest, der Laizismus verkäme hier zum Vorwand für den Ausschluss von ohnehin Diskriminierten.

Jospin vermied zunächst eine Entscheidung und bat den Conseil d'Etat, das französische Verfassungsgericht, um Rat. Der Conseil verfügte, dass ein Kopftuch durchaus mit der Laizität vereinbar sei, solange es weder andere Schüler noch den Unterricht beeinträchtige oder eine offensichtliche Provokation darstelle. Von nun an lag es in der Hand der Schuldirektoren festzustellen, ob das Tuch provokativ getragen werde oder als dezenter Hinweis auf die Religion seiner Trägerin. Das führte zu einer Fülle von Schulausschlüssen mit anschließenden Klagen vor Gerichten, die diese Ausschlüsse in der Regel wieder kassierten – ein wenig befriedigender Zustand. Der Creiler Streit übrigens wurde von König Hassan II. von Marokko beendet, der seinen Untertaninnen bedeutete, sie sollten sich doch an die laizistischen Spielregeln halten. Für andere Fälle wurde eigens eine Konfliktmanagerin von höchster Ebene berufen. Nachdem Hanifa Cherifi ihr Amt 1994 angetreten hatte, gingen die Fälle auf etwa

---

[346] Elisabeth Badinter, Regis Debray, Alain Finkielkraut, Elisabeth de Fontenay, Catherine Kintzler, in: Le Nouvel Observateur, 2.-8.11.1989, später schließen sich unter anderen Andre Glucksmann und Emmanuel Todd an.

[347] Le Point, 30.10.1989

[348] Le Quotidien, 15.11.1989

[349] vgl: Schirin Amir-Moazami: Schleierhafte Debatten, in: Jahrbuch für Religionswissenschaft und Theologie der Religionen 7/8, 1999/2000: 361

150 im Jahr zurück, vorher waren es doppelt so viele gewesen. 95 Prozent von ihnen hätten sich gütlich regeln lassen, gibt der französische Lehrerverband an.

Ein vorläufiges Ende der Debatte setzte ein Bericht der nach ihrem Vorsitzenden benannten Stasi-Kommission, die Staatspräsident Jacques Chirac 2003 eingesetzt hatte, ein 20-köpfiges Gremium, in dem auch die philosophischen KontrahentInnen wieder aufeinander trafen. Doch die Argumente der Kopftuchgegner überzeugten auch die einstigen Verteidiger: Nicht nur Touraine schwenkte um. Die Kommission schlug im Dezember 2003 vor, das Zeigen religiöser Symbole in Schulen zu verbieten, zugleich aber Zugeständnisse an die nichtchristlichen Religionen zu machen, indem ein jüdischer und ein muslimischer Feiertag in den offiziellen Kalender aufgenommen werden. Chirac übernahm aus diesen Vorschlägen das Verbot religiöser Symbole. Statt der Feiertagsregelung will er aber lieber eine Ombudsstelle einzurichten, bei der sich melden kann, wer sich diskriminiert fühlt.

Die Zustimmung zu diesem Gesetz war überwältigend groß: Nicht nur Feministinnen und muslimische Laizistinnen weisen auf den Einfluss der Islamisten in der großen Gruppe der muslimischen Einwanderer hin. Diese arbeiteten erfolgreich darauf hin, dass die Rechte der Frauen und Mädchen beschnitten werden. Die Überzeugung, dass man den Einfluss der Islamisten an den Kopftüchern regelrecht abzählen könne, trifft auf die Ansicht, dass die französische Zivilreligion demonstrative Symbole des Glaubens nicht dulden kann. Am 3. Februar 2004 wurde ein entsprechendes Gesetz verabschiedet. Sein Kernsatz: In öffentlichen Schulen ist das »Tragen von Zeichen und Bekleidung, die ostentativ eine religiöse Zugehörigkeit manifestieren, untersagt«.

Protest kommt von den religiösen Muslimen und einigen Liberalen, aber auch die katholische Kirche Frankreichs empört sich über den Eingriff des Staates in die Religionsfreiheit. Unklar ist, ob das Gesetz das Verfassungsgericht überleben wird, das in seinem Beschluss eher vorsichtig formuliert hatte. Es gibt jedenfalls schon zwei Schülerinnen, diesmal in Aubervilliers, deren Vater angekündigt hat zu klagen. Zumindest die Eltern sind übrigens des muslimischen Fundamentalismus unverdächtig: Sie ist Katholikin, er Jude.

Großbritannien

Großbritannien ist eine Art Gegenbeispiel zu Frankreich. Es hat keine Verfassung, man versäumte sogar bis 1998, die Europäische Menschenrechtskonvention in nationales Recht zu überführen. Insofern gab es lange Zeit kein verbrieftes Recht auf den Schutz vor religiöser Diskriminierung. Doch zum Kopftuch an Schulen heißt es nur: »This is not an issue in Britain.«[350] Ebenso wie Frankreich begreift sich Großbritannien als Einwanderungsland, auch hier wurden die Einwanderer auf einfache Weise zu britischen Staatsbürgern. Das religiöse Erbe allerdings ist hier ganz anders und dementsprechend auch der Umgang mit Minderheiten-Religionen.

In der Tat ist die englische Gesetzgebung bisher mehr als pragmatisch verfahren – »pluralism within limits« heißt die britische Melange. So haben Juden und Muslime das Recht, ihre Tiere betäubungslos zu schlachten (»schächten«), Sikhs dürfen Turbane statt Motorradhelme tragen. Kopftücher und Turbane sind offiziell Teil der Polizeiuniformen: Integrationspolitik auf Englisch. Die aber noch nicht sehr viel daran änderte, dass auch die rund 2,5 Millionen Muslime Großbritanniens eher am unteren sozialen Rand der Gesellschaft leben – wie in ganz Europa.

Vielleicht ist es die Erfahrung des Nordirland-Konflikts, die den Staat in Sachen Religionsfreiheit von Minderheiten äußerst vorsichtig gemacht hat und diesen einen weiten Spielraum läßt. Gerade weil der Staat und die Church of England nicht getrennt sind, achtet man darauf, dass andere Konfessionen ihre Besonderheiten wahren können. Die Schulen etwa sind angehalten, die spirituelle Entwicklung der Kinder zu fördern. Das beinhaltet tägliche Schulgebete und Religionsunterricht an staatlichen Schulen. Von beidem können Eltern ihre Kinder auch abmelden.

Staatlich geförderte Privatschulen sind ebenfalls zu diesen Praktiken angehalten, wobei sie darauf zu achten haben, dass die Hauptreligion Großbritanniens zwar das Christentum sei, aber andere Religionen ebenfalls zu berücksichtigen sind. De facto können sie neben christlichen auch andere Schulgebete und anderen Religionsunterricht anbieten. Ein lokaler Religionsrat kann darüber hinaus beschließen, dass man überhaupt lieber eine andere Religion anstelle des Christentums unterrichtet.[351] Es ist keine Seltenheit, dass der Religionsunterricht zu einem multireligiösen Unterricht umgebaut wird. Lehrerinnen und Schülerinnen tragen Kopftücher nach Belieben.

Das heißt nicht, dass es keine ethnischen oder religiösen Konflikte gäbe. Als Muslime in Bradford nach Khomeinis Todesfatwa 1989 Salman Rushdies *Satanische Verse* verbrannten, zeigte sich die Kehrseite des Pluralismus unter diskriminierenden Bedingungen: Ghettos bilden sich, die Ausgegrenzten werden radikaler. Schon 1984 hatten fundamentalistische Muslime erfolglos gefordert, die Scharia ins Familienrecht zu übernehmen. Nach der Rushdie-Affäre bildeten die Bradforder Muslime ein Gegenparlament, das auf eine autonome britische Moslemenklave hinar-

---

[350] So die Antwort der deutschen Botschaft in London auf die Anfrage des deutschen Innenministeriums, unveröffentlichtes Papier, Dezember 2003.

[351] vgl. Poulter 1997: 56f

beitete – ebenfalls erfolglos. Diese Aktivitäten verstärkten das Misstrauen der Nichtmuslime. Rassismus und religiöse Diskriminierung nahmen zu, in den folgenden Jahren kam es wiederholt zu Unruhen der ethnischen Minderheiten in einzelnen Städten. Das britische Konzept des Multikulturalismus gilt seitdem nicht mehr als Allheilmittel.[352] Die Regierung hält jedoch an dem Konzept fest, die »Unterschiede zu feiern«, wie Premier Tony Blair nach gewalttätigen Ausschreitungen in Bradford im Jahr 2001 sagte, nur müsse es daneben auch Gemeinsamkeiten geben, schränkte er ein. Der Staat bemüht sich seitdem, die Kommunikation zwischen den ethnischen und religiösen Gruppen zu stärken. In der Diskussion ist auch der Vorschlag, Quoten für verschiedene Minderheiten in den religiösen Schulen einzuführen, damit die einzelnen Gruppen nicht nur unter sich bleiben. Mit dem kommunikativen Konzept hat etwa die Stadt Leicester, in der in wenigen Jahren die Hälfte der Bevölkerung aus ethnischen Minderheiten bestehen wird, gute Erfahrungen gemacht.[353]

Integration der Gruppen statt Assimilation bleibt die Linie Großbritanniens: Die Kommentare zum französischen Kopftuch-Verbotsvorhaben sind dementsprechend distanziert bis verständnislos. Der Vorsitzende der von der Regierung eingesetzten Kommission für Rassengleichheit, Trevor Phillips, forderte gar seine Regierung auf, das Projekt einer EU-Verfassung wegen Frankreichs diskriminierendem Gesetzesvorhaben zu überdenken.[354]

Zu heikel ist den Briten das Integrationsprojekt, als dass man riskieren würde, die Muslime durch solche Pläne zu brüskieren. Krach um das Kopftuch gab es nur in Einzelfällen, die alle gleich ausgingen. In Bradford, dem Ort der Rushdie-Bücherverbrennung, wollte in den Achtzigern ein konservativer Direktor die säkulare Schule durchsetzen und musste zurücktreten. 2003 versuchte eine Schule im ebenfalls muslimisch geprägten Luton in Bedfordshire, die Kopftücher mit dem Argument zu verbannen, sie seien nicht Teil der Schuluniform. Doch hier schritt die Kommission für Rassengleichheit ein.[355] Eine Lehrerin in Peterborough musste wegen »religiös motivierter Körperverletzung« vor Gericht, weil sie eine Schülerin aufgefordert hatte, ihr schwarzes Tuch abzunehmen. An der Schule waren graue Kopftücher für Musliminnen vorgeschrieben.[356]

Insgesamt ist die Panik vor einem politischen Islam unterm Kopftuch in Großbritannien gering, obwohl es eine Welle von Verhaftungen Terrorver-

---

[352] vgl. Ralph Ghadban: Reaktionen auf muslimische Zuwanderung in Europa, in: Aus Politik und Zeitgeschichte 26/2003, Quelle: *www.bpb.de*

[353] »Leicesters Lesson in racial Harmony«, BBC, 29.5.2001, Quelle: *www.news.bbc.co.uk/1/hi/england/1357865.stm*

[354] BBC World Hard Talk: *news.bbc.co.uk/1/hi/programmes/hardtalk/3311491.stm*

[355] »Headscarf Dillemmas«, Channel four 17.1.2004, Quelle: *www.gangsterno1.co.uk/news/2004/01/week_2/17_scarves.html*

[356] »Kein Stoff für die Politik«, Der Tagesspiegel, 29.12.2003

dächtiger nach dem 11. September 2001 gab und obwohl hier schon lauthals nach Scharia und muslimischer Autonomie gerufen wurde. Die Kopftücher dagegen sind derart im Alltagsleben der Briten verankert, dass man hier nicht auf die Idee kommt, sie mit dem politischen Islam gleichzusetzen.

Niederlande

Die Niederlande, lange Zeit das multikulturelle Vorzeigeland, befinden sich in einer Phase der Selbstbestrafung. Die multikulturelle Politik sei gescheitert, so peitschen sie sich seit einigen Jahren. Als der Bericht, der dieses im Januar 2004 feststellen sollte, nicht so negativ ausfiel wie erwartet, wurde er von Parlamentariern fast aller Parteien als »zu schlapp« gegeißelt.[357]

Was war passiert? Die Multikultur der Niederlande beruhte auf den Resten ihrer einstigen Politik der »Versäulung«. Das war die holländische Antwort auf den katholisch-protestantischen Glaubenskrieg gewesen: Jeder bekam eigene Schulen, eigene Kirchen, eigene Zeitungen, eigene Parteien. Diese Politik ist zwar offiziell schon lange beendet worden, dennoch ist es für eingewanderte Minderheiten immer noch relativ einfach, etwa eigene Schulen zu gründen. Neben den katholischen und protestantischen Primarschulen entstanden auch muslimische. Die Integration der Gesamtgruppe anstatt der Individuen, so die Hoffnung, würde zu einer sanften Landung in der niederländischen Gesellschaft führen. Tatsächlich führte sie ähnlich wie in Großbritannien zur Ghettobildung. Die Arbeitslosigkeit unter den Einwanderern war um ein Vielfaches höher als unter der einheimischen Bevölkerung. Als es ans Sparen ging, weil auch der niederländische Wohlfahrtstaat zu teuer wurde, war der Gruppenneid umso schneller mobilisierbar: Der rasante Aufstieg des Populisten Pim Fortuyn mittels antimuslimischer Propaganda alarmierte die Politik. Das Regierungsbündnis mit seiner Partei ging zwar kurz nach der Ermordung Fortuyns zu Bruch, doch der Diskurs von der misslungenen multikulturellen Politik ist seitdem dominant.

Die bisherige »Minderheitenpolitik« wird allerdings schon seit den Neunzigernzur »Integrationspolitik« umgebaut. Die vorläufige Krönung bildet das Einwanderergesetz von 1998. Laut diesem Gesetz wird der Einwanderer quasi an die Hand genommen, auf Integrationsfähigkeit geprüft und anschließend in Sprachkurse, Berufsbildung und Sozialkundeunterricht gesteckt. Wer sich weigert, bekommt weniger Sozialhilfe.

Pim Fortuyn war es auch, der in seiner kurzen Regierungszeit 2002

---

[357] vgl. etwa SWR, 19.1.2004: »Bericht zum Stand der Integration«, Quelle: *www.swr.de/international/de/2004/01/19/beitrag1.html*

einen Gesetzentwurf für ein Kopftuchverbot im öffentlichen Dienst vorlegte, das damals allerdings abgelehnt wurde. Dabei ist zu berücksichtigen, dass die Schulen in den Niederlanden in der Folge der Versäulungspolitik stark religiös differenziert sind. Zwei Drittel der Grundschulen sind konfessionell, ein Drittel katholisch, eines protestantisch. Diese konfessionellen Schulen dürfen das Kopftuch offiziell verbieten – ebenso wie die muslimischen Schulen es anordnen dürfen. Da die meisten Muslime sich allerdings von den staatlichen und nichtmuslimischen Schulen bessere Startchancen für ihre Kinder erhoffen, spielen die muslimischen Schulen keine große Rolle.

An staatlichen Schulen gibt es keine feste Regelung zum Thema Kopftuch. Die niederländische Gleichbehandlungskommission hat im Jahr 2003 ein Gutachten herausgegeben, das ein allgemeines Kopftuchverbot ausschließt. Die Schulen können zwar Kleidungsregeln festlegen, doch dürfen diese eben nicht diskriminierend sein. Versuchten Schulen auf dieser Grundlage, Kopftücher zu verbieten, wurde ihnen dies regelmäßig von Gerichten untersagt. Lediglich Verbote von Gesichtsschleiern wurden von der Gleichbehandlungskommission nicht beanstandet, da diese die Kommunikation behindern könnten.

Auch der Bericht zum Stand der Integration empfiehlt ausdrücklich, kein generelles Kopftuchverbot in Schulen einzuführen.

Österreich

»In Österreich gibt es kein Kopftuch-Problem«, konnte Bundeskanzler Wolfgang Schüssel anlässlich des deutschen Kopftuch-Urteils stolz verkünden.[358] Zumindest nach der Rechtslage sind Schülerinnen, Studentinnen und auch Lehrerinnen mit wie ohne Kopftuch willkommen. Österreich ist schon als Exil türkischer Türban-Studentinnen bekannt geworden, insbesondere weil sie hier auch islamische Religionslehre studieren können. Und das kam so: 1908 annektierte die Donau-Monarchie Bosnien-Herzegowina und war damit plötzlich um eine Religionsgemeinschaft reicher. Die Angelegenheiten der muslimischen Untertanen wurden 1914 im »Islamgesetz« geregelt. Es beinhaltete das Recht auf freie und öffentliche Religionsausübung. Keine andere Institution durfte für den Islam sprechen. Das Gesetz geriet nach dem Ersten Weltkrieg in Vergessenheit und wurde erst in den 1960er Jahren durch den vermehrten Zuzug von muslimischen GastarbeiterInnen wiederentdeckt. 1979 konstituierte sich die Islamische Glaubensgemeinschaft in Österreich (IGGiÖ) als Körperschaft öffentlichen Rechts so wie im Gesetz von 1914 vorgesehen. Mit dieser Institutionalisierung ging auch das Recht auf Religionsunterricht einher.

[358] vgl. *www.diestandard.at/?id=1514942*

Seit 1982/83 wird er an österreichischen Schulen angeboten. Die IGGiÖ koordiniert gemeinsam mit der Pädagogischen Akademie die Ausbildung der LehrerInnen (inzwischen gibt es auch eine eigene Islamische Religionspädagogische Akademie in Wien), und der Lehrplan unterliegt wie für jede Konfession dem Religionsunterrichtsgesetz des Staates.

Das Islamgesetz verhinderte bisher auch etwaige Kopftuch-Verbotspläne; das Tuch war schlicht als Ausdruck des autonomen islamischen Glaubens akzeptiert. Diskriminiert werden Kopftuchträgerinnen dennoch: Sie haben es schwerer, einen Ausbildungsplatz zu finden, und die Frauenbeauftragte der Islamischen Gemeinschaft kann ein Lied singen von LehrerInnen, die Kopftuch tragende Schülerinnen vor der Klasse lächerlich machen. Dieser unterschwelligen Ablehnung gewiss forderte ein FPÖ-Abgeordneter am Tag der deutschen Verfassungsgerichtsentscheidung prompt ein Kopftuch-Verbot für Österreich, allerdings ohne nennenswertes Echo. Die islamische Gemeinschaft beobachtet die deutsche Debatte mit Argusaugen, doch nach Österreich hineingeschwappt ist sie offenkundig noch nicht. Die Institutionalisierung der Muslime hat den Effekt, dass auch der türkische Kopftuch-Streit, der den deutschen Streit indirekt befeuert, nicht so ausgeprägt ist. Zwar finden sich auch hier Kemalistinnen, die vor der Zwangsverschleierung der muslimischen Töchter warnen, doch ist die gesamte Islamische Gemeinschaft derart eindeutig auf dem Kurs, dass Frauen selbst entscheiden sollen, was sie tragen, dass auch aus dieser Schwierigkeit bisher keine ernsthaften Funken schlugen.[359]

Es gibt nur einen bekannten Problemfall: Anfang 2003 durfte sich ein muslimisches Mädchen nicht an der HAK (Handelsakademie und -schule) in Traun anmelden. Die Hausordnung verbietet Kopfbedeckungen jeder Art. Die Klage ist noch nicht entschieden.

Schweiz

Die Schweiz hat ähnlich wie Deutschland keine feste Tradition in der Integrationspolitik: Zwar leben mittlerweile 310.000 Muslime, die einem Anteil von 4,5 Prozent der Bevölkerung ausmachen. Doch sind diese in verschiedenen Einwanderungswellen aus unterschiedlichen Ländern gekommen. Das macht die Bildung von Organisationen, die als Ansprechpartner fungieren könnten, schwierig. Außer bei einer Genfer Konvertitin hat sich das Problem mit einer Kopftuch tragenden Lehrkraft aber wohl noch nicht gestellt – oder es ist nicht bekannt geworden.

Der Genfer Kopftuchstreit aber wurde bis vor den Europäischen Gerichtshof für Menschenrechte getragen, der ein Verbot für rechtens hielt.

---

[359] vgl. *www.derislam.at*

Dennoch ist die Lage alles andere als übersichtlich. Die Schulgesetze sind ähnlich wie in Deutschland föderal geregelt, also Kantonssache. Genf sieht etwa ebenso wie Luzern strikte Laizität der Lehrkräfte vor, weshalb der Kanton mit seinem Tschador-Verbot für eine Primarschullehrerin auch beim Europäischen Gerichtshof durchkam.

Schülerinnen dagegen, so haben sich die meisten Kantone geeinigt, dürfen tragen, was sie wollen. Das bestätigte ein Gericht im Kanton Neuenburg 1999. Auch in einem Leitfaden des Kantons Zürich heißt es ausdrücklich: »Die Volksschule des Kantons Zürich kennt keine Vorschriften zur Bekleidung der Kinder. Die Bekleidung liegt in der Verantwortung der Eltern.«

Der Norden

Die skandinavischen Länder gehen liberal mit den muslimischen Kopfbedeckungen um: In **Norwegen** ist die evangelisch-lutherische Religion Staatsreligion. Man kommt deshalb auch anderen Religionen entgegen, indem etwa Kopftücher auf muslimischen Lehrerinnen- und Schülerinnen-Häuptern erlaubt sind. Auch Ausnahmeregelungen für muslimische Schülerinnen beim Schwimmunterricht sind üblich.

Auch in **Schweden** wird das Tuch geduldet, nur der Nikab zweier Somalierinnen war den Behörden in Göteborg im Jahr 2003 dann doch zu viel der Verhüllung.[360] Der Nikab, der in der Presse als Burka firmierte, unterscheidet sich von dieser durch einen Sehschlitz. Die Person müsse erkennbar bleiben, so die Chefjuristin der schwedischen Schulbehörde, die nun allgemeine Richtlinien zum Thema herausbringen will. Kopftücher allerdings werden darin wohl kaum, weder für Lehrerinnen noch für Schülerinnen, verboten werden, denn Schweden nimmt sein Antidiskriminierungsgesetz durchaus ernst und ein Kopftuch-Verbot als religiöse Diskriminierung wahr. So haben die Polizei und die Verkehrsbetriebe jeweils Uniformen mit Kopftuch- und Turbanvarianten entwickelt.[361] Die Lehrerinnen werden von den Schulen autonom angestellt, so dass es keinen Überblick über die Gesamtsituation in Schweden gibt. Die von der deutschen Botschaft in Schweden befragten Schulen hatten in der Tendenz kein Problem mit Kopftuch tragenden Lehrerinnen.[362] Das kann aber auch daran liegen, dass muslimische Einwanderer in Schweden oft sehr konzentriert an wenigen Orten leben, in denen die Schulen dann ohnehin muslimisch geprägt sind oder sogar muslimische Privatschulen sind, von denen es 17 in Schweden gibt. Dies alles wird aber durchaus auch pro-

[360] »Das Vermummungsverbot«, die tageszeitung, 5.11.2003
[361] »Mit einem Kopftuch auf Streife«, die tageszeitung, 24.7.2003
[362] Unveröffentlichtes Papier des Bundesministerium des Innern, 2003

blematisiert: Schwedischstämmige Schüler wandern, weil es eine freie Schulwahl gibt, aus den muslimisch geprägten Schulen ab. An den muslimischen Schulen dagegen wurden Klagen über körperliche Strafen und psychischen Druck laut, so dass diese nun stärker überwacht werden.

In **Dänemark**, wo vier Prozent der 5,3 Millionen Einwohner muslimischen Glaubens sind, gilt kein Kopftuch-Verbot an Schulen. Sommer 2003 startete die rechtsgerichtete Dänische Volkspartei den Versuch, ein Gesetz zu initiieren, das Kopftücher, aber auch alle anderen Arten von Kopfbedeckungen – etwa Baseball-Kappen – in Schulen verbietet. Die Regierung wies das Vorhaben sofort zurück, woraufhin die Debatte wieder versiegte.

Daneben gibt es einige Gerichtsurteile, wonach Unternehmen – etwa ein Supermarkt und ein Kaufhaus – Angestellte, die Kopftücher tragen, nicht entlassen dürfen. Die Unternehmen mussten Strafen bis zu 10.000 Kronen (1.346 Euro) bezahlen.[363] Es ist allerdings noch ein Fall vor dem Obersten Gerichtshof anhängig, der zu entscheiden hat, ob »sichtbares Personal« nicht doch ohne Kopftuch am Arbeitsplatz der Firma »Fotex« erscheinen muss. Dies hatte im Dezember 2003 der Eastern High Court entschieden.[364]

Der Süden

In **Spanien** wurde 2002 der berühmt gewordenen »Fatima« mit Kopftuch der Zugang zur Schule verweigert, doch die Erziehungsbehörde in Madrid entschied, dass der Schulbesuch mit Kopftuch »ohne irgendeine Bedingung« möglich sei. Man berief sich dabei auch auf eine Vereinbarung aus dem Jahr 1992 zwischen dem spanischen Staat und der islamischen Religionsgemeinschaft, wonach nur Gesetze der öffentlichen Ordnung die Religionsausübung einschränken.[365] Obwohl die Behörden anders entschieden, ist ein unterschwelliger antimuslimische Diskurs nicht zu überhören. So urteilte die spanische Erziehungsministerin im Fall »Fatima«, das Mädchen habe sich anzupassen. Notfalls müsse das Kopftuch-Tragen per Gesetz verboten werden. Doch noch ist eine solche Debatte in Spanien nicht im Gang.

In **Italien** sind Problemfälle noch nicht bekannt geworden. Dort gehen Mädchen mit Kopftüchern sowohl zur Schule als auch in die Universität. Ob Lehrerinnen mit Kopftüchern unterrichten, ist den Behörden nicht bekannt, wird aber für unwahrscheinlich gehalten.

---

[363] »Kein Stoff für die Politik«, Der Tagesspiegel, 29.12.2003
[364] Schian/Kubelka 2003: 47
[365] unveröffentl. Papier des Bundesministerium des Innern: 2003

Schluss

Die Frau mit dem Kopftuch ist eine Provokation. Das ist die herrschende Wahrnehmung in Deutschland. Sie trägt das Symbol einer problematischen Religion, das Symbol der Unterdrückung, das Symbol einer autoritären antidemokratischen Bewegung. Sie will dieses Symbol ausgerechnet in der Schule tragen, die neutral sein soll. Wer soll da der Lehrerin mit dem Kopftuch nicht mindestens Naivität, wenn nicht gar bösen Willen unterstellen?

Die Bereitwilligkeit einer Gesellschaft, ein Stück Stoff als ungeheure Provokation zu empfinden und mit all diesen Konnotationen aufzuladen, weist unweigerlich auch auf sie selbst zurück. Bevor die Lehrerin mit dem Tuch überhaupt eine Ungeheuerlichkeit unter Beweis stellen konnte, wurde ihr schon ein Riegel vorgeschoben. Jetzt werden Gesetze daraus. Würde die Politik die tiefer liegenden Motivationen beider Seiten ehrlich bedenken, sie würfe ihre Kopftuch-Gesetze auf den Müll. Die Politik würde das Kopftuch Kopftuch sein lassen und sich um das kümmern, was wirklich im Argen liegt: die Chancengleichheit von muslimischen Mädchen und die Auseinandersetzung mit dem Islamismus.

Die Symboldebatte aber war von Anfang an ungleichgewichtig. Was die Kopftuchträgerinnen selbst über ihr Kleidungsstück sagen, wird gleich wieder von machtvollen Bildern gelöscht. Ein Abgleich von Bildern mit der Realität zeigt, dass unter den Donnerworten »religiöse Demonstration«, »Islamismus« und »Unterdrückung« in ihrer Klischeehaftigkeit einiges verloren geht.

Viele Frauen tragen das Tuch aus persönlichen religiösen Gründen. Dennoch wird es mit größter Selbstverständlichkeit als »demonstratives« religiöses Symbol bezeichnet. Länder, in denen die Kleidung von Frauen kein Konfliktthema ist, sehen in einem Kopftuch keine »Demonstration«, Großbritannien und Österreich gehören dazu. Es gibt aber Länder, die das Tuch erst zum demonstrativen Symbol gemacht haben, der Iran und andere fundamentalistische Staaten mit ihrem Kopftuchzwang, die Türkei mit ihrem Kopftuchverbot in öffentlichen Gebäuden. Die jeweilige Gegenbewegung zu diesen autoritären Akten ließ in beiden Fällen nicht lange auf sich warten. Weder die inneriranische noch die innertürkische Auseinandersetzung um Kopftücher müsste die Bundesrepublik sich zu eigen machen. Aber ein Tuch, das man hier nicht kennt, muss wohl eine »Demonstration« sein.

Mit dem Beharren auf dieser Definition kommt man unweigerlich in ein weiteres schwieriges Gebiet. Nun ist die Frage, ob diese Demonstration in der Schule stattfinden darf. Natürlich nicht, schallt es aus etlichen juristischen Instanzen. Die Schule ist religiös neutral! Die Realität dieser Neutralität sieht anders aus: Dem Christentum wird in deutschen Staatsschulen viel Raum gegeben. Christliche Werte sind in verschiedenen Landesverfassungen und Schulgesetzen als Erziehungsziel festgeschrieben. Bayerischen Schulkreuzen ist sogar ein eigenes Kruzifix-Gesetz gewidmet, die Kirchen halten Religionsunterricht in Schulen, es gibt Schulgebete und Schulgottesdienste. Man kann diese hinkende Trennung von Staat und Kirche für skandalös halten und eine Änderung der Wischiwaschi-Neutralität im Grundgesetz verlangen. Das tut aber kaum jemand. Daraus aber muss man den Schluss ziehen, dass wer sich mit dem Symbol Kruzifix im Klassenzimmer höchstrichterlich abfinden kann, auch ein Kopftuch tolerieren müsste. Und siehe da: Sogar Baden-Württembergs Ministerin Annette Schavan, die der Kopftuchlehrerin Ludin den Job verwehrt, meint, dass der Streit nicht entbrannt wäre, ginge es nur um ein religiöses Symbol.[366]

Jetzt kommt das nächste Bild machtvoll ins Spiel: die politische Symbolik des Tuches. Beim Fundamentalismus ist Schluss mit der Multikultur, heißt es zu Recht. Tatsächlich sind die Islamisten in Sachen Kopftuch immer mit von der Partie. Islamisten erklären das Tuch zur heiligen Pflicht aller Musliminnen. Zu diesen Pflichten zählt bei ihnen auch, dass Frauen Kinder hüten und dem Mann gehorchen. Es sind auch die selben Gruppen, die anstelle demokratisch vereinbarten Rechts lieber Allahs Gesetz herrschen sähen oder das, was sie dafür halten.

Es wird unter den Kopftuchträgerinnen Aktivistinnen geben, die diese antidemokratischen Haltung teilen, nur gefunden hat sie noch niemand. Bisher erklären die befragten Frauen das Tuch zu einer Bekleidungsgewohnheit. Manchmal soll es dazu eine kulturelle, maximal eine gesellschaftspolitische Differenz markieren: »muslim pride« analog zu »black pride«. Kulturelle oder gesellschaftspolitische Differenzen aber sind Selbstverständlichkeiten in einer freien Gesellschaft. Würde man eine finden, die antidemokratische Agitation betreibt, würde man ihr den Beamtenberuf

---

[366] Annette Schavan: Das Kopftuch ist ein politisches Symbol, in: Zeitschrift für Ausländerrecht und Ausländerpolitik 1, 2004: 5

verwehren. Ein Staat, der alle Kopftuchträgerinnen unter einen Generalverdacht stellen möchte, kann sogar jede für sich per Einzelfallentscheid auf ihre Verfassungsfestigkeit überprüfen – wie zu Zeiten des Radikalenerlasses. Es bliebe ein hysterisches Modell aus hysterischen Zeiten.

Wem dabei unwohl ist, der führt nun das letzte schlagende Bild vor: Das Tuch sei ein Symbol der Unterdrückung der Frau. Es sei von seiner patriarchalen Konnotation nicht zu trennen. Offensichtlich ist es das doch. Der lebende Beweis dafür heißt Fereshta Ludin und hat zwei Jahre lang die deutsche Justiz beschäftigt. Die Selbststilisierung als tugendhafte Neo-Muslima suggeriert in der Tat, dass auch patriarchale Koran-Regeln anerkannt werden. Die Diskussionen unter Musliminnen zum Thema Frauenrechte zeigt aber das Gegenteil: Diese Regeln werden seziert, durchleuchtet, umgedeutet und ihrer Wirksamkeit beraubt. Dieser Prozess findet in allen Ländern statt, in denen Musliminnen leben, sogar in Deutschland.

Das allerletzte Bild ist das Bild vom Bild: Die Lehrerin mit Kopftuch mag emanzipiert sein. Aber das Bild, das sie vor den Kindern abgibt, zeigt etwas anderes. Hier wird die Auslöschung der Realität durch das Bild total: Das Kopftuch erschlägt die Person. Die Lehrerin in ihrem Verhalten soll weniger Einfluss auf die Kinder haben, als ein Bild, das es von ihrem Kleidungsstück gibt. Analog dürfte ein Lehrer mit ultrakurzen Haaren nicht beschäftigt werden, weil seine Frisur ein Symbol von Rechtsradikalen ist. Das erscheint absurd, schließlich kann man überprüfen, ob die Person zur Frisur rechtsradikal ist. Die fremden Frauen dagegen sind als Person nicht vorhanden. Eine Lehrerin, der Selbstbestimmung und innere Unabhängigkeit der Kinder am Herzen liegen, soll nicht tragbar sein, wenn sie dabei ein Tuch trägt. Realistischer wäre wohl zu sagen: Eine Lehrerin, die Kinder autoritär indoktriniert, ist nicht tragbar, egal, ob etwas auf ihrem Kopf ist oder nicht. Die katholischen Schulschwestern im bayerischen Auerbach wurden gestoppt, als bekannt wurde, dass sie Mädchen die kurzen Röcke mit Teufels- und Höllendrohungen austreiben wollten. Dasselbe muss einer orthodoxen Muslimin passieren, wenn sie Kindern vorschreiben wollte, wie sie sich zu kleiden oder zu verhalten haben. Für diese Fälle ist die Schulaufsicht zuständig. Gestoppt werden müßte dann aber nicht das Tuch, sondern die Frau.

An solchen Bildern gibt es also einiges zu bezweifeln. Es ist aber auch etwas richtig daran. Nicht alle Frauen haben das Vergnügen, superemanzipiert zu sein und in einem liberalen Umfeld zu leben. Auch nicht alle Musliminnen. Einige von ihnen müssen einen schwierigen Weg zurücklegen. Sie müssen manchmal mit autoritären Familien klarkommen, vielleicht eine arrangierte frühe Heirat umschiffen oder aushalten. Sie müssen unter Umständen Probleme mit der Ausbildung meistern, weil ihre Sprachkenntnisse nicht perfekt sind oder weil sie Bildungslücken haben.

Sie beruhigen vielleicht ihre Eltern oder Ehemänner, die Angst um ihre moralische Integrität haben, damit, dass sie besonders wohlerzogen islamisch sind und ein Kopftuch tragen. Manche sagen: »Das Kopftuch gibt mir Schutz«, wie anderen die Lederjacke, der Nadelstreifen-Anzug oder das perfekt sitzende Kostüm. Diese Frauen gehen einen komplizierten, mühsam austarierten Weg, der mit dem Adjektiv »unterdrückt«, das die Gesellschaft auf sie klebt, nicht gut beschrieben ist. Aber wenn man ihr Dasein schon so schwierig findet: Was tut die Gesellschaft, um diesen jungen Frauen zu helfen? Sie macht ihnen das Leben noch schwerer. Frauen mit Kopftuch haben massive Schwierigkeiten, einen Ausbildungsplatz zu finden. Schlecht ausgebildete Frauen aber landen tatsächlich mit großer Wahrscheinlichkeit am Herd. Das ist nicht nur bei Musliminnen so. Wer etwas für sie tun will, fördert sie und lehnt sie nicht ab, nur weil sie ein Tuch tragen.

Wer das Tuch im öffentlichen Raum dagegen diskreditiert, setzt eine unglückselige Tradition deutscher Integrationspolitik fort: »Anpassung fordern und Diskriminierung beibehalten«, so hat Wilhelm Heitmeyer einmal das merkwürdige Verhalten der Deutschen gegenüber MigrantInnen genannt.[367] Man möchte keine Migranten in seinem Wohnhaus und kritisiert dann, dass sie sich alle in einem Viertel »abschotten«. Man gibt ihnen kein Wahlrecht und wundert sich dann, dass die Demokratie ihnen so wenig bedeutet. Man möchte keine Kopftücher an Schulen und findet dann, dass die Mädchen und Frauen sich selbst ausschließen.

Jetzt wird dieses Vorgehen amtlich: Es hagelt Anti-Kopftuch-Gesetze. Ein interessanter Zeitpunkt. Eigentlich wird der Islam durch das neue Staatsbürgerschaftsrecht gerade einbürgert. In diesem Moment wird er wie in einem letzten Abwehrakt zur Fremdreligion erklärt und unter Verdacht gestellt. Deutsche Musliminnen mit Tuch wie Ludin werden geistig nach Saudi-Arabien und Afghanistan ausgebürgert. Mehr noch: Obwohl das Grundgesetz die Gleichbehandlung aller Religionen fordert, feilt vor allem die »Südschiene« der Bundesländer von Bayern bis ins atheistische Sachsen an der christlichen Leitkultur per Gesetz. Aber auch die angeblich »religionsneutrale« Lösung, wie sie in Berlin angestrebt wird, hat einen diskriminierenden Drall, denn von einem allgemeinen Verbot religiöser Symbole werden in erster Linie strenggläubige muslimische Frauen getroffen. In den Ländern, die ein Antidiskriminierungsgesetz kennen, in Großbritannien, Schweden oder den Niederlanden, ist der generelle Ausschluss dieser Lehrerinnen deshalb auch untersagt. Das hat einen weiteren guten Grund, denn die Folge dieser Ausgrenzungsstrategie in Deutschland ist jetzt schon sichtbar. Zwar soll von einem Kopftuchverbot nur die staatliche Schule betroffen sein. Aber dieser Damm ist schon ge-

[367] Wilhelm Heitmeyer, Rainer Dollase: Die bedrängte Toleranz, Frankfurt a. M. 1996: 37

brochen: Die hessische CDU etwa meint, den gesamten öffentlichen Dienst für Kopftücher sperren zu müssen. Und schon fragen sich auch private ArbeitgeberInnen, warum sie so eine bedenklich erscheinende Person einstellen sollten. Den Mädchen, für die das Tuch eine Möglichkeit darstellt, an dieser Gesellschaft teilzunehmen, wird der Weg endgültig verbaut. Das Tuch, das bisher nur fremd war, ist jetzt feindlich.

Man hätte sich beides sparen können: die juristischen Zwickmühlen, die dem Ruch der Diskriminierung nicht entgehen, und die praktische Diskriminierung, die diesem Vorgehen folgt. Man kann sich statt dessen darauf konzentrieren, was Kindern in der Schule beigebracht werden soll. Der Ausgrenzung und Abschottung von muslimischen SchülerInnen, die neuerdings so extrem beklagt wird, hielte man getreu den alten Ideen der KultusministerInnen das Konzept Interkulturelles Lernen entgegen. Dabei kann man die Religion als Teil der Kultur nicht außen vor lassen. Die interkulturelle Schule hat dabei die vornehme Aufgabe, Toleranz nach beiden Seiten zu lehren.

Eine interkulturelle Schule ohne falsche Toleranz sähe dann vielleicht so aus: Die säkulare Gesellschaft disqualifiziert die Religion nicht von vornherein. Das heißt, man läßt auch das Tuch auf den Köpfen zu, sogar auf Lehrerinnenköpfen. Die Religionen akzeptieren die Schule als Diskussionsraum, in dem alles hinterfragt werden darf und soll. Der Islam muss sich im öffentlichen Raum Schule ebenso zur Debatte stellen wie das Christentum und das Judentum. Die vielen Spielarten des Islam, inklusive Reformbestrebungen und feministischen Interpretationen, finden in diesem Unterricht ihren Niederschlag.

Diese Art von Interkulturalität, die verschiedenen Wertsystemen sowohl Raum gibt, als auch ihre Grenzen definiert, kann nicht dem Verdikt »falsche Toleranz« oder »Indifferenz« anheim fallen. Sie zeigt, dass die Freiheiten der BürgerInnen, die der Staat respektiert und schützt, nicht mit zweierlei Maß gemessen werden. Frauen werden darin nicht diskriminiert, indem der Staat ihre Kleidung disqualifiziert. Aber ebenso wenig läßt dieser Staat zu, dass sie durch Freiheitsentzug, durch Zwangsheiraten, durch Zwangsbekleidung oder durch Gewalt diskriminiert werden. Wer die Frauenrechte so hoch schätzt wie die Deutschen, seit sie einen Kopftuch-Streit führen, der sollte der symbolischen Politik in Sachen Kopftuch Taten folgen lassen: Aufklärung, Beratung, Unterstützung für Frauen und Mädchen, deren Freiheit bedroht ist, damit sie sich entfalten können.

Die symbolischen Gefechte, die diese Gesellschaft gerade führt, sind ein Ritual zur Beruhigung des Gewissens. Gegen die Diskriminierung muslimischer Mädchen setzt man ein Zeichen. Für die Politik ist das eine kostengünstige Scheinhandlung. Für die Gesellschaft ist es ein Desaster: Man schlägt das Tuch und trifft das Mädchen.

Die Bundesrepublik traut sich nicht zu, ihre Verfassungswerte Freiheit und Gleichheit vor einer Hand voll Islamisten zu schützen. Und sie traut sich nicht zu, Freiheit und Gleichheit muslimischer Frauen zu schützen. Nun erlässt sie Sondergesetze. Und beschädigt diese Werte damit selbst. Schon sind einige Musliminnen nicht mehr frei und gleich in ihrer Berufswahl. Dabei hatte man sich doch gerade darauf geeinigt, dass die Leitkultur für alle Beteiligten die Verfassung sei. Und nicht das Ressentiment.

Literatur

Akkent, Meral et al.: Kopftuch-Kulturen, Nürnberg 1999

Alan, Ömer und Steuten, Ulrich: Kopf oder Tuch, Überlegungen zur Reichweite politischer und sozialer Akzeptanz, Zeitschrift für Rechtspolitik 1999: 209ff

Alfred Herrhausen-Gesellschaft: Das Ende der Toleranz? München 2002

Amir-Moazami, Schirin: »Schleierhafte Debatten« in: Jahrbuch für Religionswissenschaft und Theologie der Religionen 7/8, 1999/2000

Amirpur, Katajun: Emanzipation trotz Kopftuch, Feministische Studien, 2, 2003

Badinter, Elisabeth: »Der verschleierte Verstand« in Schwarzer 2002

Baer, Susanne und Wrase, Michael: Staatliche Neutralität und Toleranz: Das Kopftuchurteil des Bundesverfassungsgerichts, Neue Juristische Wochenschrift 2003: 3111 ff

Battis, Ulrich und Bultmann, Peter: »Verfassungsrechtliche Anforderungen an ein gesetzliches Verbot von Beamtinnen, insbesondere von Lehrerinnen« Rechtswissenschaftliches Gutachten im Auftrag der SPD-Fraktion im Nordrhein-Westfälischen Landtag 2004

Bauer, Jochen: Konfliktstoff Kopftuch, Mülheim/Ruhr 2001

Becker, Hildegard: Keine Antwort auf Kritik – stattdessen Diffamierungen, in epd Entwicklungspolitik 9/10, 2002

Bertrams, Michael: Lehrerin mit Kopftuch? Islamismus und Menschenbild des Grundgesetzes, Deutsches Verwaltungsblatt 2003: 1225ff

Bielefeldt, Heiner: Muslime im säkularen Rechtsstaat, Bielefeld 2003

Bielefeldt, Heiner und Heitmeyer, Wilhelm: Politisierte Religion, Frankfurt/Main 1998

Böckenförde, Ernst-Wolfgang: Kopftuchstreit« auf dem richtigen Weg?, Neue Juristische Wochenschrift 2001: 723ff

Boos-Nünning, Ursula: Mädchen türkischer Herkunft: Chancen in der multikulturellen Gesellschaft? in Heide Giesecke, Katharina Kuhs: Frauen und Mädchen in der Migration, Frankfurt/Main 1999

Brettfeld, Karin und Wetzels, Peter: Muslimische Jugendliche in Deutschland, Bundesministerium des Innern 2003: 221ff

Bukow, Wolf Dietrich und Ottersbach, Markus: Der Fundamentalismus-Verdacht, Opladen 1999
Bundesministerium des Innern: Islamismus, Berlin 2003
Bundesministerium des Innern: Islamisches Kopftuch in öffentlichen Schulen, Unveröffentlichtes Papier, Berlin 2003
Campenhausen, Axel von: Religionsfreiheit, in: *Josef Isensee/Paul Kirchhof (Hrsg.):* Handbuch des Staatsrechts der Bundesrepublik Deutschland, Heidelberg 1989
Czermak, Gerhard: Verfassungsbruch als Erziehungsmittel?, Kritische Justiz 1992: 46ff
Debus, Anne: Der Kopftuchstreit in Baden-Württemberg, Gedanken zu Neutralität, Toleranz und Glaubwürdigkeit, Kritische Justiz 1999 : 430ff
Deutschsprachige Islamische Frauengemeinschaft (DIF): »SchleierHaft«, Köln 1996
Diehl, Claudia und Urbahn, Julia: Die soziale und politische Partizipation von Zuwanderern in der Bundesrepublik Deutschland, Friedrich Ebert Stiftung Bonn: 1998
Friedrich-Ebert-Stifung: Frauenrechte in islamischen Ländern im Spannungsfeld von nationaler Kultur und universellen Menschenrechten, Bonn 2002
Engelken, Klaas: Anmerkung, Deutsches Verwaltungsblatt 2003: 1539ff
Farschid, Olaf: Ideologie der Muslimbruderschaft, in: Bundesinnenministerium: Islamismus, Berlin 2003
Franger, Gaby: Das für uns so fremde Kopftuch, in: Heide Giesecke, Katharina Kuhs: Frauen und Mädchen in der Migration, Frankfurt/Main 1996
Frese, Hans-Ludwig: Den Islam ausleben, Bielefeld 2002
Ghadban, Ralph: Reaktionen auf muslimische Zuwanderung in Europa, in: Aus Politik und Zeitgeschichte 26/2003
Giesecke, Heide und Kuhs, Katharina: Frauen und Mädchen in der Migration, Frankfurt/Main 1996
Göle, Nilüfer: Republik und Schleier, Berlin 1995
Goerlich, Helmut: Distanz und Neutralität im Lehrberuf – zum Kopftuch und anderen religiösen Symbolen, Neue Juristische Wochenschrift 1999: 2929ff
Häußler, Ulf: Leitkultur oder Laizismus?, Zeitschrift für Ausländerrecht und Ausländerpolitik, 1/2004: 6ff
Hartmann, Thomas: »Beschwerter Dialog«, in Hartmann, Margret Krannich: Muslime im säkularen Rechtsstaat, Frankfurt a. M./Berlin 2001
Heinig, Hans Michael und Morlok, Martin: Von Schafen und Kopftüchern, Juristenzeitung 2003: 777ff
Heitmeyer, Wilhelm und Dollase, Rainer: Die bedrängte Toleranz, Frankfurt 1996
Heitmeyer, Wilhelm; Müller, Joachim und Schröder, Helmut: »Verlocken-

der Fundamentalismus, Frankfurt a. M. 1997
Heitmeyer, Wilhelm: Deutsche Zustände, Band I, Frankfurt a.M. 2002
Hermeneutischer Arbeitskreis des ZIF: »Vielfältiges Verstehen« in Schlangenbrut, 77, Mai 2002
Hillgruber, Christian: Der deutsche Kulturstaat und der muslimische Kulturimport, Juristenzeitung 1999: 538ff
Hübsch, Hadayatullah: Frau im Islam, Nienburg 1997
Ipsen, Jörn: Karlsruhe locuta, Causa non finita – Das BVerfG im sogenannten Kopftuch-Streit, Neue Zeitschrift für Verwaltungsrecht 2003: 1210ff
Janz, Norbert und Rademacher, Sonja: Islam und Religionsfreiheit, Neue Zeitschrift für Verwaltungsrecht 1999: 706ff
Jonker, Gerdien: »Religiosität und Partizipation der zweiten Generation – Frauen in Berliner Moscheen« in: Klein-Hessling et al. 1999
Kästner, Karl-Hermann: Anmerkung, Juristenzeitung 23/2003: 1178ff
Kandel, Johannes: Lieber blauäugig als blind? Anmerkungen zum ›Dialog‹ mit dem Islam, Politische Akademie der Friedrich Ebert-Stiftung, Islam und Gesellschaft Nr. 2, Berlin o.J.
Karakasoglu, Yasemin: Arm dran oder gut drauf, in: Betrifft, 3/2003
Karakasoglu, Yasemin: Muslimische Religiosität und Erziehungsvorstellungen, Frankfurt 2000
Karakasoglu, Yasemin: Wer definiert die Grenzen der Toleranz?, Eigendruck Johann-Wolfgang-Goethe-Universität Frankfurt/Main 1999
Karakasoglu, Yasemin: Islam und Moderne, Bildung und Integration, in: Rumpf, Mechthild et al.: Facetten islamischer Welten, Bielefeld 2003
Kelek, Necla: Islam im Alltag, Münster 2002
Kepel, Gilles: Allah im Westen. München 1996
Kepel, Gilles: Das Schwarzbuch des Dschihad. Aufstieg und Fall des Islamismus, München/Zürich 2002
Klein-Hessling, Ruth et. al: »Der neue Islam der Frauen«, Bielefeld 1999
Klinkhammer, Gritt: Moderne Formen islamischer Lebensführung, Marburg 2000
Klinkhammer, Gritt: Zur Bedeutung des Kopftuchs im Selbstverständnis von Musliminnen, in: Ingrid Lukatis et al.: Religion und Geschlechterverhältnis, Opladen 2000
Knieps, Claudia: Geschichte der Verschleierung der Frau im Islam, Würzburg 1999
Der Koran, Übersetzung von *Rudi Paret,* Stuttgart 1979
Kreile, Renate: Islamische Fundamentalistinnen – Macht durch Unterwerfung?, in: Beiträge zur feministischen Theorie und Praxis 32: Fundamentalismen
Kreile, Renate: Politischer Islam, Geschlechterverhältnisse und Staat im Vorderen Orient, Feministische Studien, 2, 2003

Leggewie, Claus/Senocak, Zafer: Deutsche Türken/Türk Almanlar, Reinbek 1993
Lemmen, Thomas: Islamische Vereine und Verbände in Deutschland, Bonn 2002
Lutz, Helma: »Kopftuch-Debatten in den Niederlanden« in: Ruth Klein-*Hessling et. al:* »Der neue Islam der Frauen«, Bielefeld 1999
Lutz, Helma: Alte Symbole mit neuen Inhalten?, in: Frauensolidarität 4/ 1994
Mayer, Ann E.: Islam, Menschenrechte und Geschlecht: Tradition und Politik, in: Feministische Studien, Nr. 2, November 2003
Mernissi, Fatima: Der politische Harem, Freiburg 1992
Mihciyazgan, Ursula: Geschlechtertrennung im Multikulturellen Klassenzimmer, Pädagogik 9/94b
Müller, Iris/Raming, Ida: Aufbruch aus männlichen »Gottesordnungen«, Weinheim 1998
Nökel, Sigrid: Die Töchter der Gastarbeiter und der Islam, Bielefeld 2002
Oebbecke, Janbernd: Das »islamische Kopftuch« als Symbol, in: Stefan Muckel: Kirche und Religion im sozialen Rechtsstaat, Festschrift für Wolfgang Rüfner, Berlin 2003
Özoguz, Yavuz und Gürhan: Wir sind ›fundamentalistische Islamisten‹ in Deutschland. Eine andere Perspektive, Nienburg 2003
Ostendorf, Berndt: Recht auf Differenz oder universelle Gerechtigkeit? In: *Pinn, Irmgard:* Verlockende Moderne, Duisburg 1999
Pinn, Irmgard/Wehner, Marlies: EuroPhantasien. Die islamische Frau aus westlicher Sicht. Duisburg 1995
Poulter, Sebastian: Muslim Headscarves in School, in: Oxford Journal of Legal Studies, Vol 17, No 1
Rentmeister, Cillie: Rückschläge? Überlegungen zu Kulturrelativismus und Geschlechterdemokratie in Deutschland, Via Regia – Blätter für internationale kulturelle Kommunikation, Juli 2000
Rohe, Mathias: Der Islam: Alltagskonflikte und Lösungen, Freiburg 2001
Rommelspacher, Birgit: Anerkennung und Ausgrenzung, Frankfurt/M. 2002
Rotter, Ekkehart und Gernot: Die Geschichte der Lust, Düsseldorf 2002
Rumpf, Mechthild et al.: Facetten islamischer Welten, Bielefeld 2003
Rux, Johannes: Der Kopftuchstreit und kein Ende, Zeitschrift für Ausländerrecht und Ausländerpolitik 10/2002: 366ff
Rux, Johannes: Kleiderordnung, Gesetzesvorbehalt und Gemeinschaftsschule, Zeitschrift für Ausländerrecht und Ausländerpolitik 1/2004: 14ff
Sagir, Fatima Az-Zahra: »Jenseits des Zeigefingers« in: Schlangenbrut, 77, Mai 2002
Salentin, Kurt/Wilkening, Frank: »Die Basis einer islamistischen Bewegung: Wer sind die Milli Görüs-Anhänger in der Bundesrepublik?« Arbeitspa-

pier SW 1/2002 des DFG-Projektes »Bedingungen und Folgen ethnischer Koloniebildungen«, Bielefeld 2002
Sacksofsky, Ute: Die Kopftuch-Entscheidung – von der religiösen zur föderalen Vielfalt, Neue Juristische Wochenschrift 2003: 3297ff
Schavan, Annette: Das Kopftuch ist ein politisches Symbol, In: Zeitschrift für Ausländerrecht und Ausländerpolitik 1, 2004
Schian, Marcus/Kubelka, Louise: »Causa Kopftuch« oder das Rätseln um das Wesen der Erscheinung, in: Europäischer Informationsbrief Bildung und Beschäftigung, Nr. 6/03
Schiffauer, Werner: Die Gottesmänner, Frankfurt am Main 2000
Schiffauer, Werner: Die islamische Gemeinschaft Milli Görüs, in: Klaus J. *Bade et al.*: Migrationsreport 2004, Frankfurt/Main 2004
Schiffauer, Werner: Migration und kulturelle Differenz, Studie für das Büro der Ausländerbeauftragten des Senats von Berlin, November 2002
Schiffauer, Werner: Demokratische Kultur und extremistischer Islam, online-paper von: *http://viadrina.euv-frankfurt-o.de/~anthro/veroef_s.html*
Schwarzer, Alice: Die Gotteskrieger und die falsche Toleranz, Köln 2002
Seidel, Eberhard/Dantschke, Claudia/Yildirim, Ali: Politik im Namen Allahs, Brüssel 2000
Seufert, Günter: Die Milli-Görüs-Bewegung zwischen Integration und Isolation, in: ders./Jacques Waardenburg: Turkish Islam and Europe. Türkischer Islam und Europa, Stuttgart 1999
Spuler-Stegemann, Ursula: Muslime in Deutschland, Freiburg 1998
Taylor, Charles: Multikulturalismus und die Politik der Anerkennung, Frankfurt/Main 1993
Tibi, Bassam: Der Islam und Deutschland, Stuttgart/München 2000
Tibi, Bassam: Islamische Zuwanderung, Stuttgart/München 2002
Walzer, Michael: On Toleration, New Haven 1997
Warzecha, Birgit: »Befreit, aber auf jeden Fall Jungfrau«, in PädExtra, Januar 1995
Weber, Albrecht: Religiöse Symbole in der Einwanderungsgesellschaft, Zeitschrift fürAusländerrecht und Ausländerpolitik 2,2004: 53ff
Weber, Martina: Zuschreibungen gegenüber Mädchen aus eingewanderten türkischen Familien in der gymnasialen Oberstufe, in: Gieseke/Kuhs 1999
Wiese, Kirsten: Kommentar zum Bundesverwaltungsgerichtsurteil, Zeitschrift für Beamtenrecht 2003: 37ff
Worbs, Susanne/Heckmann, Friedrich: Islam in Deutschland, in: Bundesministerium des Innern: Islamismus 2003
Würth, Anna: Dialog mit dem Islam als Konfliktprävention?, Berlin 2003
Zuck, Rüdiger: Nur ein Kopftuch? Die Schavan-Ludin-Debatte, Neue Juristische Wochenschrift 1999: 2948ff

128 Seiten
vierfarbiges Paperback
ISBN 3-86099-767-X

Verband binationaler Familien und Partnerschaften, iaf e. V. (Hrsg.)

Vielfalt ist unser Reichtum

Warum Heterogenität eine Chance für die Bildung unserer Kinder ist

Beiträge von Beate Schnabel, Maria Ringler, Frank-Olaf Radtke, Ingrid Gogolin, Berrin Nakıpoglu-Schimang, Anne-Dorothea Stübing, Barbara Lutz, Martina Makowski, Ingrid Haller, Hüsamettin Erylımaz, Koral Okan, Dorothea Schlegel-Hentrich, Arif Arslaner, Cornelia Spohn, Cornelia Wilß

In der Schule als Teil des Bildungssystems werden die nötigen Fähigkeiten im Umgang mit Verschiedenheit entwickelt. Bislang aber fehlt es an kreativem Umgang mit Differenz, und es fehlt am Mut, der multiethnischen Realität in der Unterrichtspraxis Raum zu geben.

Die Beiträge in diesem Buch benennen deutlich solche Defizite. Sie zeigen aus den verschiedenen Blickwinkeln von Bildungsforschern, Lehrern und Eltern Ansätze zum professionellen Umgang mit Vielfalt im interkulturellen Klassenzimmer auf.

192 Seiten
vierfarbiges Paperback
mit 4-farbigem Bildteil
ISBN 3-86099-212-0

Lise J. Abid

Journalistinnen im Tschador

Frauenpresse und gesellschaftlicher Aufbruch im Iran

Was Frauen im Iran denken und schreiben, dringt kaum zum europäischen Medienkonsumenten durch, obwohl vor allem publizistisch tätige und engagierte Frauen den sozialen Wandel der letzten Jahre geprägt haben. Wie die »Pressefrauen« auf der Basis des islamischen Rechts argumentieren, welche Rechte sie für sich in Anspruch nehmen und wie sie mit viel Einfallsreichtum und Sachkenntnis für Reformen kämpfen, zeigt die Autorin anhand von umfangreichem Interviewmaterial und ausdrucksvollen Textbeispielen sowie durch die Analyse der Darstellung von Frauen in Zeitungen, Fotos, Grafiken und Cartoons.

Journalistinnen im Tschador eröffnet einen Zugang zum Alltagsleben der Frauen im Iran. Abid gewährt ungewohnte Einblicke, die westliche Betrachterinnen und Be-trachter verblüffen und den Vorstellungen von der stummen Frau im islamischen Staat ein Bild weiblicher Stärke entgegenhalten.